Sprache
und
Literatur 50

ULRICH WEISSTEIN

# Einführung in die Vergleichende Literaturwissenschaft

W. KOHLHAMMER VERLAG
STUTTGART BERLIN KÖLN MAINZ

*Den Studenten der Indiana University*
*die die Pflichtvorlesungen C-501 (»Introduction to Graduate Studies in Comparative Literature«) und C-545 (»Problems in Comparative Literature«) geduldig über sich ergehen ließen.*

 Verlagsort: Stuttgart. Gesamtherstellung: W. Kohlhammer GmbH. Stuttgart. Printed in Germany. 87070

# Vorwort

Der vorliegende Band stellt den ersten umfassenden – wenn auch immer noch bescheidenen – Versuch dar, dem philologisch gebildeten deutschen Publikum einen Überblick über die Geschichte, den Stand und die Aufgaben der vergleichenden Literaturwissenschaft zu vermitteln. Daß ein deutscher Verlag die Initiative ergriff und dem Verfasser den Auftrag erteilte, eine solche Studie zu schreiben, macht ihm Ehre. Es ist ein Zeichen der Zeit, daß endlich auch in Deutschland Bestrebungen im Gange sind, den Anschluß an die weltweite Komparatistik herzustellen; und das geschieht neben der Teilnahme an internationalen Kongressen, der Gründung von Fachorganen und der Errichtung von Lehrstühlen am besten durch eine Einführung wie die unsere. In Frankreich gibt es solche Kompendien schon seit langem, und auch in Amerika, Japan und Holland finden sich Ansätze zu einer systematischen Erfassung der Disziplin.

In Deutschland war bereits um die Mitte des 19. Jahrhunderts von Moriz Carriere und Moriz Haupt der vergleichenden Literaturgeschichte vorgearbeitet worden, und Erich Schmidt forderte wie Wilhelm Scherer nach 1870 wiederholt die Abschaffung des Schutzzolls für die deutsche Nationalliteratur. Doch kam der Stein erst 1886 mit der Gründung der *Zeitschrift für vergleichende Litteraturgeschichte* durch Max Koch ins Rollen. Leider setzte schon um die Jahrhundertwende die Reaktion ein, und der Triumph der Geistesgeschichte in den zwanziger Jahren machte den Hoffnungen zunächst ein Ende. Nach 1930 wurden zwar vereinzelt Lehraufträge für die vergleichende Literaturwissenschaft erteilt, doch kam es erst nach dem Ende des zweiten Weltkriegs zur Gründung eigentlicher Lehrstühle in Mainz und Saarbrücken. Die Freie Universität Berlin, die Universität Bonn und die Technischen Universitäten in Darmstadt und Aachen sind inzwischen diesem lobenswerten Beispiel gefolgt, und es steht zu hoffen, daß schon in absehbarer Zukunft der Komparatistik in Deutschland ein Platz an der akademischen Sonne eingeräumt werden wird.

Was die theoretische Grundlage dieser vorderhand für Deutschland neuen Disziplin betrifft, so teilen wir Benedetto Croces Ansicht, daß die vergleichende Literaturwissenschaft keine besonders auf sie zugeschnittene Methode für sich beanspruchen könne. Denn selbst die für das komparatistische Studium zentralen Begriffe des Einflusses, der Wirkung, der Rezeption und der Nachahmung haben auch innerhalb der Nationalliteraturen Geltung. Unsere Darlegungen stützen sich denn auch einzig und allein auf den Glauben, daß alle übernationalen und internationalen literarischen Phänomene zum Sachbereich unserer Wissenschaft gehören. Ohne die vergleichende Literaturkritik zu schmälern, wird sich dementsprechend unsere Einführung auf die Behandlung von Problemen der vergleichenden Literaturgeschichte und der vergleichenden Literaturtheorie (Poetik) konzentrieren. Ja wir halten diese doppelte Perspektive für wesentlich. Mit der gebotenen Vorsicht wollen wir, wo dies nötig scheint, auch hier und da die Grenzen der schöngeistigen Literatur in Richtung auf die anderen Künste, auf die Ideengeschichte und die Soziologie hin überschreiten, ohne uns in extraliterarischen Spekulationen zu verlieren.

Da die Diskussion um die Stellung der vergleichenden Literaturwissenschaft innerhalb der Geisteswissenschaften bisher größtenteils in fremden Sprachen geführt worden ist, gestatten wir uns aus kosmopolitischen Gründen die Anführung von Originalzitaten aus der englischen und französischen Sekundärliteratur, die durch sporadische Hinweise auf italienische, spanische, portugiesische und holländische Quellen ergänzt werden. Auch mit dieser Praxis rechtfertigen wir unsere Rolle als Wanderer und Vermittler zwischen zwei Welten.

Bloomington, Indiana, Mai 1968 Ulrich Weisstein

# Inhalt

# Abkürzungen

| | |
|---|---|
| ACLA | American Comparative Literature Association |
| AILC/ICLA | Association Internationale de Littérature Comparée/International Comparative Literature Association |
| *B/F* | Fernand Baldensperger and Werner P. Friederich, *Bibliography of Comparative Literature* (Chapel Hill, University of North Carolina Press, 1950) |
| *CL* | *Comparative Literature* (University of Oregon) |
| *CLS* | *Comparative Literature Studies* (University of Illinois) |
| *DVLG* | *Deutsche Vierteljahrsschrift für Literaturwissenschaft und Geistesgeschichte* |
| Escarpit | Robert Escarpit, *Sociologie de la littérature* (Paris, Presses Universitaires de France, [2]1960) |
| Etiemble | René Etiemble, *Comparaison n'est pas raison: La Crise de la Littérature Comparée* (Paris 1963) |
| Forschungsprobleme | *Forschungsprobleme der vergleichenden Literaturgeschichte*, hrsg. von Fritz Ernst und Kurt Wais (Tübingen), Bd. I (1950), Bd. II (1958) |
| Frenzel | Elisabeth Frenzel, *Stoff-, Motiv- und Symbolforschung* (Stuttgart 1963) |
| *GRM* | *Germanisch-romanische Monatsschrift* |
| Guyard | Marius-François Guyard, *La Littérature comparée* (Paris, Presses Universitaires de France, [3]1961) |
| *P/R* | Claude Pichois et André-M. Rousseau, *La Littérature comparée* (Paris 1967) |
| *PMLA* | *Publications of the Modern Language Association* (of America) |
| *Proceedings II* | *Comparative Literature: Proceedings of the Second Congress of the ICLA*, hrsg. von W. P. Friederich (Chapel Hill, University of North Carolina Press, 1959), 2 Bde |
| *Proceedings IV* | *Actes du IVe Congrès de l'Association Internationale de Littérature Comparée*, hrsg. von François Jost (Den Haag 1966), 2 Bde |
| *RLC* | *Revue de Littérature Comparée* |
| *S/F* | *Comparative Literature: Method and Perspective*, hrsg. von N.P. Stallknecht und H. Frenz (Carbondale, Southern Illinois University Press, 1961) |
| Trousson | Raymond Trousson, *Un Problème de littérature comparée: Les études de thèmes, essai de méthodologie* (Paris 1965) |
| Van Tieghem | Paul Van Tieghem, *La Littérature comparée* (Paris [3]1946) |
| *W/W* | René Wellek and Austin Warren, *Theory of Literature* (New York 1949) |
| *YCGL* | *Yearbook of Comparative and General Literature* |

Erstes Kapitel

# Begriffsbestimmung

Das A und O einer Einführung in die vergleichende Literaturwissenschaft ist sachgemäß die Bestimmung dieses, in deutschen akademischen Kreisen noch immer ziemlich unbekannten und meist unzulänglich definierten Begriffs-Komplexes. Bei der Erarbeitung dieser Bestimmung scheint es uns in dem uns gesteckten Rahmen angebracht, einen Mittelweg zwischen der engen Auffassung der orthodoxen Pariser Schule (Paul Van Tieghem, Jean-Marie Carré, Marius-François Guyard, Claude Pichois und André-M. Rousseau, um nur ein paar typische, wenn auch in methodologischen Fragen keineswegs immer übereinstimmende Vertreter zu nennen) und der Freizügigkeit gewisser Exponenten der »amerikanischen« Richtung (zu der wir, der Einfachheit halber, auch den Franzosen René Etiemble rechnen wollen) einzuschlagen. Wir tun dies nicht, weil wir dem noch immer in den Kinderschuhen steckenden oder in der Pubertät – keinesfalls schon in den Wechseljahren – befindlichen Wissenschaftszweig gewaltsam Fesseln anlegen wollen, sondern weil bei der systematischen Betrachtung einer komplexen Materie ein *Zuwenig* immer besser ist als ein *Zuviel.*

Das erste der beiden soeben erwähnten Extreme in der komparatistischen Arbeitshypothese tritt eindeutig in dem kurzen Vorwort, das Jean-Marie Carré dem Handbuch Marius-François Guyards voranstellte, zutage. Dort heißt es:

> La littérature comparée est une branche de l'histoire littéraire; elle est l'étude des relations spirituelles internationales, des *rapports de fait* qui ont existé entre Byron et Pouchkine, Goethe et Carlyle, Walter Scott et Vigny, entre les œuvres, les inspirations, voire les vies d'écrivains appartenant à plusieurs littératures. (Guyard, S. 5)

Auf die von Carré als selbstverständlich bezeichnete Einstufung der vergleichenden Literaturwissenschaft in den Bereich der Literatur*geschichte* kommen wir weiter unten zu sprechen. Zunächst sei die ausschließliche Betonung der *rapports de fait* Gegenstand unserer Betrachtung.

Carrés nachdrücklich betonter Hinweis auf faktische, d. h. meßbare und statistisch erfaßbare Zusammenhänge und Einflüsse wird verständlich im Rückblick auf die Situation der Komparatistik (wie der literarhistorischen Forschung überhaupt) am Ende des positivistisch eingestellten 19. Jahrhunderts, besonders auf die volkskundlich-stoffgeschichtlich orientierte Richtung, die heute entweder als veraltet gilt oder wenigstens ergänzungsbedürftig scheint. Wird das Studium der Literatur zur bloßen Materialsammlung degradiert, dann verliert es seine Würde, insofern als das ästhetische Moment im literarischen Kunstwerk nicht mehr als solches gewertet wird.

Gegen die folkloristische Stoffhuberei hatte aus verschiedenen Gründen – darunter dem gewichtigen des zwangsläufigen Mangels an Kontinuität – bereits Fernand Baldensperger, der Altmeister der französischen Komparatistik unseres Säkulums, kräftigen Einspruch erhoben. Ihm schien, daß bei einer solchen Verfahrensweise das individuelle, schöpferische Element (die Persönlichkeit, die Initiative und die Originalität des Dichters) außer Acht gelassen werde: »Ce *folklore* ou cette *Stoffgeschichte*, vers quoi vint graviter toute une variété de littérature comparée, c'est un ordre de recherches qui semble plus curieux de la matière que de l'art, pour qui les survivances secrètes sont plus intéressantes que l'initiative de l'artisan.«[1] Ihm folgte, ins andere Extrem verfallend und das Folkloristische selbst da, wo es sich in der Literatur niederschlägt – wie beim Volksmärchen, der Legende oder der Sage – der Anonymität seiner Produkte wegen aus dem Bereich der (vergleichenden) Literaturwissenschaft ausschließend, Paul Van Tieghem, der behauptet:

> C'est là du folklore, ce n'est pas de l'histoire littéraire; car celle-ci est l'histoire de la pensée humaine vue à travers l'art d'écrire. Or, dans cette subdivision de la thématologie, on ne considère que la matière, ses passages d'un pays à un autre, ses modifications; mais l'art n'est pas en jeu dans ces traditions anonymes, dont le caractère est de rester impersonelles, tandis que la littérature comparée étudie l'action et l'influence des personnalités. (Van Tieghem, S. 89)

Aus dieser Haltung erklärt sich, wenigstens zum Teil, der zwar theoretisch nicht ausgesprochene, aber an der Sorbonne nach Van Tieghems eigenem Geständnis lange obwaltende Ostrazismus gegenüber der antiken und mittelalterlichen Literatur, weil bei dieser (etwa in den Homerischen Epen oder dem *Nibelungenlied*) der Dichter als Person nicht immer greifbar ist:

> L'objet de la littérature comparée ... est essentiellement d'étudier les œuvres des diverses littératures dans leurs rapports les unes avec les autres. Conçue dans des termes aussi généraux, elle comprendrait, à ne considérer que le monde occidental, les relations des littératures grecque et latine entre elles, puis la dette des littératures modernes, depuis le moyen âge, envers les littératures anciennes, enfin les rapports des littératures modernes entre elles. Ce dernier ordre de questions, le plus étendu d'ailleurs et le plus complexe, est celui que se réserve la littérature comparée dans l'acception ordinaire de l'expression ... (Van Tieghem, S. 57f.)

Daß der obige Standpunkt heute nicht mehr vertretbar ist und die antike und mittelalterliche Literatur in den Bereich komparatistischer

Forschung mit einbezogen werden muß, braucht in einem Zeitalter, das gelernt hat, sich auf die Dichtung selbst zu konzentrieren, und das Studium der Rohmaterialien und Stoffe sowie der Psychologie des schöpferischen Genius hilfs- statt hauptwissenschaftlich zu betreiben, kaum eigens betont zu werden.[2]

Carré hielt die Beschäftigung mit literarischen Einflüssen im Gegensatz zu vielen seiner Vorgänger und Zeitgenossen deshalb für gefährlich, weil man es dabei oft mit Imponderabilien zu tun hat. Er warnte seine Schüler und Kollegen: »D'ailleurs on s'est peut-être trop précipité sur les études d'influences. Elles sont difficiles à mener, souvent décevantes. On s'y expose parfois à vouloir peser des impondérables« (Guyard, S. 6). Sicherer und dankenswerter sei die »histoire du succès des œuvres, de la fortune d'un écrivain, du destin d'une grande figure, de l'interprétation réciproque des peuples, des voyages et des mirages. Comment nous voyons-nous entre nous, Anglais et Français, Français et Allemands, etc.« (Ebd.) Damit befinden wir uns aber, vom literarischen Standpunkt aus gesehen, auf einer ins Soziologische führenden Ausfallstraße entlang einer Route, die nur auf dem Umweg über das Nachleben der Werke, den Nachruhm (Etiemble würde sagen: den Mythos) der Dichter und das Bild, welches sich durch Vermittlung literarischer Zeugnisse die Völker voneinander machen, ihr Ziel anstrebt.[3]

Gegen diese pseudoliterarische Auffassung der vergleichenden Literaturwissenschaft sträubt sich René Wellek, der in seiner scharfen Erwiderung an Carré darauf aufmerksam macht, daß eine derartige Substitution methodologisch unstatthaft ist, weil »the comparative psychoanalysis of national myths demanded by MM. Carré and Guyard . . . not a part of literary scholarship« sei, sondern »a subject belonging to sociology or general history.«[4] Wir teilen diese Ansicht, zumal Guyard selbst uns den Schlüssel zu dieser ins Außerliterarische tendierenden Betrachtungsweise in die Hand gibt, wenn er unter Bezug auf die Genre-Forschung feststellt:

> Etudier la fortune d'un genre exige donc une analyse rigoureuse, une méthode historique très sévère, une réelle pénétration psychologique. Loin d'être arides, de tels travaux peuvent et doivent être finalement œuvre de moraliste. La littérature comparée s'y épanouit, comme souvent, en psychologie comparée. (Guyard, S. 20f.)

»L'Étranger tel qu'on le voit« lautet der Titel des achten und letzten Kapitels seiner Übersicht, in dem die Zukunft der vergleichenden Literaturwissenschaft lebhaft ausgemalt wird. Freilich sah sich der französische Gelehrte im Nachwort zur zweiten, veränderten Auflage seines Buches (1961) im Hinblick auf die inzwischen angebahnte Entwicklung dazu veranlaßt, eine Korrektur dieses Standpunktes vorzunehmen, die eine Legitimation der von René Etiemble und Robert Escarpit vertretenen Auffassungen mit einschließt.[5] Doch der

Schaden war angerichtet und in vielen Fällen nicht wieder gutzumachen. So ragen denn Studien wie Simon Jeunes Darstellung der Geschichte amerikanischer Typen in der neueren französischen Literatur als Anachronismen in eine Zeit hinein, in der ihre methodologischen Grundlagen keine Geltung mehr besitzen.[6]

Tut die völlig auf *rapports de fait* abgestellte Komparatistik des Guten zu wenig, so schießt, unserer Ansicht nach, die ihr polar entgegengesetzte, tatsächliche Zusammenhänge abschätzig beurteilende und für Analogien schwärmende über das wissenschaftlich vertretbare Ziel hinaus. Zwar begrüßen wir die Großzügigkeit Henry H. H. Remaks, demzufolge »the French desire for literary *sécurité* is unfortunate at a time which cries, as Henri Peyre has pointed out, for more (not less) imagination«[7], im Prinzip, möchten aber auf die Nachteile einer so offensichtlichen Liberalität in Fragen der Begriffsbestimmung hinweisen, selbst auf die Gefahr hin, von vornherein als reaktionär verschrieen zu werden. In Anbetracht der möglichen und wirklichen Auswüchse einer bloßen Parallelenjagd sollte man die warnende Stimme Baldenspergers nicht ungehört verhallen lassen, die sich vor fast fünfzig Jahren wie folgt vernehmen ließ:

> Aucune clarté explicative ne résulte d'une comparaison qui s'arrêterait à ce regard simultané jeté sur deux objets, à ce rappel, conditionné par le jeu des souvenirs et des impressions, de similitudes qui peuvent très bien n'être que des points *erratiques* mis fugitivement en contact par une simple fantaisie de l'esprit.[8]

Carré möchte, wie mancher seiner Kollegen, derartige Analogiestudien gänzlich aus der Komparatistik verbannt wissen, während sie Van Tieghem wenigstens insofern gelten läßt als sie auf einen *courant commun* hinweisen.[9] Aber selbst dann gehören sie, seiner Meinung nach, eher in die *littérature générale* als in die vergleichende Literaturwissenschaft. Was darunter zu verstehen ist, erhellt aus seiner Definition: »On appelle *histoire générale de la littérature*, ou plus brièvement *littérature générale*, un ordre de recherches qui porte sur les faits communs à plusieurs littératures, considérés comme tels, soit dans leurs dépendances réciproques, soit dans leur coïncidence« (Van Tieghem, S. 174).

Wie gesagt: Wir sympathisieren mit Remaks Enthusiasmus, möchten aber den festen Boden der *sécurité* nicht verlassen, ohne Maßnahmen zu treffen, die ein Abrutschen ins Bodenlose der literarkritischen Spekulation verhindern. Wir sprechen z. B. Etiembles weitgespannter Forderung, auch die vergleichende Metrik, die vergleichende Ikonographie und Ikonologie, die vergleichende Stilistik usw. zu betreiben, keineswegs ihre Berechtigung ab, scheuen uns aber, die Analogiestudien auch auf Phänomene, die unterschiedlichen Kulturkreisen angehören, auszudehnen. Uns scheint nämlich, daß nur innerhalb eines einzelnen Kulturkreises jene Gemeinsamkeiten der bewußt oder unbewußt bewahrten Tradition im Denken, Fühlen und Schaffen zu finden sind, die bei ungefähr gleichzeitigem Auftreten als *courants communs* zu bezeichnen wären, die aber auch über Zeit und Raum hinweg zu einer oft erstaunlichen Einheitlichkeit etwa des Gefühlswertes von Farbattributen, der Auffassung einer Landschaft oder der Individual- und Massenpsychologie führen, selbst da, wo von Zeitgeist im engeren Sinn nicht die Rede sein kann. So lassen sich Vergleiche der Art, wie sie heute im amerikanischen Universitätsbetrieb gang und gäbe sind (Rilke und Wallace Stevens, Rilke und Antonio Machado oder gar Rilke und Johannes vom Kreuz), vom komparatistischen Standpunkt aus eher verteidigen als der Versuch, die westliche und die mittel- oder fernöstliche Auffassung des Poetischen vergleichend darzustellen.[10]

Wohin ein Vergleich ostasiatischer und europäischer Romane im äußersten Falle führen kann, beweist mit ungewollter Naivität der mit beiden Kulturkreisen bestens vertraute Fachmann Etiemble, wenn er behauptet, daß »l'étude comparative de la structure des poèmes (que les civilisations en cause aient ou non des relations historiques) nous permettrait, qui sait, de découvrir les conditions *sine qua non* du poème« (Etiemble, S. 102). Denn bei diesen »Bedingungen« kann es sich doch höchstens um so grundlegende Züge handeln, wie sie nur durch Gemeinplätze zu umreißen sind – etwa um die Beantwortung der Frage »Wann und unter welchen Umständen hört ein Roman auf, Roman zu sein?« Wir schließen uns deshalb – mit leisem Vorbehalt – der programmatisch geäußerten Meinung des Herausgebers der *Arcadia* an, seine Zeitschrift werde »die Erörterung aller ahistorischen, nur auf Vermutung beruhenden Parallelen vermeiden, die dem Ruf der Komparatistik im Zeitpunkt ihrer Konsolidierung schaden könnten.«[11]

Um noch einmal kurz auf die Bedeutung der sogenannten *rapports de fait* zurückzukommen: Es versteht sich von selbst, daß diese im Grunde den Historiker angehen, unser Fach also bei einer freiwilligen Beschränkung auf das Erfassen tatsächlicher Zusammenhänge zur vergleichenden Literatur*geschichte* absinkt. Daß dies der dem heutigen Stande der Forschung angepaßten »fortschrittlichen« Auffassung nicht mehr entspricht, verrät der deutsche Sprachgebrauch. Wie im Untertitel der *Arcadia* neigt man nämlich schon seit einiger Zeit dazu, dem Begriff »Vergleichende Literatur*wissenschaft*« den Vorrang einzuräumen. Nur die Vertreter der älteren, philologisch ausgerichteten Schule bestehen noch auf dem alten *usus*, so z. B. Werner Krauss im Titel seiner Akademierede aus dem Jahre 1962.[12] Daß hierbei auch politische Faktoren im Spiele sein mögen, läßt Evamaria Nahkes Bericht über die vierte Tagung der *Association Internationale de la Littérature Comparée* (AILC/ICLA) vermuten, von der im Inhaltsverzeichnis als Internationaler Vereinigung für vergleichende Literatur, im Titel aber als Internationaler Vereinigung für vergleichende Literaturwissenschaft die Rede ist.[13]

In den geläufigeren Fremdsprachen steht der Name unserer Disziplin mit der zu beinhaltenden Sache und der dabei anzuwendenden Methode nicht immer im Einklang. So beklagte schon H. M. Posnett in einem 1901 veröffentlichten Aufsatz die Tatsache, daß der englische – aus dem Französischen entlehnte – Begriff »Comparative Literature« den Forschungsgegenstand statt der Forschungsmethode bezeichne. Er selbst, heißt es weiter, habe sich gezwungen gesehen »to make the name of the subject-matter do duty for the uncoined name of the study of the subject-matter.«[14] Auch das französische *littérature comparée* und seine italienischen, spanischen und portugiesischen Entsprechungen *(letteratura comparata, literatura comparada, litteratura comparada)* sind sprachlich unbefriedigend, selbst wenn man berücksichtigt, daß sie durch Analogieschluß aus den Naturwissenschaften entlehnt sind *(anatomie comparée* usw.).[15] »Vergleichbare Literatur« *(comparative literature)* und »Literatur verglichen« *(littérature comparée)* sind nur Abbreviaturen für Bezeichnungen wie »Die Produkte einer Nationalliteratur verglichen mit den Produkten einer oder mehrerer anderer Nationalliteraturen.« Der deutsche Sachbegriff ist wie der ihm verwandte holländische *(vergelijkend literatuuronderzoek)* weitaus präziser.

Literaturwissenschaft (dies sei ausdrücklich betont) ist ihrem Wesen nach umfassender als bloße Literaturgeschichte, beinhaltet sie doch neben dem Studium der Geschichte der Literatur auch das ihrer Kritik und Theorie und sogar der Poetik, während sie die Ästhetik als Sondergebiet der Philosophie, in dem Literatur nur noch zur Illustration apriorischer Anschauungen dient, ausklammert.[16] Im vierten Kapitel ihrer *Theory of Literature* befassen sich René Wellek und Austin Warren des näheren mit der systematischen Trennung und Abgrenzung dieser Zweige und kommen zu folgendem Ergebnis:

> Within our ›proper study,‹ the distinction between literary theory, criticism, and history are clearly the most important. There is, first, the distinction between a view of literature as a simultaneous order and a view of literature which sees it primarily as a series of works arranged in a chronological order and as integral parts of the historical process. There is, then, the further distinction between the study of the principles and criteria of literature and the study of the concrete literary works of art, whether we study them in isolation or in a chronological series. It seems best to draw attention to these distinctions by describing as ›literary theory‹ the study of the principles of literature, its categories, criteria, and the like, and by differentiating studies of concrete works of art as either ›literary criticism‹ (primarily static in approach) or ›literary history‹ (*W/W*, S. 30).

Demnach wäre also der Sektor »Vergleichende Literaturwissenschaft« zu unterteilen in die Segmente »Vergleichende Literaturgeschichte«, »Vergleichende Literaturkritik« und »Vergleichende Literaturtheorie oder Poetik«, was im Sinne unserer Definition darauf hinausläuft, daß innerhalb der so verstandenen Komparatistik sowohl der Vergleich zwischen Hauptmann und Tolstoi als auch der zwischen Schlegel und Coleridge als Kritikern und der zwischen Aristoteles und Corneille (als dem Verfasser des *Discours sur les trois unités*) legitim ist. Nur ein Pedant wird im Jahre 1968 der Meinung sein, man müsse, wie dies die orthodoxen Theoretiker der vergleichenden Literaturwissenschaft noch vor zwanzig Jahren forderten, alle Kritik vermeiden, weil sie einen dazu zwinge, literarische Werturteile zu fällen.[17]

Wenn wir oben feststellten, die *littérature comparée* befasse sich vergleichend mit den Produkten verschiedener Nationalliteraturen, so taten wir dies, ohne näher auf die Umstände, die eine solche Auslegung des Begriffs nahelegen, einzugehen. Es ist jetzt an der Zeit, das Versäumte nachzuholen, und zwar zunächst mit Bezug auf die in aufsteigender Linie ihrem Umfang nach angeordneten Glieder der Reihe Nationalliteratur, »Vergleichende Literatur« und Weltliteratur, wozu der Vollständigkeit halber auch der von Van Tieghem zwar nicht geprägte, doch von ihm in Umlauf gesetzte und mit einer spezifisch komparatistischen Bedeutung versehene Begriff der »Allgemeinen Literatur« *(littérature générale)* gerechnet werden muß.

Zunächst bedarf der Terminus »Nationalliteratur« einer für die vergleichende Literaturwissenschaft bindenden und gültigen Auslegung, bezieht er sich doch sachgemäß auf die Einheiten, die das Fundament der Komparatistik bilden. Es erhebt sich also die Frage, was – aus dieser besonderen Perspektive gesehen – eine Nationalliteratur sei und welche Grenzen ihr gesteckt sind. Ferner muß entschieden werden, ob die Bestimmung nach politisch-historischen oder nach sprachlichen Gesichtspunkten erfolgen soll. Nach reiflicher Überlegung wird man zum Ergebnis kommen, letzteren müsse unbedingt der Vorzug gegeben werden, da die politischen Grenzen sich im Laufe der Zeit unter dem Druck der geschichtlichen Ereignisse bekanntlich öfter und schneller verschieben als die sprachlichen. Um nur ein Beispiel aus der jüngsten Geschichte herauszugreifen: Die Teilung Deutschlands im Jahre 1945 riß zwei sprachlich einheitliche Gebiete eines Landes mit gemeinsamer Kultur gewaltsam auseinander, ohne daß man deswegen einen Vergleich des Schrifttums der Bundesrepublik und der DDR ohne weiteres komparatistisch nennen könnte oder möchte.

Wie unzulänglich politische Gesichtspunkte im komparatistischen Bereich sein können, beweist die Indifferenz, mit der etwa Fragen der Staatsangehörigkeit oder des Wohnsitzes zu behandeln wären. Man denke an das Schicksal der deutschen Emigranten in den dreißiger oder vierziger Jahren unseres Jahrhunderts. So floh Heinrich Mann nach Frankreich, erwarb dann die tschechische Staatsangehörigkeit und verbrachte seinen Lebensabend in den Vereinigten Staaten von Amerika. Soll er dieser, rein äußerlichen Umstände wegen als deutsch-französisch-tschechisch-amerikanischer Dichter in die Literaturgeschichte eingehen? Das wäre absurd; doch ließe sich aufgrund seiner Liebe zu Frankreich, seiner Kenntnis des Französischen und seiner auf großer Vertrautheit mit der französischen Literatur und Geschichte fußenden Wahl französischer Stoffe (wie im *Henri Quatre*) ein wahlverwandtschaftlicher *esprit gaulois* an seinem Werke demonstrieren. Bei anderen Dichtern – wie dem späten Rilke – ist die Zweisprachigkeit (der Bilinguismus) noch ausgesprochener; und Männer, die wie der Zauberer von Muzot und der Portugiese Fernando Pessôa, in zwei Sprachen und zwei literarischen Traditionen zuhause sind, können, so scheint uns, in der Tat Gegenstand komparatistischer Forschung werden.

Gibt man, der Mehrzahl der Theoretiker der vergleichenden Literaturwissenschaft folgend, den sprachlichen Kriterien den Vorzug vor den politisch-geographischen, so stößt man freilich auch hier auf gewisse Schwierigkeiten. Schon die Frage, ob die französische Literatur auch die Werke der französisch schreibenden belgischen, schweizerischen, kanadischen und nordafrikanischen Dichter mit einbegreift, ist schwer zu beantworten. Das gleiche gilt, *mutatis mutandis*, von der deutschen Dichtung, zu der auch das österreichische Schrifttum sowie die Werke der deutschsprachigen Schweizer und der Mitglieder des Prager Kreises um Max Brod und Franz Kafka gehören. Und wie steht es mit der spanischen Literatur in ihrem Verhältnis zur süd- und mittelamerikanischen (mit Ausnahme Brasiliens) oder der arabischen Literatur als dem Repositorium eines kulturellen Erbes, dem Ägypten, der Irak, Syrien, Libanon und Saudiarabien gleichermaßen verpflichtet sind?

In diesem Zusammenhang interessieren die Ausführungen Wolfgang von Einsiedels im Vorwort zu dem von ihm herausgegebenen einbändigen Überblick über 130 Literaturen. Es heißt da, die einzelnen Literaturen seien »primär nach Sprachgemeinschaften« benannt worden, »die keineswegs mit Nationen identisch sind; und nur in Ausnahmefällen nach Glaubensgemeinschaften oder Bevölkerungsgruppen«[18]. Als Grundmerkmal für jede der behandelten Einheiten gilt ferner, daß sie »eine mehr oder minder ausgeprägte Physiognomie« besitzt, »die nur dann deutlich erkennbar wird, wenn sie als Ganzes ... mit anderen Literaturen verglichen wird«[19].

Jedes der oben erwähnten Probleme stellt einen Sonderfall dar und bedarf einer den historischen Umständen und dem literaturgeschichtlichen Gewohnheitsrecht sorgfältig angepaßten Lösung. Für den angehenden Komparatisten ist schon aus diesem Grunde das Studium mehrerer Geschichten der gleichen Nationalliteratur aufschlußreich, weil er dabei eine praktische Handhabe für die von ihm angestrebte Grenzziehung findet. Als Beispiel sei der von Van Tieghem kommentierte *usus* französischer Literaturhistoriker angeführt:

En France, où l'unité nationale est si ancienne, et le sentiment de cette unité si profond et si vif, la question n'est résolue qu'avec une timidité souvent tâtonnante et parfois illogique. Pour des raisons évidentes, nous considérons comme écrivains français le genevois Rousseau, le savoyard de Maistre; nous admettons généralement les Suisses Vinet, Schérer, Rod, Cherbuliez, les Belges Rodenbach et Verhaeren, parce qu'ils ont plus ou moins gravité autour de Paris comme centre littéraire; mais nous laissons à la Suisse Toepffer, à la Belgique Camille Lemonnier, parce qu'ils sont volontiers restés chez eux. En bonne logique, il faut considérer alors l'influence de Zola sur Camille Lemonnier comme un sujet de littérature comparée. De même, le romantisme à Genève ou dans le pays de Vaud; de même, les influences françaises sur la littérature de langue française du Canada, de Haïti, etc. (Van Tieghem, S. 58f.)

Auch das Studium der vielfach in den Kultursprachen der westlichen Großmächte geschaffenen Literatur der afrikanischen Entwicklungsländer muß vom vergleichenden Literaturwissenschaftler in Rechnung gestellt werden, wobei es sich fragt, ob deren besondere Weltanschauung oder ihr bloßes Lokalkolorit als nationalliterarische Züge zu gelten haben.

Daß die hier angeschnittene Frage keine rein theoretisch-spekulative ist, sondern auch in der Praxis eine mitunter recht folgenschwere Bedeutung hat, wird besonders dem Bibliographen einleuchten. Auch ein dreisprachiges Land wie die Schweiz (seit 700 Jahren politisch und territorial stabil) bildet eine kulturelle Einheit, die zur Ausbildung einer Nationalliteratur führen könnte, obgleich man mit François Jost eher von *lettres suisses* als von einer *littérature suisse* sprechen möchte.[20] Es ist jedenfalls bedauerlich, daß Baldensperger und Friederich in ihrer *Bibliography of Comparative Literature* dem Elsaß und der Schweiz eine Sonderstellung einräumen, aber Österreich und Kanada der deutschen bzw. französischen und englischen Literatur unterordnen.

Abwegig wäre es auch, einem falsch verstandenen methodologischen Purismus zuliebe die irische Literatur von der englischen abzuzweigen, wobei Gestalten wie Swift, Yeats und Shaw um eines nichtliterarischen Prinzips willen literarisch entwurzelt würden. Ein die Forschung immer wieder beschäftigendes Problem erwächst aus dem Verhältnis der englischen Literatur zur amerikanischen, da es sich hierbei um zwei Nationen handelt, die auch kulturell – und daher literarisch – zumindest seit Mitte des 19. Jahrhunderts ihre eigenen Wege gehen, so daß nach allgemeiner Übereinkunft die Produkte ihrer Nationalliteraturen trotz der, von geringfügigen Einzelheiten abgesehen, immer noch gemeinsamen Sprache Objekt der komparatistischen Forschung sind.

Unsere Betonung des sprachlichen Unterschieds als des bei der Klärung der Frage, ob ein Gegenstand von den Einzelphilologien oder von der vergleichenden Literaturwissenschaft zu behandeln sei, ausschlaggebenden, wird gerechtfertigt durch den Blick auf solche Länder, die zwar politisch geeinigt, aber kulturell und sprachlich in sich selbst uneinheitlich sind, so daß von einer gemeinsamen Nationalsprache nicht die Rede sein kann. Dazu gehören die Schweiz, Indien und die Sowjetunion, in der es von sprachlichen Minderheiten wimmelt. Daß ein Vergleich der Romane von Gottfried Keller und Ramuz literarkritisch und -geschichtlich trotz Friederich in die Komparatistik gehört, steht für uns außer Zweifel, der gleiche Gesichtspunkt muß auch für das vergleichende Studium der in Bengali, Hindi, Urdu und Tamil verfaßten indischen und der ukrainisch, georgisch, estonisch, burjätisch und kirgisisch geschriebenen russischen Literaturen gelten.[21]

Auch innerhalb einer im wesentlichen einsprachigen Nation wie Frankreich oder England gibt es »fremdsprachliche« Einsprengsel, deren Verhältnis zur *koine* des Vaterlandes komparatistisch zu erschließen wäre. Man denke an den neuprovenzalischen Dichter Gabriel Mistral, von dem Van Tieghem sagt: »Les histoires de notre littérature ne lui font aucune place; il faut donc considérer ses rapports avec les poètes français comme ressortissant à la littérature comparée« (Van Tieghem, S. 59), und den schottischen Dichter Robert Burns, dessen kulturelle Staatsangehörigkeit Louis Cazamian als *semi-étrangère* bezeichnete.

Der Fall Burns mag als Beispiel dafür gelten, daß auch Dialektliteratur, soweit sie den die Hochsprache sprechenden und schreibenden Bürgern eines Landes nicht (oder wenigstens nicht ohne weiteres) verständlich ist, in den Bereich der komparatistischen Forschung hineinragt. Dabei ist zu beachten, daß die Grenzen zwischen »Dialekt« und »Sprache« fließend sind und mangels streng wissenschaftlicher Unterscheidungsmerkmale der populäre Test der »intelligibility« (Verständlichkeit) über die Zugehörigkeit zur einen oder anderen Kategorie entscheiden muß. Methodologisch ist es für uns wichtig, daß die im sizilianischen Dialekt geschriebenen Lustspiele Eduardo de Filippos und die plattdeutschen Romane Fritz Reuters als fremdsprachliche Werke anzusehen sind, insofern sie der Übersetzung ins Italienische bzw. Hochdeutsche bedürfen.[22] Hier befinden wir uns anscheinend in einer Sackgasse, da doch niemand ernsthaft behaupten wird, *Ut de Stromtid*, Hauptmanns *Weber* in der Urfassung und Ludwig Thomas *Filserbriefe* seien nicht Bestandteil der deutschen Nationalliteratur.

Über eines müssen wir uns allerdings bei Anwendung der sprachlichen Kriterien im klaren sein: man muß sich ihrer diskret bedienen, wenn es sich um – wie verschieden auch immer geartete – Stufen in der organischen Entwicklung einer Nationalsprache handelt, z. B. um das Angelsächsische oder das Althochdeutsche, das der moderne Engländer oder Deutsche wie eine Fremdsprache erlernen muß. Ein Vergleich zwischen althochdeutsch, mittelhochdeutsch und neuhochdeutsch geschriebenen Werken ist, sprach- und kulturgeschichtlich gesehen, keineswegs Sache der vergleichenden Literaturwissenschaft.

Nachdem wir mit einiger Ausführlichkeit dargelegt haben, welche Schwierigkeiten sich ergeben, wenn man es unternimmt, den Begriff der Nationalliteratur zu definieren und die einzelnen Literaturen gegeneinander abzugrenzen oder komparatistisch miteinander in Bezug zu setzen, dürfen wir uns bei der Betrachtung des Wechselverhältnisses von *littérature comparée* und *littérature générale* kürzer fassen, da es sich hierbei um eine künstliche Trennung handelt, der methodologisch keine allzugroße Bedeutung zukommt. Zunächst sei noch einmal daran erinnert, daß beide Begriffe, rein sprachlich gesehen, Abbreviaturen sind, bei denen der Name des Gegenstands der Forschung an die Stelle der einzuschlagenden Methode getreten ist: *littérature comparée* bedeutet »histoire comparative des littératures«, während *littérature générale* für »histoire générale de la littérature« steht.

Paul Van Tieghem definiert den Begriff der »Allgemeinen Literatur« *(littérature générale, general literature)* im dritten und letzten Teil seines Handbuchs. Ihm zufolge beschränkt sich die vergleichende Literaturwissenschaft auf die Untersuchung von »rapports *binaires*, entre deux éléments seulement; que ces éléments soient des ouvrages, des écrivains, des groupes d'œuvres ou d'hommes, des littératures entières« (Van Tieghem, S. 170). Literarische Phänomene, die drei oder mehr Nationalliteraturen umfassen, weist der französische Gelehrte folgerichtig der *littérature générale* als Aufgabengebiet zu, »un ordre de recherches qui porte sur les faits communs à plusieurs littératures, considérés comme tels, soit dans leur dépendances réciproques, soit dans leur coïncidence« (ebd. S. 174)[23]. Pichois-Rousseau geben zwar diese Differenzierung nicht preis, schränken aber den Bereich der *littérature générale* auf literargeschichtliche Analogien ein (*P/R*, S. 95).

René Wellek hat darauf hingewiesen, daß Van Tieghem selbst außerstande war, eine reinliche Scheidung der beiden Begriffe und ihres Inhalts vorzunehmen. In seinem Aufsatz »The Concept of Comparative Literature« bemerkt er zu diesem Thema:

[Comparative Literature] is now an established and comprehensible term, while ›general literature‹ is not. ›General literature‹ used to mean poetics, theory of literature, and M. Van Tieghem has tried to give it a new and special sense. Neither meaning is well established today. M. Van Tieghem drew a distinction between ›comparative literature‹ which studies the interrelationship between two or more literatures and ›general literature‹ which is concerned with international movements. But how can one determine whether e. g. Ossianism is a topic of ›general‹ or ›comparative‹ literature? One cannot make a valid distinction between the influence of Walter Scott abroad and the vogue of the historical novel. ›Comparative‹ and ›general‹ literature merge inevitably (*YCGL* 2 [1953], S. 4).

Unter den innerhalb der *littérature générale* zu behandelnden Themen nennt Van Tieghem u. a. das Studium international wirksamer Einflüsse wie den Petrarkismus und den Rousseauismus, die Beschäftigung mit geistesgeschichtlichen Problemen wie dem Humanismus, dem Rationalismus und der Empfindsamkeit, die Analyse ausgreifender literarischer Bewegungen wie Naturalismus und Symbolismus und die sogenannten »formes communes d'art ou de style« (sprich: Gattungen) wie das Sonett, die klassische Tragödie und den Dorfroman (Van Tieghem, S. 176). Andererseits behandelt er aber im zweiten Kapitel des Hauptteils seiner methodologischen Übersicht das Genre- und Stilproblem als ein komparatistisches Ressort. Hier hebt sich also, wie Wellek andeutet, die künstliche Trennung ganz von selbst auf. Auch ist zu beachten, daß die von Van Tieghem zur *littérature générale* geschlagenen Themen teils literar- und teils geistesgeschichtlicher Art sind. Sinnvoll wäre die Scheidung aber nur, wenn das Literarische vom Philosophischen, Religiösen und Naturwissenschaftlichen abgezweigt und die »history of ideas« als Hilfswissenschaft deklariert würde. Darüber im folgenden mehr.[24]

Wie wenig zufriedenstellend Van Tieghems Begriffsbildung ist, geht ferner daraus hervor, daß Guyard seinen Herrn und Meister verleugnet, wenn er im siebten, »Grands courants européens: idées, doctrines, sentiments« überschriebenen Kapitel seines Abrisses auf die Kontamination hinweist und, indem er sie als notwendiges Übel akzeptiert, die methodologische Fehlleistung seines Vorgängers anprangert:

Paul Van Tieghem proposait de nommer *littérature générale* cette forme supérieure de comparatisme qui dépasse le plan des relations ›binaires‹ pour prendre sur les mouvements d'idées ou les courants de sensibilité un point de vue véritablement international, en tout cas européen. La littérature générale embrassait également pour lui les faits proprement littéraires: histoire des genres, des formes, des thèmes. Ce livre évite soigneusement les discussions théoriques, souvent oiseuses en ce domaine. ... Au lecteur ignorant, ou justement insoucieux, des querelles verbales, il faut pourtant indiquer ... que si les mots *littérature générale* ont un sens, ils s'appliquent précisément aux études comparatistes qu'envisage le présent chapitre (Guyard, S. 96f.).

Von der Nationalliteratur zur *littérature comparée* und von dieser über die *littérature générale* Van Tieghems aufsteigend, gelangen wir letztlich zur sogenannten Weltliteratur, einem Begriff, der zwar, samt seinen fremdsprachlichen Entsprechungen *(littérature universelle, world literature* usw.*)* weniger umstritten ist als *littérature générale*, ohne daß sich bei seiner Bestimmung Überschneidungen gänzlich vermeiden ließen. Es ist im Rahmen dieser Darstellung nicht möglich, das ganze Spektrum etwaiger Bedeutungen in Augenschein zu nehmen. (Wir können den Leser dafür auf die reichhaltige Sekundär-Literatur zu diesem wichtigen Thema verweisen.[25]) Uns geht es lediglich darum, eine Abgrenzung der Nuancen des Begriffs vorzunehmen, die die vergleichende Literaturwissenschaft tangieren oder mit ihr kollidieren.

Wie aus den von Fritz Strich zusammengestellten Äußerungen Goethes hervorgeht, verstand der greise Dichterfürst unter »Weltliteratur« ein historisch bedingtes und durch die politische und technische Entwicklung der unmittelbaren Vergangenheit, d. h. durch die »gegenwärtige, höchst bewegte Epoche« und die »durchaus erleichterte Kommunikation«[26] erklärbares Phänomen. Diese »höchst bewegte Epoche« war aber ein Vermächtnis Napoleons; »denn die sämtlichen Nationen, in den fürchterlichsten Kriegen durcheinander geschüttelt, sodann wieder auf sich selbst einzeln zurückgeführt, hatten zu bemerken, daß sie manches Fremde gewahr geworden, in sich aufgenommen« und »unbekannte geistige Bedürfnisse hie und da empfunden« hatten.

»Weltliteratur« hieß also für Goethe eigentlich nur, daß die einzelnen Nationen (oder, genauer gesagt, die zeitgenössischen Schriftsteller verschiedener Länder) »einander gewahr werden, sich begreifen, und wenn sie sich wechselseitig nicht lieben mögen, sich einander wenigstens dulden lernen.« Daß dabei die Individualität der Nationalliteraturen gewahrt bleiben müsse, hielt Goethe für unumstößlich. Er betonte ausdrücklich, »daß nicht die Rede sein könne, die Nationen sollen überein denken.« Ein Ausgleich sollte vermittels dieser weltweiten literarischen Berührung der Sphären nur innerhalb der einzelnen Literaturen erfolgen – keineswegs aber in der Form der Nivellierung. So schrieb Goethe am 12. Oktober 1827 an Boisserée: »Hierbei läßt sich ferner die Bemerkung machen, daß dasjenige, was ich Weltliteratur nenne, dadurch vorzüglich entstehen wird, wenn die Differenzen, die innerhalb der einen Nation obwalten, durch Ansicht und Urteil der übrigen ausgeglichen werden.«

Bewußt hütete sich Goethe davor, der kulturellen Gleichschaltung das Wort zu reden. Im Gegenteil: Nichts haßte er mehr als diese Art von Sanskulottismus, mit deren unausbleiblichen Folgen dank einer immer größeren Technisierung des Kommunikationssystems wir heute zu rechnen haben. In Zeiten des engstirnigen Nationalismus ist zwar das literarische Weltbürgertum *(cosmopolitisme)* zu begrüßen; doch sind seine Auswüchse schärfstens abzulehnen. Als Studienobjekt im Rahmen der vergleichenden Literaturwissenschaft nahm dieser Kosmopolitismus – wenigstens bei den Franzosen – von jeher eine Sonderstellung ein, weil die Komparatistik vielfach in seinem Boden Wurzeln schlägt.[27] So spricht Van Tieghem von den vier kosmopolitischen Zeitaltern der europäischen Literatur:

Au moyen âge, l'identité de la foi religieuse et de la culture latine, un immense fonds commun de légendes pieuses, chevaleresques, populaires, établissaient entre tous les clercs ou lettrés de l'Occident d'innombrables points de contact, et les faisaient se sentir citoyens d'une même cité divine et humaine. Au XVIe siècle, la Renaissance, en proposant comme sources communes de la pensée les grands penseurs grecs et latins, rapprochait étroitement tous les humanistes des divers pays, épris de ce même idéal et nourris de cette même substance, tous les écrivains qui tentaient ici et là de rivaliser avec les anciens en les imitant. Au XVIIIe siècle, l'usage de la langue française répandu dans les hautes classes de toute l'Europe, l'admiration pour les écrivains français ... la similitude des goûts littéraires et des tendances philosophiques, unissaient les littérateurs et le public éclairé de toutes les nations dans un cosmopolitisme rationaliste. Enfin, au XIXe siècle, sous l'influence des révolutions, des guerres, des émigrations ... sous l'impulsion des études historiques et philologiques ... et surtout par l'action du romantisme, beaucoup de critiques considèrent les littératures modernes de l'Europe comme un ensemble, dont les diverses parties présentent des contrastes ou des ressemblances (Van Tieghem, S. 26f.).

Von Rousseau inspiriert, übertrug Sebastien Mercier den Begriff des Kosmopolitismus auf die Literatur und Joseph Texte gewährte ihm Heimatrecht in der Literaturgeschichtsschreibung.[28] Als komparatistische Kategorie halten wir dieses Phänomen – dem die Teilnehmer am Fribourger Kongreß der AILC/ICLA (1964) ihre besondere Aufmerksamkeit zuwandten[29] – schon deshalb für anrüchig, weil es einen politischen Beigeschmack hat und erst entschärft werden muß, ehe eine rein literarische Anwendung erfolgen kann. In der Literatursoziologie fungiert der Kosmopolitismus unter dem Decknamen der Belesenheit.

Goethes Auffassung der Weltliteratur erweist sich nach dem oben Gesagten wegen des Verweises auf internationale Kontakte und lebendige literarische Wechselbeziehungen ohne Verzicht auf nationale oder individuelle Sonderheiten als fruchtbar für die vergleichende Literaturwissenschaft, zum Teil wohl auch deshalb, weil sie der Rolle des Mittlers oder Vermittlers (*transmetteur*, *intermediary*) eine Bedeutung zuschreibt, die unserer Disziplin nach der »klassischen« Theorie durchaus zukommt. In diesem Sinne befassen sich französische und nichtfranzösische Komparatisten seit langem mit Übersetzern, Reisenden, Auswanderern, politischen Flüchtlingen, Salons und am überregionalen Austausch literarischer Güter beteiligten Publikationsorganen, soweit es sich diese zur Aufgabe gemacht haben, die Dichtung eines Landes in einem anderen zu verbreiten.

Mit den bisherigen Ausführungen ist der vielfältig schimmernde und schillernde Begriff der Weltliteratur keineswegs ausgeschöpft.

Wir können nicht umhin, als abschreckendes Beispiel eine zweite, besonders in den Vereinigten Staaten weit verbreitete und in dortigen akademischen Kreisen populäre Nuance kurz zu charakterisieren. Es handelt sich um die in den sogenannten »World Literature«, »Freshman Literature« oder »Great Books«-Vorlesungen an die Studenten herangetragenen und für sie interpretierten literarischen Meisterwerke aller Zeiten und Zonen – wobei allerdings erst in neuester Zeit in Ausnahmefällen der Rahmen des christlichen Okzidents überschritten wird.[30]

Um eine Verwechslung dieses Hilfsbegriffs mit dem Goetheschen Terminus »Weltliteratur« zu vermeiden, empfiehlt es sich vielleicht, statt »world literature« *classics* zu sagen, ohne die Anwendung dieses Epithetons mit T. S. Eliot auf die ganz großen und in ihrer Wirkung einzigartigen Werke wie die *Aeneis* und die *Göttliche Komödie* zu beschränken. Im Gegenteil sollte man mit Matthew Arnold in dieser Rubrik »the best that is known and thought in the world« zusammenfassen. Wichtig für unsere spezielle Fragestellung ist der Umstand, daß (wenigstens im Prinzip und soweit die in den Lehrplänen ausgesprochenen pädagogischen Absichten in Betracht kommen) an eine wirklich und durchgehend vergleichende Darstellung dieser Meisterwerke kaum je gedacht wird und komparatistische Methoden nur vereinzelt da, wo eine gattungsmäßige oder thematische Einheitlichkeit angestrebt wird, zur Anwendung gelangen. Hinzu kommt, daß die Analyse der »Great Books« oft in kooperative Einführungsvorlesungen in die allgemeine Kulturgeschichte eingebaut wird, was eine im literarhistorischen und -kritischen Sinne komparatistische Darbietung weitgehend ausschließt.

Vergessen wir nicht, abschließend auf die durch die Häufigkeit ihres Gebrauchs hervorstechende Bedeutung des Wortes »Weltliteratur« als Abbreviatur für »Geschichte der Weltliteratur« hinzuweisen, wobei an eine Entsprechung mit *littérature comparée* = Vergleichende Literaturgeschichte und *littérature générale* = Allgemeine Literaturgeschichte zu denken ist. Die Geschichte der Weltliteratur muß sinnvoll als eine Geschichte der Literaturen der Welt verstanden werden, wobei prinzipiell zwischen großen und kleinen, bedeutenden und unbedeutenden Beiträgen nicht zu unterscheiden wäre. Da aber offensichtlich die großen Literaturen im allgemeinen besser bekannt sind als die kleinen, hat es sich die AILC/ICLA zur Aufgabe gemacht, der – oft vermittelnden – Rolle der kleineren oder jüngeren Geschwister besondere Aufmerksamkeit zu schenken. Ihr war deshalb ein Teil der Referate beim Utrechter Kongreß des Jahres 1961 gewidmet.

An Übersichten über die Geschichte der Weltliteratur herrscht (trotz des unglaublichen Wissensstoffes, der vorauszusetzen ist) kein Mangel. Dies erhellt sowohl aus den in der *Bibliography of Comparative*

*Literature* (S. 7f.) gemachten Angaben als auch aus der auf die unmittelbare Vergangenheit bezogenen, aufschlußreichen Darstellung von Jan Brandt Corstius in dessen Aufsatz »Writing Histories of World Literature«[31]. Der holländische Gelehrte macht im Rahmen seiner Ausführungen darauf aufmerksam, daß die überwältigende Mehrheit der von ihm besprochenen Übersichten analytischer Natur sind, in ihnen also die Literaturen der Welt nach geographischen, sprachlichen oder chronologischen Gesichtspunkten der Reihe nach einzeln behandelt werden. Dafür mag das von Wolfgang von Einsiedel geleitete, bereits erwähnte Kindlersche Sammelwerk *Die Literaturen der Welt* als Beispiel dienen. Selbst hier sind allerdings sämtliche indischen Literaturen in einem Kapitel zusammengefaßt, was besonders den uneingeweihten Leser verwirrt und ein richtiges Setzen der Akzente verhindert.

Der Versuch, die Geschichte der Weltliteratur so zu schreiben, daß die Wechselbeziehungen der einzelnen an der Schaffung einer Tradition beteiligten Literaturen mitberücksichtigt werden, ist kaum je unternommen worden, zuletzt wohl von Werner P. Friedrich und David H. Malone, deren *Outline of Comparative Literature from Dante to O'Neill* im ganzen leider als mißglückt bezeichnet werden muß.[32] So besaß Brandt Corstius' Kritik noch vor einem Jahrfünft uneingeschränkte Gültigkeit:

> After what has been said it seems obvious that the time for writing a history of world literature in the synthetic manner has not yet arrived. There is some difficulty in using the term world literature in connection with literary historiography. This term surely cannot be understood in the Goethean sense of the conditions favorable to cosmopolitanism in literature. For the history of world literature is neither a history of the preliminaries of a cosmopolitan literature nor the history of that literature itself. It cannot be taken in the canonic sense of the Great Books; the history of world literature cannot use this concept as an organizing principle because we do not possess the knowledge demanded by such a task. It would perhaps be better simply to speak of the history of literature.[33]

Inzwischen bahnt sich aber in der internationalen Literaturgeschichtsschreibung eine neue Entwicklung an. Ob der von der Ungarischen Akademie der Wissenschaften den Mitgliedern der AILC/ICLA in Belgrad vorgelegte und von ihnen gutgeheißene Plan einer gemeinschaftlich abzufassenden *Histoire comparée des littératures de langues européennes* sich *in toto* realisieren läßt, bleibt abzuwarten. Doch ist anzunehmen, daß wenigstens die Vorstufe zu dieser synthetischen Gesamtdarstellung der Literatur in den europäischen Sprachen – die zunächst projektierte Reihe von Sammelbänden über verschiedene gesamteuropäische Bewegungen – in absehbarer Zeit verwirklicht wird.[34]

Bei unserer Umschreibung des Begriffs der *littérature générale* in der ihm von Paul Van Tieghem aufoktroyierten Bedeutung begaben wir uns in einen Grenzbereich, eine Art von akademischem Niemandsland, das sich zwischen dem Hoheitsgebiet der Literatur als schöner Kunst *(belles lettres)* und anderen, entweder zur Literatur hin tendierenden oder von ihr gespiegelten Wissenszweigen erstreckt. In jenem besonderen Fall hieß der Grenzbereich »Geistesgeschichte« *(history of ideas)* und verband die schöngeistige Literatur mit der Philosophie, Theologie und ähnlichen systematisch verstandenen Ausdrucksformen abstrakten Denkens. Da die Literatur – als Sammelbecken der Überlieferung geistiger Werte an die Nachwelt – eine Schlüsselstellung im kulturellen Bereich einnimmt, gibt es solcher Grenzgebiete die Hülle und Fülle. Der Literaturwissenschaftler (ganz gleich, ob er Komparatist ist oder Einzelphilologie betreibt) muß ihren methodologischen Stellenwert bestimmen. Der vergleichende Literaturwissenschaftler muß sich zudem aus praktischen Gründen entscheiden, ob er die rigorose französische Auffassung teilen oder sich der Meinung Henry H. H. Remaks anschließen will, in dessen Augen

> Comparative literature is the study of literature beyond the confines of one particular country, and the study of the relationships between literature on the one hand and other areas of knowledge and belief, such as the arts ... philosophy, history, the social sciences, the sciences, religion, etc., on the other. In brief, it is the comparison of one literature with another or others, and the comparison of literature with other spheres of human expression *S/F*, S. 3)

Der Kürze halber wollen wir in dieser einleitenden Übersicht das Problem des Wechselverhältnisses von Literatur, Musik, Malerei, Skulptur, Architektur, Tanz und Film ausklammern, weil wir es im achten Kapitel gesondert behandeln wollen. Dort werden wir auch den sogenannten semi-literarischen Genres wie dem Libretto, der Emblematik, dem Filmskript usw. Gerechtigkeit widerfahren lassen. Grundsätzlich sei aber schon hier betont, daß insofern die Literatur Kunst, d. h. also zweckfreie schöpferische Tätigkeit der menschlichen Einbildungskraft ist, als sie ausdrucksmäßige Gemeinsamkeiten mit den Schwesterkünsten aufweist, die die Anwendung einer gemeinsamen Terminologie trotz unterschiedlicher Medien möglich macht oder wenigstens erlauben sollte. Schon aus diesem Grunde neigen wir dazu, das Studium der *belles lettres* in ihrem Zusammenhang mit den *beaux arts* als komparatistisch zu bezeichnen, besonders wenn es sich um Doppelbegabung, Gesamtkunstwerk, Nachahmung einer Kunst durch die andere und ähnliche Erscheinungen handelt. Dem Puristen ist vielleicht damit Genüge getan, daß wir diese Materie als »vergleichende Geschichte und Wissenschaft von den Künsten« klassifizieren und uns verpflichten, als vergleichende Literaturwissenschaftler bei ihrer Behandlung stets von der Literatur auszugehen und zu ihr zurückzukehren. Die von W. P. Friederich zur Beruhigung des philologischen Gewissens vorgeschlagene Trennung von Forschung und

Lehre lehnen wir auch in diesem Sonderfall als einen menschlich und wissenschaftlich unvertretbaren Kompromiß ab.[35]

Nicht ganz so einfach liegt der Fall – unserer Meinung nach – beim Studium des Verhältnisses der Literatur zu den nichtkünstlerischen oder nicht primar künstlerischen »spheres of human expression« wie der Philosophie, der Theologie, der Historiographie und den reinen oder angewandten Naturwissenschaften. Ehe man sich hier ein abschließendes Urteil bildet, sollte man vielleicht die naiv erscheinende Frage stellen, was Literatur eigentlich ihrem Wesen nach sei. Diese Frage, die Wolfgang von Einsiedel in seiner Einleitung zu dem von ihm betreuten Sammelband *Die Literaturen der Welt* kurz anschneidet (er stellt z. B. fest, daß das mittellateinische Wort *litteratura* »seit Hieronymos zunächst das weltliche Prosaschrifttum zum Unterschied vom geistlichen, *scriptura* genannten« bezeichnete[36]), wird von Robert Escarpit in einem bislang nur in hektographierter Form zugänglichen Beitrag zum *Dictionnaire internationale des termes littéraires* aufgegriffen.[37]

Wir können den historischen Bedeutungswandel des Wortes hier nur in den allergröbsten Umrissen nachzeichnen: Sowohl im Englischen als auch im Französischen wurde der Begriff ursprünglich im Sinne von »Bildung« oder »Belesenheit« verwendet. (Escarpit zitiert als Beispiel den Satz Voltaires: »Chapelain avait une littérature immense«). Erst im Laufe des 18. Jahrhunderts wurde das Schwergewicht vom lesenden Subjekt auf das Objekt der Lektüre übertragen, wobei zunächst unter »Literatur« die gesamte Publizistik – ganz gleich ob wissenschaftlicher oder schöngeistiger Art – verstanden wurde. In dieser Phase grenzte man die *belles lettres* als »Poesie« vom allgemeinen Schrifttum ab.

Erst seit dem 19. Jahrhundert kommt es in zunehmendem Maße zur Trennung von zweckfreier und zweckgebundener Literatur. Sobald diese Trennung endgültig vollzogen und unwiderruflich geworden ist, gilt die von Raymond Queneau in seinem Vorwort zur *Encyclopédie de la Pléïade* gegebene Definition der Literatur als »art d'écrire par opposition aux usages fonctionels de l'expression écrite« in einem Zeitalter, in dem »les techniciens sortent au fur et à mesure de l'élévation de leur spécialité à la dignité de sciences.« Vergessen wir nicht, daß noch um die Jahrhundertwende (im Falle Winston Churchills sogar erheblich später) der literarische Nobelpreis wiederholt prominenten Naturwissenschaftlern und Philosophen zugesprochen wurde.

Da nun die Sonderung von Fachliteratur und *imaginative literature* (wie die *belles lettres* auf Englisch heißen) ein *fait accompli* ist, wird das Studium des Wechselverhältnisses der beiden Sphären zu einem Zuständigkeitsproblem. Gleich anfangs sei bemerkt, daß auch hier –

wie so oft im geistigen Bereich – eine Scheidung durchaus nicht immer gelingt, da es Zwittererscheinungen gibt, und zwar besonders da, wo die schöngeistige Literatur ins Geschichtliche und Psychologische tendiert. Wie verhält es sich z. B. in dieser Hinsicht mit den (pseudo-)literarischen Gattungen des Essays, des Tagebuchs und der Autobiographie, die erst in neuester Zeit bei der Literaturwissenschaft die ihnen gebührende Beachtung finden. Um noch ein paar Beispiele herauszugreifen: wie soll man etwa Søren Kierkegaard einstufen, dessen *Entweder/Oder* ein Kollege kürzlich mit erfrischendem Leichtsinn als psychologisch-erotischen Roman bezeichnete; wie die Bekenntnisse eines Rousseau oder Goethe, die Tagebücher Gides und die *Essais* eines Michel de Montaigne? Kann man vom Einfluß Sigmund Freuds auf die französischen Surrealisten als einem literarischen (sprich: komparatistischen) sprechen?[38] Im deutschen Geistesleben scheint es selbstverständlich, daß Nietzsche – und zwar nicht nur wegen seiner Gedichte und der dichterischen Qualität seines Prosastils, sondern auch wegen seines weltanschaulichen Einflusses auf das schöngeistige Schrifttum Deutschlands und des Auslandes (man denke an den jungen Gide und Gabriele d'Annunzio, sowie innerhalb der Sprachgrenzen an Heinrich und Thomas Mann) – zur Literatur geschlagen wird. Bei Meister Eckhart, Jakob Boehme oder Schopenhauer wäre diese Zuweisung problematischer, während Kant in der Geschichte der Literatur höchstens indirekt (etwa auf dem Umweg über Coleridges *Biographia litteraria*) einen Platz an der Sonne beanspruchen könnte.

Die Franzosen, deren Kultur insofern einheitlicher und besser integriert ist als die deutsche, als alle schriftlichen Äußerungen ohne weiteres nach literarischen Maßstäben gemessen werden, lassen neben Montaigne, Pascal und Bergson auch den abstrakten Denker Descartes als Dichter (Schriftsteller) gelten, während man in den meisten englischen Literaturgeschichten die Namen John Locke und John Stuart Mill vergebens suchen wird. Theoretisch sollte sich die Literaturwissenschaft *qua* Literaturwissenschaft mit außerliterarischen Phänomenen nur dann befassen, wenn die Literatur diese reflektiert; doch läßt sich praktisch eine Kompetenz-Überschreitung kaum vermeiden. Ähnlich verhält es sich beim Studium der Literatur in ihrem – oft engen – Verhältnis zur Wissenschaft, etwa im Lehrgedicht oder anderen didaktischen Ausdrucksformen. Hier entpuppt sich der Philologe oft als Laie, der sich der Kritik des Spezialisten aussetzt. So wurde dem Verfasser eines den Einfluß Lukrezens auf die englische Literatur behandelnden Buches vom Rezensenten vorgeworfen, er erkläre zwar eingangs, daß er den römischen Dichter nicht in seiner Eigenschaft als Naturphilosoph betrachten wolle, täte aber in Wahrheit eben dies und scheitere aufgrund seiner mangelhaften fachlichen Vorbildung.[39]

Wir sehen schon: Bei einem Vergleich literarischer Werke mit nichtliterarischen Produkten werden dem Dilettantismus Tür und Tor geöffnet, und man tut gut daran, hier die Geistesgeschichte als Hilfswissenschaft heranzuziehen. Remaks Versuch, dieses umfangreiche Grenzgebiet für die komparatistische Forschung zu retten, beruht auf der Überzeugung, man müsse zwischen pragmatischen und systematischen Kriterien unterscheiden: »We must make sure that comparisons between literature and a field other than literature be accepted as ›comparative literature‹ only if they are *systematic* and if a definitely *separable*, *coherent discipline* outside of literature is studied as such« (*S/F*, S. 8f.) Rein methodologisch ist, wie die wenigen angeführten Beispiele erhärten, eine solche Hypothese leider unhaltbar. Sie steht denn auch in der Geschichte unserer Disziplin vereinzelt dar, ohne daß sich ihr die französischen oder amerikanischen »Schulen« in ihren Hauptvertretern anschlössen. Welcher vergleichende Literaturwissenschaftler ließe wohl widerspruchslos die Behauptung gelten, das Studium der historischen Quellen eines Dramas von Shakespeare sei vergleichend »if historiography and literature were the main poles of the investigation«, und die Untersuchung der Funktion des Geldes in Balzacs Roman *Père Goriot* »if it were principally ... concerned with the literary osmosis of a coherent financial system or set of ideas« (*S/F*, S. 9)? Der erste Fall geht allein den Anglisten und Historiker an, der zweite allein den Romanisten und Nationalökonomen. Die Kolonisierung so weit zu treiben, heißt die Kräfte, die einer Konsolidierung bedürfen, verzetteln. Wir Komparatisten sind nämlich kein Volk ohne Raum, sondern eher eines, das an Platzangst leidet. Uns ist der faustische Drang, »nicht sicher zwar, doch tätig-frei zu wohnen«, nur dann erlaubt, wenn da, wo das methodologische Chaos einzubrechen droht, »Gemeindrang eilt, die Lücke zu verschließen«.

Davon überzeugt, daß der Ruf nach philologisch-historischer *sécurité* letzten Endes mit Remaks Ruf nach »mehr Einbildungskraft« vereinbar ist, wollen wir im folgenden – im Anschluß an eine ausführliche Darstellung der Wissenschaftsgeschichte (2. Kapitel) – als eindeutig in den Bereich der vergleichenden Literaturwissenschaft gehörig zunächst das Wesen des literarischen Einflusses (3. Kapitel) und der Rezeption (4. Kapitel) bestimmen, wobei das Problem der Übersetzung nur gestreift werden kann. Daran anschließen werden sich längere Ausführungen über die für unsere Disziplin so ungemein wichtigen Begriffe der Periodisierung (5. Kapitel), der Gattungsgeschichte und -poetik (6. Kapitel) und der kürzlich rehabilitierten Stoff- und Motivgeschichte (7. Kapitel). Zum Abschluß folgen ein Exkurs über die wechselseitige Erhellung der Künste (8. Kapitel), wobei die Grenzen der vergleichenden Literaturwissenschaft im eigentlichen Sinne überschritten werden, und ein kurzer Überblick über die bibliographische Lage (9. Kapitel). Nicht gesondert behandelt werden – um es in gedrängter Form zu wiederholen – die sogenannten Analogiestudien, die Geistes- und Ideengeschichte, das Verhältnis der Literatur zu den Wissenschaften, die Weltliteratur im Sinne des Kosmopolitismus und der *Great Books* und die analytisch verfahrende Universal-Literaturgeschichte. Daß wir weder der Volkskunde noch der mündlich überlieferten Literatur ein eigenes Kapitel widmen, bedarf keiner langatmigen Erklärung, zumal von diesen Dingen im Verlauf unserer Darstellung wiederholt und *en passant* die Rede sein wird.[40]

Zweites Kapitel

# Geschichte

## 1. Frankreich

Im Rahmen unserer zusammenfassenden Darstellung der vergleichenden Literaturwissenschaft als Forschungsgebiet können wir nur kurz auf die *Vorgeschichte* dieser Disziplin im europäischen Raum eingehen. Unter Vorgeschichte verstehen wir zunächst das Vorhandensein von kritischen Abhandlungen, in denen rein analogisch und unter Hinweis auf allgemeine ästhetische und kunsttheoretische Begriffe und Regeln Vergleiche zwischen einzelnen Dichtern oder deren Werken im Rückgriff auf die Antike oder innerhalb der modernen Nationalliteraturen angestellt werden, ohne daß faktisch erkennbare, geschichtlich nachweisbare Einflüsse zur Sprache kommen.

In der Romania findet sich eine derartige Betrachtungsweise schon verhältnismäßig früh, so etwa bei Dante, der im neunten Kapitel seiner Abhandlung *De vulgari eloquentia* der Literatur der *langue d'oc* die der *langue d'oil* gegenüberstellt. In Deutschland reicht diese Phase der Vorgeschichte von Johann Elias Schlegels *Vergleichung Shakespears und Andreas Gryphs* (1742) und Lessings *Hamburgischer Dramaturgie* (1769) bis zu A. W. Schlegels französisch geschriebenem Vergleich der *Phädren* des Euripides und Racine (1807). In Frankreich erwächst die vergleichende Betrachtungsweise aus der Spannung von Antike und Moderne und der daraus abgeleiteten Dialektik von Nachahmung und Originalität. Die Kontroverse setzt mit dem achten Kapitel von Joachim du Bellays *Défense et illustration de la langue française* (1549) ein und wird mehr oder minder heftig fortgesetzt in Corneilles *Discours sur les trois unités* (1660) und dem berühmten Streit der *Anciens* und der *Modernes* (1687–1716).

Der Widerstand gegen ausländische (besonders italienische) Einflüsse machte sich besonders auf dem Theater im Krieg der Bouffons (1751–1754) und im Streit der Gluckisten mit den Piccinnisten (1770 bis 1774) geltend. Günstiger wurden ausländische Vorbilder in Voltaires *Lettres Philosophiques* (1734; über England), Diderots »Euloge de Richardson« (1761; Vergleich mit Racine) und Stendhals *Racine et Shakespeare* (1822) beurteilt.

In das zweite Stadium tritt die Vorgeschichte der Komparatistik mit der allmählichen Herausarbeitung des Begriffs der Weltliteratur und der – zunächst noch biologisch-soziologisch – orientierten Ansicht von der Gleichwertigkeit der künstlerischen Produkte verschiedener Länder, Zeiten und Zonen. Schon die Gegner Boileaus in der *Querelle des Anciens et Modernes* hatten darauf gedrungen »que l'idéal de beauté n'est pas un permanent à travers les siècles et commun à tous les pays, mais qu'il doit nécessairement varier avec les lieux et les époques.«[1] Die gleiche Auffassung, nun jedoch ins Historische abgewandelt und mit der Idee des Fortgangs (nicht: Fortschritts) verknüpft, findet sich in Herders *Briefwechsel über Ossian und die Lieder alter Völker*:

> Wehe aber auch dem Philosophen über Menschheit und Sitten, dem seine Szene die einzige ist und der die erste immer auch als die schlechteste verkennet. Wenn alle mit zum Ganzen des fortgehenden Schauspiels gehören, so zeigt sich in jeder eine neue, sehr merkwürdige Seite der Menschheit.[2]

Bei Herder ist von einer Wechselwirkung und deren kritischem Studium noch nicht die Rede, während dies bei Madame de Staël's 1810 verfaßtem Palimpsest der vergleichenden Literaturwissenschaft, dem berühmten Werk *De l'Allemagne*, durchaus der Fall ist. Dort heißt es – siebzehn Jahre vor Goethes Äußerungen zum Thema »Weltliteratur« –: »Les nations doivent se servir de guides les unes aux autres. . . . On se trouvera donc bien en tout pays d'accueillir les pensées étrangères; car, dans ce genre, l'hospitalité fait la fortune de celui qui reçoit.«[3] Freilich scheute sich die Verfasserin, die wissenschaftlichen Konsequenzen aus dieser Erkenntnis zu ziehen: »Elle n'étudiait guère les liens qui unissaient les deux littératures et les influences qu'elles avaient exercées l'une sur l'autre« (Van Tieghem, S. 25). Ihr Interesse war, wie das Vorwort zu der Studie *De la Littérature considérée dans ses rapports avec les institutions sociales* zeigt, eher soziologischer Art:

> Je me suis proposé d'examiner quelle est l'influence de la religion, des mœurs et des lois sur la littérature, et quelle est l'influence de la littérature sur la religion, les mœurs et les lois. Il existe dans la langue française, sur l'art d'écrire et sur les principes du goût, des traités qui ne laissent rien à désirer; mais il me semble que l'on n'a pas encore considéré comment les facultés humaines se sont graduellement développés par les ouvrages illustres, en tout genre, qui ont été composés depuis Homère jusqu'à nos jours.[4]

Dieses soziologische Interesse, von Saint-Simon angefacht, sollte die französische Komparatistik in ihrem Anfangsstadium auf viele Jahrzehnte hinaus überschatten. Verantwortlich dafür war hauptsächlich Hippolyte Taine, dessen Dogma von der ausschließlichen Bedeutung von *race*, *milieu* und *moment* erst gegen Ende des 19. Jahrhunderts seinen Zauber einbüßte. Daß Taines Auffassung dem Geiste der sich nach dem Ersten Weltkrieg konsolidierenden französischen Komparatistik widersprach, erkennt Van Tieghem, wenn er feststellt, der Begriff des literarischen Einflusses lasse sich dem Koordinatennetz von Rasse, Umwelt und Augenblick (historischer Situation) nicht einfügen:

[Taine] montrait que toute œuvre d'art est le produit de la *race*, du *milieu* qui modifie la race, et du *moment* qui fait prédominer l'expression de telles aptitudes. La notion d'*influence* était absente de cette imposante construction – à moins qu'on ne la fasse entrer dans celle, plus générale, de *moment*; interprétation qui est légitime parfois, non toujours, et que Taine n'a jamais, semble-t-il, suggérée, même implicitement. ... [Taine] se montrait persuadé que la littérature est, comme la peinture, l'expression nécessaire de l'idéal et du tempérament d'une race donnée dans des circonstances données de lieu et de temps, et que les œuvres d'art sont d'autant plus significatives et d'autant plus parfaites qu'elles révèlent mieux cet idéal et ce tempérament, sans mélange d'éléments étrangers. Comment l'éloquent logicien aurait-il pu voir dans les chefs-d'œuvre les plus justement admirés le résultat d'une perpétuelle collaboration entre le génie propre de l'auteur et diverses influences littéraires ...? (Van Tieghem, S. 29).

Während Madame de Staël immerhin das ästhetische Moment in der Literatur vom außer-ästhetischen zu trennen wußte, kam es bei einer Reihe französischer Gelehrter, die als Vorläufer der eigentlichen Komparatistik bezeichnet werden, zur Kontamination künstlerischer, philosophischer und soziologischer Faktoren – so bei Philarète Chasles, der das Ziel seiner 1835 gehaltenen Vorlesung über »littérature étrangère comparée« wie folgt umreißt: »L'influence lointaine de l'intelligence sur les intelligences; le magnétisme de la pensée sur la pensée; la force de fécondité qui est en elle, et qui, du sein d'une vie souvent obscure, jaillit pour conquérir des peuples éloignés ou des siècles futurs« und dem es mehr um die *histoire intellectuelle* als um die *histoire littéraire* zu tun ist.[5]

Die *littérature comparée* als Wissenschaft reifte in Frankreich erst im dritten und vierten Jahrzehnt des vorigen Jahrhunderts.[6] Ihr voraus ging die Veröffentlichung vergleichender Studien auf dem Gebiet der Physiologie (Cuviers *Anatomie comparée*, Blainvilles *Physiologie comparée* und Costes *Embryogénie comparée*), Mythologie (die *Mythologie comparée avec l'histoire* des Abbé Tressan), Philosophie (Degérandos *Histoire comparée des systèmes de philosophie*), Erotik (de Villers' *Erotique comparée*) und Ästhetik (Sobrys *Cours de peinture et de littérature comparées*), besonders aber der vergleichenden indogermanischen Philologie.[7] So ist noch der erste Band von Jean-Jacques Ampères *Histoire de la littérature française au moyen âge comparée aux littératures étrangères* von 1841 der Entwicklung der französischen Sprache gewidmet. Das ist auch bei Ampères 1846 in zweiter Auflage erschienenem *Cours de littérature française* der Fall, dessen erster Band ein »tableau de la littérature du Moyen Age en France, en Italie, en Espagne et en Angleterre« bietet. So schwer rang sich also die

Komparatistik dazu durch, in der vergleichenden *Literatur*wissenschaft ihre eigentliche Aufgabe zu erkennen.

Sieht man von Sismonde de Sismondis (dem Bouterwek oder Eichhorn Frankreichs) Buch *De la Littérature du midi de l'Europe* aus dem Jahre 1813 ab, dessen Autor »a voulu montrer partout l'influence réciproque de l'histoire politique et religieuse des peuples sur leur littérature, et de leur littérature sur leur caractère; faire sentir le rapport des lois du juste et de l'honnête avec celles du beau; la liaison enfin de la vertu et de la morale avec la sensibilité et l'imagination«[8], so gebührt den Herren Noël und Laplace die Ehre, als erste sowohl dem Namen als der Sache nach *littérature comparée* betrieben zu haben. Ihre seit 1816 an der Sorbonne gehaltene Vorlesung dieses Namens war uns leider unzugänglich, zeitigte aber wohl keine unmittelbaren – geschweige denn nachhaltige – wissenschaftlichen Folgen.

Als eigentliche Väter der systematisch betriebenen vergleichenden Literaturwissenschaft in Frankreich – wie überhaupt – werden daher entweder Jean-Jacques Ampère oder Abel François Villemain angesehen. Villemain hielt 1829 an der Sorbonne ein »Examen de l'influence exercée par les écrivains français du XVIII^e^ siècle sur les littératures étrangères et l'esprit européen« betitelte Vorlesung; und in seinem Vorwort zum *Cours de littérature française* steht der Satz: »Pour la première fois, dans une chaire française, on entreprenait l'analyse comparée de plusieurs littératures modernes qui, sorties des mêmes sources, n'ont cessé de communiquer ensemble, et se sont mêlées à divers époques.«[9] In einem seiner 1865 erschienenen *Nouveaux Lundis* setzte sich Sainte-Beuve für Ampère als den eigentlichen Kolumbus der Komparatistik ein, besonders aufgrund seiner intimen Kenntnis mehrerer Fremdsprachen und seiner ausgedehnten Reisetätigkeit, die es ihm erlaubte, seine Informationen aus erster Hand zu beziehen.[10] Mit neunzehn Jahren hatte der 1800 geborene Gelehrte Goethe in Weimar besucht und war tief beeindruckt nach Frankreich zurückgekehrt. 1832 hielt er dann in Vertretung Villemains seine vielbeachtete Vorlesung über die »histoire comparative des littératures.«

Wie groß auch der Fortschritt war, den die französische Komparatistik im zweiten Viertel des vorigen Jahrhunderts machte, zur akademischen Disziplin wurde sie endgültig erst nach 1890 erhoben, als die realistisch-naturalistische Epoche in Kunst und Literatur vorüber war. Diese Entwicklung ist eigentlich paradox. 1880 hatte Emile Zola nach dem Vorbild von Claude Bernards *Introduction à la médecine expérimentale* (1865) sein Manifest *Le Roman expérimental* veröffentlicht, dem kurz danach mehrere programmatische Aufsätze über das naturalistische Theater folgten. Aber schon 1884 veranstalteten die Impressionisten ihre erste Ausstellung, 1886 schrieb Jean Moréas für den *Figaro* sein symbolistisches Manifest, und im nächsten Jahr sagten sich fünf Schüler Zolas in einem öffentlichen Protest von ihrem Meister los. Um 1890 war auch in den übrigen europäischen Ländern die Wirkung des literarischen Naturalismus verpufft, und Hermann Bahr verkündete laut die bevorstehende Überwindung dieser Kunst. Die Neuromantik und der literarische Impressionismus-Symbolismus verdrängten rasch den kaum flügge gewordenen *verismo*.

Es ist also schlechthin anachronistisch, daß eine positivistisch-soziologisch ausgerichtete Schule der vergleichenden Literaturwissenschaft mit Joseph Textes Monographie *Jean Jacques Rousseau et les origines du cosmopolitisme littéraire* in diesem Jahrzehnt begründet wurde. Der eigentliche Geburtstag der französischen Komparatistik als akademischer Institution fällt in das Jahr 1897, in dem in Lyon ein Lehrstuhl für vergleichende Literaturgeschichte errichtet wurde, dem erst 1910 ein zweiter (an der Sorbonne) folgen sollte. Texte, der erste Inhaber dieses Lehrstuhls, las zuerst über den Einfluß der germanischen Literaturen auf das französische Schrifttum seit der Renaissance. Nachdem er sich schon 1893 theoretisch über die von ihm vertretene neue Disziplin geäußert hatte[11], ließ er fünf Jahre später einen methodologisch wichtigen Aufsatz zur Begriffsbestimmung folgen. Wir wollen uns an dieser Stelle nicht näher mit Textes Thesen auseinandersetzen, da sie im Grunde Van Tieghems, im methodologischen Teil unserer Übersicht behandelte Ansichten vorausnehmen. Erwähnt sei nur, daß Texte bei aller erträumter Wissenschaftlichkeit die Komparatistik nicht als echte *science* im Sinne der Naturwissenschaft verstanden wissen wollte:

> Je n'entends nullement assimiler l'histoire littéraire aux sciences expérimentales: pas plus que toute autre forme d'histoire, l'histoire des littératures n'est une *science* au sens propre du mot. Mais, comme toute autre forme d'histoire, elle peut légitimement être dite *scientifique* le jour où elle réalise ces deux conditions: 1) de se proposer un objet supérieur au simple agrément de l'historien ou de son lecteur; 2) d'épuiser *tous* les moyens d'arriver à la connaissance du genre de vérité qui constitue son objet propre.[12]

Dieser wenig überzeugende Kompromiß gründet sich auf die anfechtbare These, es sei die eigentliche Aufgabe der vergleichenden Literaturgeschichte, einer »psychologie des races et des hommes« vorzuarbeiten. Damit befinden wir uns schon mitten in der fünfzig Jahre später ausbrechenden Kontroverse über die Auffassungen Carrés und Guyards.

Wie manche seiner Nachfolger gibt Texte (gleichsam als Krönung seiner Ausführungen und unter dem Eindruck der falsch verstandenen Ansicht Goethes über die »Weltliteratur«) der Hoffnung Ausdruck, die Nationalliteraturen möchten in absehbarer Zeit ihre Eigenarten aufgeben und zu einer wahrhaft europäischen Literatur verschmelzen. Die vergleichende Literaturwissenschaft sollte dabei als Katalysator dienen:

Ensuite, parce qu'il était dans la logique des choses qu'après avoir tant comparé, tant approché et, disons-le, tant brouillé d'œuvres d'origine diverse, le public européen, de jour en jour plus nombreux, finit par se former une sorte d'idéal commun, l'idéal d'une littérature dont nous pouvons espérer – ou craindre – l'avènement, et qui ne sera plus spécialement anglaise, ni allemande, ni française, ni italienne, mais simplement européenne.[13]

Die gleiche Prognose stellt, mit einem lachenden und einem weinenden Auge, Frédéric Loliée im Schlußkapitel seiner für unsere Betrachtungen unwesentlichen, weil in der Perspektive schon damals veralteten, *Histoire des littératures comparées des origines au* XX^e^ *siècle* aus dem Jahre 1903, wo es heißt:

Le cosmopolitisme intellectuel s'étendra, pour les niveler, sur les différences nationales. La civilisation poursuit sa voie, inexorablement destructive, des variétés locales. Les types s'en vont, les particularités s'effacent, l'homme se rend partout semblable à l'homme, et les voyageurs parcourant le monde trouvent moins de singuliers contrastes et de piquants détails de mœurs que les érudits explorant les siècles écoulés.[14]

Als Louis-Paul Betz im Jahre 1900 die erste Fassung seiner *Bibliographie de la littérature comparée* in Buchform veröffentlichte, war es der Altmeister Texte, dem die Aufgabe zufiel, eine Einleitung beizusteuern. Im zweiten Abschnitt derselben unterteilt er die Komparatistik in die folgenden Sachgebiete: 1. theoretische Fragen und allgemeine Probleme; 2. vergleichende Volkskunde; 3. das vergleichende Studium der modernen Literaturen; und 4. die allgemeine Literaturgeschichtsschreibung (Van Tieghems *littérature générale*). Texte war also weit davon entfernt, eine Systematik im Sinne Van Tieghems oder Guyards zu entwickeln.

Das gilt auch von Betz, der, in Amerika als Sohn eines elsässischen Emigranten 1861 geboren, seit 1869 in der Schweiz aufwuchs, von 1881 bis 1883 in Straßburg und Frankfurt Jura studierte, dann sieben Jahre lang im New Yorker Geschäft seines Onkels tätig war, um 1890 endgültig nach Zürich zurückzukehren, wo er Neuphilologie studierte und 1896 die *venia legendi* zugesprochen erhielt.[15] Betz, dessen wesentlicher Beitrag zur Komparatistik auf seiner Bibliographie (dem Grundstock zu Baldensperger-Friederichs *Bibliography of Comparatiev Literature*) und einem im Abschnitt über die Geschichte der vergleichenden Literaturwissenschaft in Deutschland zu behandelnden Aufsatz beschränkt ist, war in seinen Veröffentlichungen zweisprachig, im Leben aber dreisprachig.[16]

Ehe wir uns dem Taufpaten der französischen Komparatistik, Fernand Baldensperger, zuwenden, der als Nachfolger Textes in Lyon und Herausgeber der erweiterten Fassung der Betzschen Bibliographie ein Vorwort zur zweiten Auflage derselben schrieb, wollen wir unser Augenmerk kurz auf ein für die Wissenschaftsgeschichte bedeutsames Ereignis des Jahres 1900 richten. Damals tagten in Paris Historiker aus aller Welt. Die sechste Abteilung dieses internationalen Kongresses befaßte sich mit der »histoire comparée des littératures«, und die teilnehmenden Gelehrten aus dem In- und Ausland riefen (vergebens) dazu auf, eine »Société internationale d'histoire comparée des littératures« zu gründen.[17] Dieser Blütentraum sollte jedoch erst mehr als drei Jahrzehnte später zu einer durch den Zweiten Weltkrieg unterbrochenen Frühreife gelangen.

Schutzherren der Tagung, zu der Gäste aus Italien, Schweden, Holland, England, Luxemburg, der Schweiz, Griechenland und den Vereinigten Staaten erschienen waren, waren die Herren Gaston Paris und Ferdinand Brunetière. In seiner Ansprache stellte Paris der Komparatistik die doppelte Aufgabe, sowohl literarische als auch volkskundliche Parallelen in Augenschein zu nehmen. Für ihn war die vergleichende Literaturwissenschaft »une science nouvelle qui touche au folklore, à la mythographie et à la mythologie comparée, et dont l'intérêt est considérable pour l'histoire de l'esprit humain. Elle déborde hors de la littérature proprement dite.«[18]

Der zweite Hauptredner war Brunetière, dessen Vortrag über »La Littérature européenne« auf die Zuhörer und – nach ihrer Drucklegung – auf die gebildete Öffentlichkeit Frankreichs und Europas eine große Wirkung ausübte. Brunetières Auffassung ist, vom heutigen Standpunkt aus gesehen, weitaus moderner als die seines illustren Vorredners. Sie wurde später von Baldensperger übernommen. So heißt es: »Ce qu'il convient d'appeler *littéraire*, n'est-ce-pas uniquement ce qui a eu l'intention de l'être, ou, mieux encore et avec plus de précision, n'est-ce-pas ce qui a tendu, de la part et dans la pensée de son auteur, quel qu'il soit, anonyme ou illustre, à la réalisation, consciente et voulu, d'une certaine idée de grace et de beauté?«[19]

Bewußt künstlerische Absicht war also für Brunetière der Maßstab, an dem die Literatur zu messen war. Zugleich bezeichnete er die europäische Literatur als eine Provinz der Weltliteratur (die für ihn allerdings mit *littérature comparée* identisch war), und zwar als eine kleine und ziemlich unbedeutende.[20] Praktisch sei die freiwillige Begrenzung auf einen Teilabschnitt nötig, weil man nur innerhalb einer Kulturgemeinschaft von Einflüssen und Wechselwirkungen sprechen könne. Überschreite man diesen Bereich, so bekäme man es mit bloßen *rencontres* und *coincidences* zu tun (man vergleiche damit René Etiembles großzügigere Auffassung), die wissenschaftlich wenig ergiebig seien.

Wie im Kapitel über die komparatistisch verstandene Genreforschung zu zeigen sein wird, vermindert sich der Wert des im übrigen unschätzbaren Beitrags Brunetières zur Entwicklung und Konsolidierung der französischen Komparatistik dadurch, daß er, als treuer Gefolgsmann Taines, unverrückbar am Glauben an die Zwangsläufigkeit der Evolution in Kunst und Literatur festhielt. In diesem Sinn endet der Aufsatz »La Littérature européenne« mit einem Abriß der literarischen Entwicklung seit der Renaissance als einer chronologischen Abfolge von gesamteuropäisch dominierenden Nationalliteraturen: Italien, Spanien, Frankreich, England und schließlich Deutschland.

Mit der Gründung dreier französischer Lehrstühle für vergleichende Literaturwissenschaft (auf Lyon und Paris folgte 1918 Straßburg) endet die Frühgeschichte dieser Disziplin im Lande ihres Ursprungs. Ihr Bannerträger im zweiten Stadium der Entwicklung war Fernand Baldensperger, der, 1871 im Elsaß geboren, 1901 Nachfolger Textes in Lyon wurde, 1902 die erweiterte Neuauflage der Betzschen Bibliographie veranstaltete und seit 1910 an der Sorbonne wirkte, wo er, anfangs allein und später zusammen mit Paul Hazard und Paul Van Tieghem, das *Institut des littératures modernes et comparées* aufbaute, das ein Vierteljahrhundert lang (bis zum Beginn des Zweiten Weltkrieges) die eigentliche Hochburg der weltweiten Komparatistik war.[21] Besonders auf dem Balkan und im Nahen und Fernen Osten war ihre Vormachtsstellung lange unumstritten; und erst seit einem oder zwei Jahrzehnten machen sich, unter dem Einfluß der »amerikanischen« Schule Bestrebungen geltend, die einer Liberalisierung der orthodoxen Auffassung Bahn brechen.

Übrigens wurde 1925 auch am Collège de France ein Platz für die Komparatistik geschaffen, und zwar durch Umwandlung des Lehrstuhls für lateinische Philologie in einen »Histoire des littératures méridionales et de l'Amérique latine« betitelten, dessen Inhaber bis vor kurzem der jetzt im Ruhestand lebende Hispanist Marcel Bataillon war, der zugleich als *directeur* der 1921 gegründeten und von Basil Munteano herausgegebenen *Revue de littérature comparée* fungiert. Baldensperger selbst nahm 1935 einen Ruf nach Amerika an und wurde durch Jean-Marie Carré ersetzt.[22] Er lehrte mehrere Jahre lang an der Harvard University, übersiedelte aber dann nach Los Angeles, wo er an der University of California tätig war. Durch seinen Aufenthalt in den Vereinigten Staaten vermittelte er der amerikanischen Komparatistik persönliche und wissenschaftliche Impulse, deren historische Bedeutung nicht unterschätzt werden darf.

Baldenspergers Glaubensbekenntnis – und somit bis zum Erscheinen von Van Tieghems Handbuch im Jahre 1931 das Evangelium der Pariser Schule – ist die unter dem Titel »La Littérature comparée. Le mot et la chose« gedruckte programmatische Einleitung zur ersten Nummer der *Revue de littérature comparée*. In ihr rechnet der französische Gelehrte Punkt für Punkt mit den ihm veraltet erscheinenden Perspektiven eines Texte, Gaston Paris und Brunetière ab. Bei Brunetières Evolutionstheorie stößt er sich an der Teleologie der Entwicklung, die mit fast mechanischer Kausalität von Ursache zu Wirkung fortschreitet und der schöpferischen Spontaneität keinen Spielraum läßt: »En assignant aux *genres* littéraires une sorte de *nécessité*, en leur attribuant une existence indépendante, cet impérieux esprit créait des entités, auxquelles le passé était soumis par un finalisme que ne justifiait nulle réalité« (*RLC* I, 24).

Stoffgeschichtlich orientierte Untersuchungen lehnte Baldensperger u. a. deswegen ab, weil sie ihrem Wesen nach fragmentarisch sind, insofern als kaum jemals alle Glieder in der Kette der Bearbeitungen einer Materie lückenlos auffindbar seien: »Tant de contacts interrompus laissaient incomplète la chaîne à reconstituer, que trop souvent les rattachements de la *Stoffgeschichte*, ignorant les intermédiaires oraux et indéterminés, satisfaisaient mal les esprits historiques, c'est-à-dire soucieux de séries continues« (ebd. S. 23).

Taines Einfluß auf die vergleichende Literaturwissenschaft hielt Baldensperger für gefährlich, weil die ausschließliche Betonung der umweltlichen Faktoren automatisch die Abwertung der außer-umweltlichen zur Folge hat: »Son principe favori des *convergences*, de la concordance des forces et des effets, ›l'œuvre d'art déterminée par un ensemble qui est l'état général de l'esprit et des mœurs environnantes‹, la ›structure intérieure‹ qu'il retrouve à la fois dans un poème et dans une race – toutes ces croissantes exigences de ses théories s'opposaient à une plus féconde application des méthodes comparatives« (ebd. S. 16).

Indem er so die Stoffgeschichte, die Parallelenjagd, das Aufspüren von Quellen (das »petit jeu des recherches de sources, non pour dégager des originalités, mais pour diminuer des initiatives et pour dénoncer des ›pilleries‹« (ebd. S. 10f.)) sowie die soziologisch-evolutionäre Betrachtungsweise eines Taine und Brunetière aus der vergleichenden Literaturwissenschaft verbannte, schuf Baldensperger Raum für die ihm gemäßer erscheinenden Ansätze und Methoden innerhalb der jungen Disziplin. Sein Steckenpferd aber hieß *génétique* oder *morphologie artistique* (ebd. S. 26). Doch ist sein wirklicher Name »Rezeptionsforschung«.

Im positiven Teil seines Programms unterstreicht der Herausgeber der *Revue de littérature comparée* die Bedeutung der *mobilité* im internationalen Kulturbetrieb: »Au lieu de considérer les grandes réputations comme des astres dont on pouvait suivre l'ascension et l'orbite au milieu d'un ciel fixe, il importait de rendre compte de la *mobilité* des plans eux-mêmes sur lesquels se détachent les étoiles dont l'éclat parviendra à l'avenir« (ebd. S. 26). In der noch zu leistenden komparatistischen Forschung sollte die Betonung auf den Schriftstellern und Werken zweiten Ranges und den bisher vernachlässigten, nur durch mühselige Kleinarbeit ans Tageslicht zu bringenden Details liegen:

Il importait de retrouver le dynamisme dont étaient animées, non seulement les œuvres distingués dont nous avons encore gardé le souvenir, mais la masse des créations, indifférentes aujourd'hui, qui supportaient celles-là, de retrouver aussi l'opinion, favorable ou contraire, qui les entourait et les tendances sociales entraînées d'une allure pareille autour de ces oeuvres, devenues aujourd'hui des ›témoins‹ plus ou moins véridiques (ebd. S. 25).

In diesem Sinn wollte Baldensperger wohl auch das seiner Zeitschrift beigegebene kartesianische Motto »La nature des choses est bien plus aisée à concevoir lorsqu'on les voit naître peu à peu en cette sorte, lorsqu'on ne les considère que toutes faites« verstanden wissen.[22a]

Was den Inhalt und den darin zum Ausdruck kommenden Geist der *Revue de littérature comparée* angeht, so lassen diese sich aus den drei bisher erschienenen Inhaltsverzeichnissen ablesen. Unsere summarische Rezension der *Troisième Table de la »Revue de littérature comparée« 1951–1960*[23] mag hier die Stelle einer längeren, den Rahmen unserer Übersicht sprengenden Kritik einnehmen, wobei sich auch die neuerdings sichtbar werdenden Tendenzen im Umriß abzeichnen:

Inhaltsverzeichnisse wie das hier zu besprechende sind ungewollt Rechenschaftsberichte, aus denen hervorgeht, in welchem Maße die Herausgeber einer Zeitschrift die ihnen gestellte Aufgabe erfüllt haben. Daß die von Fernand Baldensperger 1921 begründete und jetzt von Marcel Bataillon und Basil Munteanu geleitete *Revue de littérature comparée* eben doch ein echt französisches Organ ist, überrascht nicht. Von literarischen Wechselbeziehungen, an denen Frankreich weder als *émetteur* noch als *transmetteur* oder *receveur* beteiligt ist, ist hier kaum die Rede, und der Komparatist, dessen Ansatzpunkt außerhalb Frankreichs liegt, hat für die *Revue* in vielen Fällen gewiß nur sehr bedingt Verwendung. Ein solcher ›Provinzialismus‹ (man verzeihe den Ausdruck) ist dem amerikanischen Geschwister, der freilich nicht so sorgfältig redigierten und wissenschaftlich fundierten Vierteljahresschrift *Comparative Literature* zum Glück fremd. Die Wechselbeziehungen zwischen Okzident und Orient, der Einfluß der Antike auf die Moderne und die Literatur des Mittelalters sind im gegebenen Zeitraum stiefmütterlich behandelt, und zwar ganz im Sinne der von Van Tieghem und Guyard gelieferten Definitionen. Auch fehlt es an gewichtigen Beiträgen zur Literatur des 20. Jhdts. Betont wird die intereuropäische Tradition der Aufklärung, Klassik und Romantik. Von 1951 bis 1960 wußte sich also die *Revue* kaum von 3000 Jahren Rechenschaft zu geben. Auch daß nur verhältnismäßig wenige Nichtfranzosen zur Mitarbeit herangezogen wurden, ist bedauerlich. Freilich hat sich dieses Bild in den allerletzten Jahren ein wenig verschoben. Victor Hugo wurden, unserer *Table* zufolge, 18, Goethe, Shakespeare und Rousseau je 12, Chaucer, Strindberg, Dostojewski und den Schlegels aber kein einziger Aufsatz gewidmet.[24]

Im Zusammenhang mit der *Revue de littérature comparée* sei auch der »Bibliothèque de littérature comparée« (1921 ff.) und der sie ablösenden »Etudes de littérature étrangère et comparée« gedacht, deren enge Verbundenheit mit dem komparatistischen Institut der Sorbonne sich von selbst versteht.

Als Altersgenosse Baldenspergers, des »grand old man« der französischen Komparatistik, machte sich auch Paul Van Tieghem um die vergleichende Literaturwissenschaft verdient. Sein Name wird schon deswegen in die Geschichte unserer Wissenschaft eingehen, weil er mit der ersten systematisch konzipierten und methodologisch noch heute vertretbaren Übersicht, dem schon wiederholt erwähnten und noch oft heranzuziehenden Handbuch *La Littérature comparée* verknüpft ist. Van Tieghem wirkte seit 1911 als Mitarbeiter der *Revue de synthèse historique*, in der er jährlich über Neuerscheinungen auf dem Gebiet der vergleichenden Literaturwissenschaft Bericht erstattete. Dort veröffentlichte er 1921 (also im gleichen Jahr, in dem die *Revue de littérature comparée* in Erscheinung trat) den längeren Aufsatz »La Synthèse en histoire littéraire: Littérature comparée et littérature générale«[25].

In Frankreich fand die *littérature générale* in den großen Synthesen eines Paul Hazard beredten Ausdruck, besonders in dem *magnum opus* dieses großen Gelehrten, seinem Buch *La Crise de la conscience européenne* (1925).[26] Wie im einleitenden Kapitel bemerkt, setzte sich aber schon Van Tieghems Famulus Guyard über die künstlich herbeigeführte Kompetenz-Trennung hinweg; und im Ausland fand sich kaum je ein vergleichender Literaturwissenschaftler bereit, in die Fußtapfen Van Tieghems zu treten.

Mit der Besetzung Frankreichs durch deutsche Truppen im Jahre 1940 kam die Entwicklung der Komparatistik in diesem Lande jäh zum Stillstand. Selbst die *Revue de littérature comparée* stellte vorübergehend ihr Erscheinen ein und wurde von 1942 bis 1946 schlecht und recht durch die an der Universität von Cardiff (England) gegründeten *Comparative Literature Studies* – nicht zu verwechseln mit der ursprünglich an der Universität von Maryland, neuerdings aber an der Universität von Illinois erscheinenden amerikanischen Zeitschrift gleichen Namens – ersetzt.

Der langsame Aufbau der französischen Komparatistik nach dem Kriege, der sich – mit der Schaffung von Lehrstühlen in Mainz und Saarbrücken – auch auf die französisch besetzte Zone Deutschlands erstreckte, wurde erst um 1950 beschleunigt, als in rascher Folge vollgültige Lehrstühle oder *maîtrises de conférences* an verschiedenen Universitäten der Provinz ins Leben gerufen wurden: Dies geschah 1949 in Dijon, 1951 in Bordeaux und Toulouse, 1952 in Clermont-Ferrand, Lille und Rennes und kurz darauf auch in Grenoble und Aix. Seit 1966 gedeiht die vergleichende Literaturwissenschaft sogar in dem früher an Frankreich angeschlossenen Teile Nordafrikas, wo neuerdings die *Cahiers algériens de littérature comparée* erscheinen.[27] Im Jahre 1954 schlossen sich die Komparatisten Frankreichs in der *Société Française de littérature comparée* zusammen, die jedes Jahr an einer anderen regionalen Universität tagt und ihre eigenen *Actes* herausgibt.[28]

Hand in Hand mit dieser Ausweitung der akademisch betriebenen und zusehends dezentralisierten französischen Komparatistik ging eine Liberalisierung der Auffassung, die – zunächst gegen den Widerstand der konservativen Pariser Schule – allmählich auch auf die Sorbonne übergriff, wo Professoren wie Charles Dédéyan unentwegt Stoff- und Motivgeschichte betrieben hatten. Diese begrüßenswerte Entwicklung hätte freilich ohne das Vorbild (man möchte fast sagen: den Druck) der amerikanischen Verhältnisse kaum stattgefunden. Noch 1951 vermochte Guyard seine an Van Tieghem orientierte (ihn stellenweise sogar plagiierende) Übersicht auf den Markt zu bringen, die aber selbst in Frankreich keinen ungeteilten Beifall mehr fand und deren Verfasser in der 1961 erschienenen Neuauflage selbst Konzessionen an den neuen »trend« machen mußte.[29]

Einen der mutigsten Vorstöße gegen den von den Gründern der Pariser Schule zu eng gezogenen Rahmen der Komparatistik unternahm der jetzt selbst an der Sorbonne wirkende René Etiemble. Ihm arbeiteten eine Reihe von »Außenseitern« vor, so Pierre Maury mit seinem 1934 erschienenen Büchlein *Arts et littérature comparée: Etat présent de la question*[30]. Massiver und weitreichender in seinen Folgen war der Angriff des Pariser Mediävisten Jean Frappier, der sich daran stieß, daß sich die Arbeit seiner Kollegen darauf beschränke »de coordonner et de développer les études portant sur la littérature comparée depuis la Renaissance jusqu'à l'époque contemporaine.« In seinem, bei der zweiten Tagung der AILC/ICLA gehaltenen Referat »Littérature médiévale et littérature comparée«, auf das wir im ersten Kapitel verwiesen, legte er dar, warum die Mediävistik sich für das vergleichende Studium der Literatur eigne und welche faktischen und methodologischen Schwierigkeiten sie zu überwinden habe, ehe sie ihrer Aufgabe gerecht werden könne. Frappiers apologetische Haltung beweist, wie sehr sich dieser Gelehrte der Tatsache bewußt war, daß er auf noch wenig betretenen Pfaden wandelte:

> Le sujet que je vais brièvement traiter n'a pas besoin de longues justifications. J'imagine du moins que personne aujourd'hui ne voudrait sérieusement contester qu'il soit légitime d'appliquer les principes de la littérature comparée au Moyen Age aussi bien qu'à des temps plus récents. Il faut avouer pourtant que cette compréhension élargie du comparatisme littéraire ne remonte pas très haut, qu'elle date au plus de quinze ou vingt ans (à de rares exceptions près), et qu'il reste encore très souhaitable de la faire progresser (*Proceedings II*, Bd. I, S. 25).

Daß sich Frappiers Auffassung von der Legitimität der Einbeziehung der mittelalterlichen Literatur in den komparatistischen Bereich allmählich durchsetzt, erhellt u. a. daraus, daß die »échanges littéraires internationales au Moyen Age« Gesprächsthema des siebten nationalen Kongresses des französischen Fachverbandes war.

Von einer fortschrittlicheren Position aus gab ein junger französischer Komparatist, Inhaber eines Lehrstuhls an der Universität von Bordeaux, im gleichen Jahr Anstoß zu einer Neubesinnung und Neuorientierung unserer Disziplin über den Rahmen des Ästhetisch-Literarischen hinaus. Robert Escarpit veröffentlichte 1958 eine knappe Übersicht über den Forschungsstand und die Aufgaben der Literatur-Soziologie, wie es vor ihm in Deutschland Levin Schükking mit wissenschaftlich ungeeigneten Mitteln getan hatte.[31] Mit der von Van Tieghem und Guyard vertretenen konservativen Auffassung der vergleichenden Literaturwissenschaft ist Escarpits Spezialgebiet verknüpft durch die Begriffe *transmission* und *réception*, die freilich ins Ökonomische abgebogen als *distribution* und *consommation* erscheinen. Es ist zu begrüßen, daß man beim 1970 in Bordeaux stattfindenden sechsten Kongreß der AILC/ICLA der Literarsoziologie die ihr im technischen Zeitalter gebührende Aufmerksamkeit schenken wird.

Erheblich beschleunigt, wenn auch keineswegs vollendet, wurde die Umwertung aller den Franzosen bislang teuren komparatistischen Werte durch das Erscheinen von René Etiembles polemischer Streitschrift *Comparaison n'est pas raison. La Crise de la littérature comparée* im Jahre 1963.[32] Der Verfasser, dessen Berufung an die Sorbonne als offiziöse Anerkennung seiner Anschauungen und Forderungen zu gelten hat, befürwortet die Ausweitung vergleichender Studien auf den außereuropäischen (besonders den fernöstlichen) Bereich. Daneben empfiehlt er das vergleichende Studium der Metrik, Stilistik, Metaphorik und Poetik sowie die komparatistisch orientierte Beschäftigung mit Struktur- und Übersetzungsproblemen. Etiembles Programm, das zum Teil utopisch ist (siehe besonders die Abschnitte »Il faut centraliser l'enseignement de la littérature comparée«, »Pour une bibliographie . . .«, »Une langue universelle de travail?« und »Le comparatiste idéal«), gibt zu denken.

Das schon vor einigen Jahren angekündigte Handbuch von Claude Pichois und André-M. Rousseau ist kürzlich erschienen. Eine Gemeinschaftsarbeit, wie sie hier vorgelegt wird, birgt die Gefahr der uneinheitlichen, wechselnden oder gar doppelten Perspektive. Der Anteil der beiden Verfasser ist nicht im einzelnen belegt; doch heißt es eingangs:

Il se trouve que, des deux auteurs du présent ouvrage, l'un penche vers l'histoire, l'autre vers la philosophie. Chacun a donc sincèrement suivi sa pente, ce qui reste la meilleure manière d'être vrai. Mais comme la philosophe ne hait point l'histoire et que l'historien reste sympathique à toutes les nouvelles tendances, que l'histoire ne se borne plus aujourd'hui à l'étude mécanique des causes et des effets, et que la philosophie dépasse le pur jeu des abstractions, leurs exposés, par l'alternance dialectique des deux méthodes, se résolvent en un mouvement continu. Ainsi, ces pages tentent de refléter une loi vitale de toute critique littéraire (*P/R*, S. 8f.).

Vergleicht man das Inhaltsverzeichnis der Van Tieghemschen Übersicht mit dem dieser neuesten Einführung in die vergleichende Literaturwissenschaft, so zeigt sich, daß die Unterschiede im Aufbau verhältnismäßig gering sind. In beiden Büchern wird die Wissenschaftsgeschichte im ersten Teil bzw. Kapitel ausführlich dargestellt. Das zweite Kapitel bei Pichois-Rousseau (»Les échanges littéraires internationaux«) entspricht ungefähr dem fünften bis siebten Kapitel des zweiten Teils von Van Tieghems *La Littérature comparée*, während das dritte Kapitel (in genauer Entsprechung zum dritten Teil der älteren Übersicht) der *littérature générale* und der *littérature universelle* gewidmet ist, also im Grunde einem veralteten Standpunkt huldigt oder zumindest eine veraltete Terminologie verwendet.

Im vierten Kapitel behandeln Pichois-Rousseau die Geistesgeschichte *(histoire des idées)*, wie es Van Tieghem im vierten Kapitel des zweiten Teiles seines Handbuchs vorexerziert. Neu ist anscheinend die im fünften Kapitel behandelte Materie, die unter dem Titel »Structuralisme littéraire« zusammengefaßt ist, wobei der in der französischen Literaturkritik jetzt herrschenden Mode Rechnung getragen wird. In Wirklichkeit befassen sich aber die gelehrten Autoren mit der Thematologie (= Teil zwei, Kapitel drei bei Van Tieghem) und der »esthétique de la traduction«, d. h. also beliebten Spezialfächern unserer Wissenschaft. Zwischen diese Abschnitte eingeschoben ist ein kurzer Abriß der sogenannten »morphologie littéraire«, der aber die Verfasser kein deutliches Profil zu geben vermögen, da sie bei ihnen teils in die *génologie* (Genreforschung) einmündet, teils aber auf dem Umweg über die Phänomenologie zum Analogie-Studium führt.

Darf man annehmen, daß der Inhalt des Handbuchs von Pichois und Rousseau ein getreues Abbild des heutigen Standes der akademisch betriebenen vergleichenden Literaturwissenschaft Frankreichs vermittelt? Dem steht, wenn man von der radikaleren Auffassung eines Robert Escarpit und René Etiemble absieht, nichts im Wege. Dann wäre aber – um es noch einmal zusammenfassend zu sagen – der französische Standpunkt noch immer weit vom amerikanischen entfernt und die Konsolidierung der Komparatistik auf internationaler Basis bliebe zunächst ein in näherer oder fernerer Zukunft zu erfüllender Wunschtraum.

## 2. Deutschland

Genau wie in Frankreich war auch in Deutschland die vergleichende Literaturwissenschaft anfangs Literatur*geschichte* und nicht *-kritik*. In diesem Sinne mag Kaspar Daniel Morhof als eigentlicher Begründer der bis ins 19. Jahrhundert hinein gewöhnlich »Allgemeine Literaturgeschichte« genannten Disziplin gelten.[33] Ihm folgten, noch ehe die Brüder Schlegel ihre berühmten und enthusiastisch aufgenommenen Wiener Vorlesungen hielten[34], zwei Göttinger Professoren, Mitglieder einer »Gesellschaft gelehrter Männer«, die im Rahmen einer von dieser geplanten Allgemeinen Geschichte der Künste und Wissenschaften zu Beginn des vorigen Säkulums je eine *Geschichte der Poesie und Beredsamkeit* (1801–1819) und eine *Geschichte der Literatur von ihren Anfängen bis auf die neueste Zeit* (1805–1811) vorlegten. Sie hießen Friedrich Bouterwek und Johann Gottfried Eichhorn.

Bouterwek, der, weitblickender als Eichhorn, den Gedanken einer »Fortsetzung dieser Geschichte . . . als synchronische Bearbeitung der Fortschritte des aesthetischen Geistes und Geschmacks in den verschiedenen Sprachen des neueren Europa . . . verführerisch« fand, beschränkte sich schließlich doch auf die »natürlichere und nicht weniger lehrreiche« Darstellung der »Geschichte der schönen Literatur jeder Nation . . . ununterbrochen bis zu Ende.« Dabei nahm der Göttinger Ordinarius die von Brunetière am Ausgang des positivistischen Jahrhunderts propagierte und in unserem Bewußtsein mit seinem Namen verknüpfte Theorie der »Wachablösung« auf seine Weise voraus, indem er fortfuhr: »Dahin und zum natürlichen Übergang von einer Literatur zur anderen führt von selbst auch der Weg, den die aesthetische Kultur im neueren Europa nahm.«[35] Dieser Weg führt, wie die Abfolge der von Bouterwek dargestellten Nationalliteraturen beweist, von Italien nach Spanien, Portugal, Frankreich, England und Deutschland.

Wie in den meisten europäischen Ländern, wollte es die Lage der Dinge auch in Deutschland, daß sich eine systematisch betriebene vergleichende Literaturwissenschaft erst dann einbürgern konnte als das Studium der eigenen Nationalliteratur philologisch gesichert war. Diese Stufe war mit Gervinus' *Geschichte der poetischen Nationallitteratur der Deutschen* (1835–1842) und Karl Goedekes *Grundriß der Geschichte der deutschen Dichtung aus den Quellen* (1856–1859; Bd. 1 und 2) erreicht. Doch erwarb die deutsche Philologie Gleichberechtigung mit der klassischen Philologie erst im Zeitalter Wilhelm Scherers und Erich Schmidts. Während Schmidt das Studium von außerhalb des Gesichtskreises der deutschen Literatur liegenden Phänomenen stets noch unter dem nationalliterarischen Blickwinkel betrachtet wissen wollte, stieß Scherer auf das Gebiet der Komparatistik selbst vor.

Zu Beginn der Wiener Antrittsvorlesung Schmidts aus dem Jahre 1880 heißt es immerhin schon: »Litteraturgeschichte soll ein Stück Entwicklungsgeschichte des geistigen Lebens eines Volkes mit vergleichenden Ausblicken auf die anderen Nationallitteraturen sein.« Und wenige Seiten später folgt die Feststellung:

Der Begriff der Nationalliteratur duldet gleichwohl keinen engherzigen Schutzzoll; im geistigen Leben sind wir Freihändler. Aber ist Selbständigkeit oder Unselbständigkeit, grössere Rezeptivität oder Productivität, wahres oder falsches Aneignen sichtbar, und wie hat die deutsche Litteratur sich allmählich zu universeller Theilnahme durchgearbeitet? Voran steht uns das Verhältnis zur Antike, die durch so verschiedene Brillen angeschaut worden ist.[36]

Scherer zeigt ein noch größeres Verständnis für die komparatistische Fragestellung; denn schon im ersten Band seiner von Konrad Burdach und Erich Schmidt herausgegebenen *Kleinen Schriften*[37] finden sich wiederholte Hinweise auf die »vergleichende Poetik«. Diese Hinweise, aus den Jahren 1870–1876 stammend, beziehen sich durchwegs auf das Lebenswerk Moriz Haupts, den Scherer als Vorkämpfer einer neuen Richtung feiert. Wirklich hatte Haupt in seiner Antrittsrede vor der Berliner Akademie der Wissenschaften am 6. Juli 1854 ein komparatistisches Glaubensbekenntnis abgelegt. Man beachte die folgenden Sätze:

die verbindung der classischen philologie mit der deutschen hat für den, der mit mäßiger fähigkeit ausgerüstet ist, den nachtheil, daß sie seine kraft theilt und ihn auf beiden gebieten nicht erreichen läßt, was er vielleicht auf einem erreichen könnte: aber sie gewährt vortheile, die das vergüten. aus der viel länger zur wissenschaft gediehenen classischen philologie ist regel und methode für die deutsche zu gewinnen, und das deutsche althertum lässt durch gegensätze und durch analogien die welt der griechen und römer deutlicher und lebendiger erkennen. ich habe vornehmlich durch betrachtung analoger erscheinungen das wesen und die geschichte des epos, die sich vor dem einseitigen blicke verschließen, zu deuten gesucht, mehr freilich in mündlicher lehre als in schrift.[38]

Im Jahre 1870 gab Scherer in einer Besprechung dreier Hefte der *Zeitschrift für deutsche Philologie* der Hoffnung Ausdruck, es möge eine »Ästhetik auf historischer Grundlage« geschaffen werden, »welche durch inductives Verfahren, ausgehend von den geistigen Zuständen der Naturvölker, dem Ursprung der ... Dichtungsgattungen ... auf die Spur zu kommen suchte ... Es wäre nicht schwer, in ähnlicher Weise [wie die Fabel] das lyrische Gedicht, das Drama oder das Epos zu behandeln; für die Naturlehre des Epos ist am meisten vorgearbeitet«.[39] Scherer möchte also die anthropologische Betrachtungsweise mit der naturwissenschaftlichen Entwicklungslehre verknüpft wissen.

In seinem Nekrolog auf Moriz Haupt (1874) rühmte Scherer dessen Bemühungen auf dem Gebiet der von ihm selbst so bezeichneten »Naturgeschichte des Epos«, d. h. der »Beobachtungen über die analoge Entwickelung der epischen Poesie bei den Griechen, Deutschen, Franzosen, Serben, Finnen usw.« Auch wies er darauf hin, daß Haupt Parallel-Vorlesungen über Homer und das Nibelungenlied gehalten und damit eine »vergleichende Litteraturwissenschaft« angebahnt habe, »wie es eine vergleichende Politik, eine Naturlehre der Staatsformen seit Aristoteles gibt.«[40] Damit war das entscheidende Stichwort gefallen.

Am gründlichsten setzte sich Scherer mit der »vergleichenden Poetik« im Rahmen einer Rezension einer Moriz Haupt zugeschriebenen »Anzeige« aus dem Jahre 1835 auseinander. An dieser Stelle entwickelte er sogar eine Art Systematik, die auch heute noch insofern von Interesse ist als sie zeigt, daß der Altmeister der deutschen Philologie sich nicht zur Erkenntnis der Möglichkeit einer echten vergleichenden *Literatur*geschichte durchzuringen vermochte. Scherer zufolge befaßt sich die vergleichende Poetik wie die vergleichende Sprachforschung mit dreierlei Arten von Beziehungen: mit solchen, die auf Urverwandtschaft, mit solchen, die auf Entlehnung, und mit solchen, die auf der Natur der Sache beruhen. Die vergleichende Mythologie untersucht die stofflichen Parallelen im indogermanischen (Scherer sagt: arischen) Raum; die zweite Fachrichtung die Novellen- und Märchenstoffe, und die dritte die genetisch nicht verbundenen »außerarischen . . . Parallelen«.[41] Für Scherer ist also die »vergleichende Poetik« kaum mehr als eine glorifizierte Stoffgeschichte auf volks-, heimat-, mythen- oder märchenkundlicher Basis.

Etwa gleichzeitig mit Haupt entwickelte sein Münchner Kollege Moriz Carriere Gedanken zu einer Poetik, die ihrem Wesen nach auf Prinzipien der Ästhetik und der vergleichenden Literaturgeschichte beruhen sollte. Schon 1854 hatte dieser Gelehrte im Anhang zu seinem Buch *Das Wesen und die Formen der Poesie* »Ideen zu einer vergleichenden Darstellung des arischen Volksepos bei Indern, Persern, Griechen und Germanen« vorgetragen.[42] Das lag also damals in der Luft. Systematischer beackerte er das Feld in der dreißig Jahre später veröffentlichten Darstellung *Die Poesie, ihr Wesen und ihre Formen mit Grundzügen der vergleichenden Litteraturgeschichte*. Im Vorwort setzte er sich mit Nachdruck für die Schaffung soliderer Grundlagen für diese wissenschaftliche Richtung ein:

> Unsere Nationallitteratur ... ist nun in den Kreis der Universitätsdisziplinen aufgenommen, ja es sind Seminarien für sie eingerichtet. Da scheint es mir wünschenswerth, daß sich die Arbeiten der Studenten der vergleichenden Litteraturwissenschaft zuwenden, wo neben Fleiß und Gelehrsamkeit auch das ästhetische Urtheil sein Recht behauptet. Stoffe wie Prometheus, Medea, Romeo und Julia, Don Juan und Faust nach ihrer Auffassung bei verschiedenen Völkern zu betrachten, Werke von Lope und Calderon mit solchen von Shakespeare und Goethe in Parallele zu stellen, scheint mir da eine lohnende Aufgabe, deren Lösung tüchtige Werkstücke zu dem Bau der neuen Wissenschaft liefern wird, die wie jede andere nur durch den Verein vieler Kräfte erstehen und gedeihen kann.[43]

Was Carriere befürwortet ist also zunächst die Stoffgeschichte, die freilich, seinen eigensten Intentionen gemäß, auf eine international ausgerichtete vergleichende Formengeschichte auszudehnen wäre. Leider ist im Hauptteil des zur Diskussion stehenden Buches von komparatistischer Forschung keine Rede. Erst im fast zweihundert Seiten starken Schlußkapitel werden »Grundzüge und Winke zur vergleichenden Litteraturgeschichte des Dramas« von seinen religiösen Ursprüngen bis hin zum *Faust* vermittelt. Bei allem Enthusiasmus mangelte es also Carriere, wie so vielen seiner Zeitgenossen, an methodologischer Klarheit bei der Umfriedung der Komparatistik im deutschen Sprachraum.

Zur Kristallisierung der deutschen Bestrebungen, diesem Fach zum Durchbruch zu verhelfen, kam es erst 1887 mit der Gründung der *Zeitschrift für vergleichende Litteraturgeschichte* durch Max Koch. Ein Jahr zuvor war Karl von Reinhardstoettners Buch über die modernen Bearbeitungen plautinischer Stücke im Druck erschienen. Im Vorwort begründete der Verfasser die Unvollständigkeit des von ihm ausgewerteten Materials naiv damit, daß er »Rücksicht auf die vergleichende Litteraturgeschichte« habe walten lassen.[44] Er habe, so heißt es im Vorwort zu dieser wenig bekannten Studie, keinen »Katalog aller irgendwo einmal erschienenen Plautus-Nachahmungen« geben als vielmehr zeigen wollen, »welche von den Komödien des alten römischen Lustspieldichters . . . die Teilnahme der modernen Völker am meisten für sich beansprucht [hat]«.

Kochs Vorwort zur ersten Nummer seiner Zeitschrift bedeutet einen Wendepunkt in der Geschichte der deutschen Komparatistik.[45] Es besteht im wesentlichen aus zwei Teilen: einer gedrängten Übersicht über die komparatistisch ausgerichtete deutsche Literaturkritik und Literaturgeschichtsschreibung von Morhof bis Benfey und Goedeke (S. 1–10) und einer Aufzählung von Sachgebieten, die das Programm dieses Organs und der ihm beigeordneten *Studien zur vergleichenden Litteraturgeschichte* bilden (S. 10–12), darunter 1) die Kunst des Übersetzens, 2) die Formen- und Stoffgeschichte sowie das Studium übernationaler Einflüsse, 3) die Ideengeschichte (Ungers Problemgeschichte, Lovejoys »History of Ideas«), 4) den »Zusammenhang zwischen politischer und Litteraturgeschichte«, 5) den »Zusammenhang zwischen Litteratur und bildender Kunst, philosophischer und litterarischer Entwickelung usw.« und 6) »die inzwischen selbständig hervorgetretene«, in Deutschland aber bislang vernachlässigte »Wissenschaft des Folklore«. Schließlich bezeichnet Koch die deutsche Literatur als Ausgangs- und Mittelpunkt der zu fördernden Bestrebungen und weist auch der »neuesten Litteratur, soweit sie eben im Zusammenhange der geschichtlichen Entwickelung sich betrachten läßt«, den ihr gebührenden Platz zu.

Blättert man in der *Zeitschrift für vergleichende Litteraturgeschichte* und in den *Studien zur vergleichenden Litteraturgeschichte*, so sieht man, daß Koch als Herausgeber seinem Programm getreulich folgte. An Studien zur vergleichenden Sagen- und Märchenforschung sowie zur Motiv- und Stoffgeschichte herrscht kein Mangel, und auch der auf den europäischen und außereuropäischen Raum (Indien, Afrika und China) bezüglichen Volkskunde wird, wie der politischen und

Religionsgeschichte breiter Raum gewährt. Auch an Beiträgen zur Bestimmung internationaler literarischer Einflüsse (Dante in Deutschland, Lessing in Ungarn, Heine und Burns, Goethe und Foscolo) herrscht Überfluß. Ludwig Geigers Interessen gemäß wird der Renaissance und dem Humanismus (Hans Sachs, Conrad Celtis) unverhältnismäßig viel Beachtung geschenkt, während der Zusammenhang von Literatur und bildender Kunst nur in vereinzelten Beiträgen zur Sprache kommt. Von den in Kochs Programm nicht aufgeführten, aber in den beiden Publikationen vertretenen Sachgebieten seien die Poetik und die Dichtungstheorie sowie verschiedene Aufsätze über bedeutende deutsche Autoren (besonders über Heinrich von Kleist) genannt. Koch selbst hätte wohl solche Beiträge kaum als komparatistisch bezeichnet, doch mag er seinen Mitarbeitern Konzessionen gemacht haben.

Eine überaus scharfe Trennung von Philologie und Kritik nahm Wilhelm Wetz in seiner zeitgenössischen Studie *Shakespeare vom Standpunkt der vergleichenden Litteraturgeschichte* vor.[46] Er unterschied zwischen »ästhetischer« und vergleichender Literaturgeschichte. Erstere verurteilte er deswegen, weil sie deduktiv »von der Unumstößlichkeit gewisser ästhetischer Axiome« ausgehe und die Dichtungen nur daraufhin ansehe, wie weit sie jenen entsprächen: »In der Feststellung des absoluten Werthes, der einem Werke zukam ... erblickte sie ihre Hauptaufgabe«.[47] Die vergleichende Literaturgeschichte ihrerseits werde den werkimmanenten Eigenheiten gerechter:

> Immer auf Erfassen der unterscheidenden Züge ausgehend, wird sie bei Betrachtung einer ganzen Litteratur vor allem deren nationalen Charakter hervorheben, bei den einzelnen Litteraturgattungen hauptsächlich *das* betonen, worin sie von denen anderer Länder abweichen. Sie wird sich jedoch mit der Feststellung der Thatsachen nicht begnügen, sondern auch auf deren Ursachen zurückgehen, die in der geistigen Beschaffenheit der verschiedenen Nationen zu suchen sind. Sie wird dadurch psychologisch und vermag aus der Litteratur sehr schätzenswerthe Beiträge zur Kenntnis des Charakters der Nationen zu liefern.[48]

Wie wir im einleitenden Kapitel sahen, ist freilich eine solche psychologisch ausgerichtete vergleichende Literaturwissenschaft heute so veraltet, daß man sie fast mit einem Achselzucken abtut.

Während also in den späten achtziger und frühen neunziger Jahren des letzten Jahrhunderts der Begriff und die – wenn auch umstrittene – Methode der vergleichenden Literaturwissenschaft allmählich an Klang gewannen, wurde die akademische Position dieses Benjamin unter den Philologien durch eine in verschiedenen Zeitschriften, darunter besonders dem *Litterarischen Echo*, um die Jahrhundertwende einsetzende Debatte grundsätzlich in Frage gestellt. Zunächst einmal wurde verschiedentlich Goethes Begriff der »Weltliteratur« wieder aufgegriffen und öffentlich diskutiert, wobei anscheinend Ernst Martins 1899 in den *Straßburger Goethe-Vorträgen* abgedrucktes

Referat »Goethe über Weltliteratur und Dialektpoesie« als Ausgangspunkt diente. Dabei ergaben sich Mißverständnisse und Fehlinterpretationen der von uns angedeuteten Art.

1899 veröffentlichte Georg Brandes den Aufsatz »Weltliteratur«, in dem er – freilich ohne sich auf Goethe zu berufen – den Ausdruck im Sinne von »Great Books« verwendet und in den Kanon der großen Dichtungen auch die hervorragendsten naturwissenschaftlichen und historiographischen Darstellungen, ja selbst Reisebeschreibungen mit einbezog.[49] Ihm folgte R. M. Meyer, der im folgenden Jahr in der *Deutschen Rundschau* über »Die Weltliteratur der Gegenwart« schrieb.[50] Meyer sah in der Weltliteratur die Gesamtheit »der mächtigsten dichterischen Zeugnisse genialer Einzelner« und wollte wie Brandes auch wissenschaftliche und philosophische Werke einbezogen wissen. Dieser, wie er wußte, irrtümlichen Auffassung trat vor allem Ernst Elster mit Nachdruck entgegen, indem er nachwies, daß Goethe unter »Weltliteratur« lediglich die »Ausdehnung des literarischen Interesses über die nationalen Grenzen hinaus« und im Zusammenhang damit die »Erweiterung des litterarischen Absatzgebietes« verstanden habe.[51] Freilich spukten trotz dieser Widerlegung R. M. Meyers Ideen bis zum ersten Weltkrieg weiter.[52]

Das Verhältnis von Weltliteratur und Literatur-Vergleichung untersuchte Elster anhand einer von Louis P. Betz, ursprünglich auch im *Litterarischen Echo* erschienenen Abhandlung, die hier kurz ihrem Inhalt nach charakterisiert werden soll. Betz nahm Brunetières Vortrag beim Pariser Historiker-Kongreß zum Anlaß, die Geschichte der komparatistischen Forschung im deutschen und außerdeutschen Sprachraum im Abriß darzustellen. Abschließend gab er der Hoffnung Ausdruck, daß auch in Deutschland nach französischem und amerikanischem Muster Lehrstühle für die vergleichende Literaturgeschichte gegründet werden möchten:

> Gerade weil sich in Deutschland, das sich mit berechtigtem Stolz seiner weltlitterarischen Bildung rühmt, gerade weil in dem Deutschland, das uns einen Herder gab und das durch Goethe das Wort ›Weltliteratur‹ neu prägte, in unserem Falle der Ausspruch des unvergeßlichen Straßburger Professors Ten Brink noch nicht bewahrheitet hat: »Der Abzweigung einer neuen Disziplin vom Stamme wissenschaftlicher Forschung pflegt in nicht langer Frist die Schöpfung eines neuen Lehrstuhls an unseren Hochschulen zu folgen«, mag es angebracht sein, einem ›litterarischen Echo‹ zu lauschen, das vom Auslande zu uns herüberklingt, einem Echo, das im Grunde der Widerhall eines Rufes ist, der trotz alledem zuerst in deutschen Gauen erscholl.[53]

In einer scharf gehaltenen Erwiderung bezeichnete der Göttinger Gelehrte Hans Daffis die Errichtung derartiger Lehrstühle an deutschen Hochschulen als verfrüht: »Darum sollten wir doch, bevor wir Lehrstühle für vergleichende Litteraturforschung wünschen, für mehr Vertreter unserer eigenen Litteratur an unseren Hochschulen

Platz schaffen. Und dann müßte an jeder Universität ein Mann wirken, der wieder die Litteratur-Geschichte als dienendes Glied einer großen allgemeinen ›Kulturgeschichte‹ einordnet und etwa, wie es der alte Riehl in München tat, die Geschichte der deutschen Politik, Wirtschaft, Litteratur, Musik und bildenden Kunst zu einer Geschichte der deutschen Art und Kunst überhaupt verbindet.«[54]

Elster schloß sich, wenn auch aus anderen Gründen, Daffis' Ausführungen an. Ihm schien die Bezeichnung »vergleichende Litteraturgeschichte« insofern irreführend, als die vergleichende Methode (die er, wie Wetz, gegen die philologische ausspielte) auch innerhalb einer Nationalliteratur anwendbar sei. Was Betz im Auge habe, sei »internationale Litteraturgeschichte«, die als solche *eo ipso* von den Inhabern der Lehrstühle für Einzelphilologien betrieben werde. Der Begriff der Komparatistik sei überhaupt in Analogie zur vergleichenden Sprachforschung gemünzt worden, um die international ausgerichtete Literaturgeschichte den Universitätsverwaltungen schmackhaft zu machen. Diese Analogie beruhe aber auf falschen Voraussetzungen, da ja die Forschung »durch die vergleichende Betrachtung der Sprachdenkmäler der historischen Zeit ... auch die der vorgeschichtlichen oder nichtgeschichtlichen Sprachstufen« erschließe und »erst von diesen aus ... die Entwicklung der einzelnen Sprachen ganz überblicken und verständnisvoll würdigen« könne. Sinnvoll sei sie nur im Bereich der »Volksüberlieferungen alter Zeit« und bei »Mythos, Sage, Volksmärchen und -fabel«.[55]

Wieviel Elsters und Daffis' Attacken dazu beitrugen, der Komparatistik als akademischer Disziplin den lose geknüpften Lebensfaden abzuschneiden, sei dahingestellt. Tatsache ist, daß keine deutsche Universität vor dem Ersten Weltkrieg auf Betz' Anregungen einging. Immerhin schlief die Debatte um die vergleichende Literaturwissenschaft nur langsam ein. 1903 veröffentlichte Jellinek seine *Bibliographie der vergleichenden Literaturgeschichte*, die uns noch beschäftigen wird, und im Jahre darauf erschien eine *Essays zur vergleichenden Literaturgeschichte* benannte Sammlung von Aufsätzen Karl Federns, der im Vorwort feststellt: »Ich habe den Ausdruck, den ich als Titel für diese Aufsätze gewählt habe, zum ersten Mal von einem hervorragenden österreichischen Gelehrten (wohl Jellinek) gehört, der ihn eben auf diese Aufsätze anwandte.«[56] Federn unternimmt aber nicht einmal den Versuch, den so offensichtlich popularisierten Begriff näher zu bestimmen.

Als 1909 die *Studien zur vergleichenden Litteraturgeschichte* und im folgenden Jahr die *Zeitschrift für vergleichende Litteraturgeschichte* ihr Erscheinen einstellten, war ein Tiefpunkt in der Geschichte der deutschen Komparatistik erreicht. »Die ganze Bewegung, die sich in problemloser Stoffgeschichte erschöpft hat ... scheint heute totgelaufen und versandet« heißt es rückblickend in der harten und klaren Sicht Julius Petersens, eines Vertreters der sich anbahnenden und der vergleichenden Literaturwissenschaft das Wasser abgrabenden Geistesgeschichte.[57] Zu ihren Vorboten gehörte Eugen Kühnemann, der schon 1900 in einer Rezension der Betzschen Bibliographie den »gegenwärtigen litterarhistorischen Betrieb mit seiner einseitigen Betonung der Stoffrage« verurteilte und die Komparatistik »ein im eminenten Sinn philologisches Problem« nannte, »aber nur in der wahren Bedeutung, in der Philologie identisch ist mit durchgebildetem Wirklichkeitssinn«, d. h. durch die Bestrebung, »die Dinge auf ihren Grund zurückzubringen und in der Fülle der Erscheinungen das durchgehende Gesetz und die einheitliche Aufgabe« zu erkennen.[58]

Kühnemanns Aufsatz war der Heroldsruf eines Zeitalters (nennen wir es vereinfachend das expressionistische), dem es um Wesensschau zu tun war und das im philologischen Sektor dem Ideal einer Literaturgeschichte ohne Namen huldigte, ja sogar einer Kulturgeschichte ohne politisch-geographische Grenzen und chronologische Fesseln. Das Klima dieses »expressionistischen Jahrzehnts« (der Ausdruck stammt von Gottfried Benn) war der vergleichenden Literaturwissenschaft um so weniger günstig als sich während des Weltkriegs und unmittelbar danach auch im geistigen Leben Deutschlands zwei Fronten gegenüberstanden: die Völkischen, die das Studium der Nationalliteratur zu neuer Blüte zu bringen hofften, und die Pazifisten, die von den Vereinigten Staaten von Europa (VSE) träumten.

Ein Wiederaufbau der deutschen Komparatistik schien in den dreißiger Jahren nur auf der Achse Deutschland–Frankreich möglich, wie denn überhaupt die Romanisten ohnehin vergleichend vorgingen. Aber während in Frankreich durch die Gründung der *Revue de littérature comparée* 1921 eine feste und dauerhafte Grundlage für die Erneuerung unserer Disziplin geschaffen wurde, ergingen sich deutsche Forscher in mehr oder minder idealistisch verbrämten Auslassungen über den Begriff der Weltliteratur. Dies taten Karl Vossler, Viktor Klemperer und (im historischen Aufriß) Ernst Merian-Genast.[59] Organisatorisch hinkte um diese Zeit die deutsche Komparatistik so weit nach, daß Julius Petersen 1928 sagen konnte:

> An vielen Universitäten [des Auslands] sind Institute der Literaturvergleichung errichtet, zwischen denen eine Organisation internationaler Zusammenarbeit erstrebt wird, die mit dem Völkerbund verglichen worden ist als ein Mittel der Verständigung, der kulturellen Annäherung und des Völkerfriedens. ... Deutschland ist von der Mitarbeit keineswegs ausgeschlossen, ja es bildet sogar ein wesentliches Objekt der vergleichenden Forschung, aber in der Rolle der Passivität. Der Eindruck ist unabweisbar, daß es die Führung auf einem recht eigentlich von ihm selbst ins Leben gerufenen Wissenschaftsgebiet verloren hat, in demselben Maß, wie es seine weltpolitische Stellung einbüßte.[60]

Erst gegen Ende der zwanziger Jahre begann man sich in Deutschland auch von seiten der Universität wieder auf die Komparatistik zu besinnen. Sowohl in Leipzig (Viktor Klemperer) als auch in Würzburg (Eduard von Jan) wurden Lehraufträge oder Lehrberechtigungen für vergleichende Literaturbetrachtung an Romanisten erteilt. Von Jans Habilitationsvortrag (am 1. Februar 1927 gehalten und in der *Germanisch-romanischen Monatsschrift* veröffentlicht) trägt den bezeichnenden Titel »Französische Literaturgeschichte und vergleichende Literaturbetrachtung«.[61] Ohne die Fesseln der französisch verstandenen *littérature comparée* abzustreifen, optiert der deutsche Gelehrte für eine Ausweitung des Forschungsgebietes, in Richtung auf die *littérature générale* und, darüber hinaus, auf den »typisch deutschen Gegenstand« der Geistesgeschichte. Die vergleichende Literaturwissenschaft (diese Bezeichnung setzt sich nun in Deutschland in Analogie zur Geisteswissenschaft durch) soll, seiner Meinung nach,

an der Hand von Individuen und Einzelwerken die Entwicklung verfolgen, welche bestimmte Ideen und bestimmte Formen der Dichtung genommen haben. Infolgedessen wird sie ihre Untersuchung nicht auf die Werke selbst beschränken dürfen, sondern muß sie auch auf die Wirkungen ausdehnen, welche die Werke hervorgebracht haben. Das heißt, sie muß Literaturwerke und Publikum, Objekte und Subjekte in gleicher Weise berücksichtigen.... Unter diese Aufgabe fällt insbesondere die Entwicklung, welche die einzelnen Literaturwerke im Ausland genommen haben.[62]

Ferner mutete von Jan der Komparatistik zu, »den geistesgeschichtlichen Rahmen wieder herzustellen, dem Verfasser und Literaturwerk entwachsen sind.« Dabei sollte dieser Rahmen nicht auf nationale Grenzen beschränkt bleiben, sondern die ganze Mitwelt umfassen.

Am 29. September 1927 – ein halbes Jahr nach Eduard von Jans Würzburger Antrittsvorlesung – hielt Julius Petersen aus Anlaß des 56. Deutschen Philologentages in Göttingen einen vielbeachteten und wirklich in jeder Hinsicht beachtenswerten Vortrag über »Nationale oder vergleichende Literaturgeschichte?« Darin verkündet er der unter dem Protektorat Taines stehenden Stoffhuberei das Todesurteil; denn der Positivismus sei ein »fremder, der Innerlichkeit des deutschen Wesens widerstrebender mechanischer Denkzwang« (*DVLG* 6 [1928], S. 41). Bei dieser Formulierung, die nur noch geringer ideologischer Verschärfung bedurfte, um als nationalistischer Merkspruch zu dienen, wird man zugleich an Goethes und seiner stürmenden und drängenden Straßburger Zeitgenossen Abwendung vom Geiste des französischen Enzyklopädismus, wie sie in *Dichtung und Wahrheit* nachvollzogen wird, erinnert.

Petersen huldigte dem Geist der Zeiten (der doch stets der Herren eigner Geist bleibt), indem er forderte, das bislang von der Komparatistik besetzte Sachgebiet sollte zwischen Geistesgeschichte, nationaler Literaturgeschichte und allgemeiner Literaturwissenschaft aufgeteilt werden. Was die Autonomie der einzelnen Nationalliteraturen anbetreffe, so gäbe es »internationale Zwischenzonen, die einen Gemeinbesitz darstellen« (S. 45) und die von der Basis zweier Philologien aus behandelt werden könnten. Das Studium der übernationalen literarischen Wechselbeziehungen müsse hingegen in der Perspektive des rezipierenden Landes betrieben werden:

Wo es sich um Bewegungen handelt, die jedesmal von einem produktiven zu einem rezeptiven Faktor hinführen, kann das Interesse der Beobachtung nur auf der rezeptiven Seite liegen. Der produktive Faktor ist bekannt und vermag durch Feststellung seiner Fernwirkung kaum irgendwelche neuen Wesenszüge zu enthüllen; die Art und Weite der Wirkung, die er entwickelt, muß dagegen für die Wesensart des aufnehmenden Teiles charakteristische Aufschlüsse erbringen (S. 46).

Demnach gehört also Gundolfs *Shakespeare und der deutsche Geist* zur Geschichte der deutschen Literatur. Handelt es sich aber um die Darstellung der internationalen Wirkungsgeschichte eines Dichters, so läßt sie sich, Petersen zufolge, »nur vom produktiven Ausgangspunkt aus einheitlich fassen« (S. 47). Petersen nennt diese Methode »weniger vergleichend als summierend« und erwägt, »ob das Ergebnis nicht viel mehr bibliographischen als literarhistorischen Sinn« habe.

Auf die geistesgeschichtliche Richtung eingehend, »zu der die neuere deutsche Literaturwissenschaft den Übergang gefunden hat« (S. 51), nahm Petersen anschließend sowohl die *littérature générale* als auch die Stoff- und Motivgeschichte für dieselbe in Anspruch. Statt »gegenseitige Einwirkung« zu postulieren, müsse man künftig die »innere Gesetzmäßigkeit des schicksalsverbundenen parallelen Entwicklungsganges« unter Beweis zu stellen suchen. Das setze aber die Ablösung der »Perspektive der nationalen Entwicklungstendenz« durch die »waagerechte Verbindung der Zeitgenossenschaft, der Altersgemeinschaft, des Zeitgeistes« voraus (ebd.). Dies sei der Weg, den die 1923 gegründete *Deutsche Vierteljahrsschrift für Literatur- und Geistesgeschichte*, das »deutsche Gegenstück« zur *Revue de littérature comparée*, gewiesen habe.

Unter Hinweis auf die entwicklungsgeschichtlichen Tendenzen innerhalb der einzelnen Nationalliteraturen weist Petersen darauf hin, daß bei ihrer Erfassung die vergleichende Methode gerade so am Platze sei wie bei der Betrachtung übernationaler Erscheinungen: »[Die nationale Literaturgeschichte] wird vergleichend innerhalb ihres eigenen Bereichs ... wenn sie die Literatur und den Geist ganzer Perioden, wie die deutsche Aufklärung, den Sturm und Drang, die deutsche Klassik, die deutsche Romantik, nicht nur entwicklungsgeschichtlich auseinander hervorgehen läßt, sondern synthetisch nebeneinander stellt als geschlossene Einheiten« (S. 48).

Zum Schluß vertritt Petersen – wie das Hans Daffis ein Vierteljahrhundert zuvor aus praktischen Gründen getan hatte – die Meinung, es sei verfrüht, an deutschen Hochschulen komparatistische Lehrstühle zu errichten, und regt stattdessen die Gründung von Forschungszentren für internationale Literaturwissenschaft als dem damaligen Stande der Forschung gemäßer an.

Auf die Gefahr der geistesgeschichtlichen Abstraktion von Epochenbegriffen bei der Herausschälung typisierender Kategorien wie der Gotik, des Barock, der Klassik und der Romantik ging Werner Milch in seiner beachtenswerten Abhandlung *Über Aufgaben und Grenzen der Literaturgeschichte* ein.[63] Sie erwächst unabdinglich aus der Verabsolutierung als einer zwangsläufigen Folge der Entfremdung vom lebendigen historischen Prozeß. So kommt es schließlich zur Konstruktion von Pseudo-Begriffen wie der hellenistischen Romantik oder der expressionistischen Gotik, die im extremen Fall – wie bei Herbert Cysarz – zur Übertragung des Stilbegriffs auf die menschliche Sphäre führen, so daß ein gotischer oder barocker Mensch zutage tritt. Derartigen Auswüchsen wollte Milch mit seiner Abhandlung entgegentreten. Darüber mehr im fünften Kapitel.

Eine zweite Spielart der aus einer falschen Auffassung des Wesens der Geisteswissenschaft resultierenden Verabsolutierung vertrat Wais (seit 1934 Dozent für Romanistik und vergleichende Literaturgeschichte in Tübingen) in seinem Aufsatz »Zeitgeist und Volksgeist in der vergleichenden Literaturgeschichte« (*GRM* 22, [1934], S. 291-307). Wie Petersen beruft sich Wais auf das »methodisch unumgängliche Grundprinzip der Gleichzeitigkeit« als entscheidender Voraussetzung für ein »solides, wissenschaftlich brauchbares Vergleichen völkischer Sonderarten« (S. 301). Als polare, aber mit ihrem Gegenpol dialektisch verknüpfte Wesenhaftigkeit nennt er den Volksgeist. Beide sind »dem strengen Positivisten . . . ein Dorn im Auge, weil beide aus ewig unerklärlichen irrationalen Quellen fließen, die sich nicht biologisch und nicht soziologisch herleiten und anthropomorphisieren lassen, deren Wurzeln im Religiösen liegen« (S. 305).

Wie verhält sich nun, Wais zufolge, die vergleichende Literaturgeschichte zu diesen »Geistern«? Der Zeitgeist »schafft in unermüdlicher Dynamik stets veraltendes und sich erneuendes Gedankengut, das begrifflich faßbar, definierbar, mithin allgemeingültig ist und von Volk zu Volk diskutiert und wohl auch übertragen werden kann« (S. 306). Eine vergleichende europäische Geistesgeschichte liegt also im Bereich der Möglichkeit. Den Volksgeist aber, die wahre Quelle echter Dichtung, verlangt es nach Spiegelung in der Seelengeschichte, dem Wesenskern einer Gemeinschaft, der von Volk zu Volk verschieden und unverwechselbar – und somit unvergleichbar – ist. Wais hält also Komparatistik nur da für sinnvoll, wo es um intellektuelle, rational faßbare Dinge geht, während dort, wo das irrationale, seelische Element erfaßt werden soll, nur der Anglist, Germanist, Romanist usw. als *arbiter* zuständig ist. So wird letzten Endes die vergleichende Literaturwissenschaft zur bloßen »Hilfswissenschaft« (S. 307), die sich mit einem bescheidenen Platz begnügen muß.

Die Tendenz, den Volksgeist statt des Zeitgeistes zu betonen, verstärkte sich in den unmittelbaren Vorkriegsjahren und während des Krieges bis zum Chauvinismus. Wie konnte auch die vergleichende Literaturwissenschaft gedeihen in einem Lande, in dem die Dramen eines Shakespeare, Molière und O'Neill von der Bühne verbannt waren und die Romane der großen Franzosen und Russen nicht mehr aufgelegt werden durften? Wohl ist es richtig, daß, wie Richard Alewyn 1945 schrieb, »the new masters have not for a moment indulged in isolationism, as the world has become painfully aware. On the contrary, they have skillfully used all the cultural links with the world outside, and they have forged new ones of their own.«[64] Doch geschah dies mehr im Rahmen einer expansiven Kulturpolitik, die beweisen wollte, daß die Welt zwar am deutschen Wesen noch nicht genesen sei, aber doch nächstens genesen werde. Einfluß konnte also hier nur vom produktiven, nicht vom rezeptiven Faktor aus bestimmt werden.

»But there are no chairs of world or comparative literature at the universities in German-speaking countries« stellte Alewyn im gleichen Aufsatz bedauernd fest. So hieß es, nach der Katastrophe von 1945 von vorne anzufangen. Durch den frühen Tod sowohl Max Kommerells als auch Werner Milchs und durch die Abwanderung so bedeutender Romanisten wie Erich Auerbach, Helmut Hatzfeld und Leo Spitzer war ein Vakuum entstanden, das so schnell nicht zu füllen war. Nur in der französischen Besatzungszone regten sich neue Kräfte, wie überhaupt Frankreich die geschickteste Kulturpolitik im zerschlagenen und geteilten Deutschland betrieb. Kurt Wais setzte seine romanistisch-komparatistische Tätigkeit in Tübingen fort und organisierte dort in den Jahren 1950 bzw. 1958 zwei internationale Tagungen, bei denen Stand und Aufgaben der vergleichenden Literaturwissenschaft in Europa und Übersee behandelt wurden.[65] Und an der nach hundertjährigem Dornröschenschlaf wiedererstandenen Mainzer Gutenberg-Universität wurde nach Pariser Muster ein eigener – der erste deutsche – Lehrstuhl für Komparatistik errichtet. Sein erster Inhaber war der bekannte Heine-Forscher Friedrich Hirth.

Wir verdanken Hirth die erste zusammenfassende, historisch und methodologisch orientierte Darstellung der Ziele der Komparatistik, im Nachkriegsdeutschland gewissermaßen ein Gegenstück zu Max Kochs Vorwort zur ersten Nummer der *Zeitschrift für vergleichende*

*Litteraturgeschichte*.[66] Der Aufsatz, der sich in vielen Einzelheiten auf Ausführungen stützt, die sich bei Elster, Koch und ihren Zeitgenossen finden, ist uneinheitlich konzipiert und läßt eine gewisse Unsicherheit in der Begriffsbestimmung erkennen.

Zunächst folgt Hirth dem geistesgeschichtlichen Modell Julius Petersens, indem er das historische Element auszuschalten oder wenigstens einzudämmen versucht: »Mit der Literaturgeschichte hat die vergleichende Literaturwissenschaft nur den Stoff gemein. Die Methode ist eine andere, denn die vergleichende Literaturwissenschaft verfolgt keine historischen Ziele. Sie will durch Vergleichung analoger Erscheinungen in das innerste Wesen derselben eindringen, die Gesetze entdecken, welche die Ähnlichkeiten einerseits, die Verschiedenheiten andrerseits bewirkten.«[67] Zudem grenzt er die Komparatistik gegen die Kulturkunde und Problemgeschichte ab, da sie, seiner Meinung nach, alles ausschließt, »was nicht als schöngeistig anzusehen ist.«[68]

Da sich, Hirth zufolge, die Komparatistik nur mit *belles lettres*, d. h. »schriftlich niedergelegte[n] Produkte[n]« (S. 1313) abgibt, obliegt ihr weder das vergleichende Studium von Volksliedern noch das von Sagen und Legenden (selbst in ihrer schriftlichen Fixierung). Also verweigert der Mainzer Gelehrte sowohl Moriz Carriere als auch Wilhelm Scherer (die er auf S. 1314 erwähnt) den Einlaß in das komparatistische Pantheon. Hirths Purismus ist aber einseitig, behauptet er doch wie Petersen, man dürfe nicht darauf bestehen, »daß die vergleichende Literaturwissenschaft stets und ausschließlich internationalen Charakter haben müsse« (S. 1307), da, vom Standpunkt der Wissenschaftslehre aus gesehen, das Studium des Verhältnisses von Gryphius und Lohenstein dem des Verhältnisses von Shakespeare und Goethe entspreche. Und am Schluß der Übersicht heißt es im Widerspruch zu allem bisher Gesagten, daß die vergleichende Literaturwissenschaft »nicht nur ästhetischen, sondern auch philosophischen, politischen [und] soziologischen Charakter« habe (S. 1315). Wie groß auch immer Hirths Verdienste um den Wiederaufbau der deutschen Komparatistik nach dem Jahre Null waren, es läßt sich nicht leugnen, daß die Widersprüchlichkeit und innere Unsicherheit seiner Theorie einer Klärung eher hinderlich als förderlich waren.

Das Erbe der nach dem Tode Hirths verwaisten deutschen Nachkriegskomparatistik schien zunächst Walter Höllerer, Dozent in Erlangen und Frankfurt und seit einer Reihe von Jahren Ordinarius an der Technischen Universität Berlin, antreten zu wollen. Dieser äußerte sich in mehreren in- und ausländischen Fachzeitschriften zu diesem Problem. So erschien 1951 sein Essay »Methoden und Probleme der vergleichenden Literaturwissenschaft«, in dem er, dem Vorbilde Werner Milchs und Ernst Robert Curtius' folgend, einer auf das Abendland (d. h. im wesentlichen Europa) beschränkten Komparatistik das Wort redete.[69] Im Gegensatz zur utopischen Weltliteraturwissenschaft sollte sie eminent praktikabel bleiben. Freilich war der vergleichenden Literaturwissenschaft im engeren Sinne mit Höllerers Ausführungen wenig gedient, da dieser kurzerhand forderte, es müsse das Anliegen der von ihm beschriebenen Wissenschaft sein, »das Unsägliche, das in der Dichtung jeweils gewagt wird, auszuschreiten, durch Vergleich innere Zusammenhänge und feinste Veränderungen der abendländischen Literatur sichtbar zu machen.«[70] Der Wortlaut dieses Programms vernebelt die Sachlage durch einen wissenschaftlich fragwürdigen Pseudo-Mystizismus.

In seinem zwei Jahre später gedruckten Aufsatz »La Littérature comparée en Allemagne depuis la fin de la guerre«[71] behauptete Höllerer, in Deutschland lehne man sowohl die *littérature comparée* im eigentlichen Sinn (»il n'est donc pas question d'une science des rencontres et des voyages, des ›émetteurs‹, des ›récepteurs‹ et des ›transmetteurs‹«) als auch die *littérature générale* (»qui, à l'aide de la comparaison, viserait à établir un système esthétique extratemporal, basé sur les facteurs communs aux genres littéraires, aux lois formelles, etc.«)[72] ab und suche sie durch eine »vergleichende europäische Literaturgeschichte« zu ersetzen.

Sieht man von Hermann Schneiders Versuch, die komparatistische Methode auch auf die Mediävistik anzuwenden,[73] und Kurt Wais' fortlaufenden Bemühungen um die Theorie und Praxis der vergleichenden Literaturwissenschaft ab, so zeigt sich, daß Horst Rüdiger, der Nachfolger Hirths auf dem Mainzer Lehrstuhl und gegenwärtig Bonner Ordinarius, heute der eigentliche *rocher de bronze* unseres Fachs im deutschen Sprachraum ist. Durch seine Aufsätze in den *Schweizer Monatsheften*[74], seine Teilnahme an internationalen Kongressen und seine Bemühungen um die von ihm herausgegebene Zeitschrift *Arcadia* verschaffte er der Bundesrepublik wieder eine Stimme im Weltkonzert der Komparatistik. Das Programm der *Arcadia* spiegelt Rüdigers Auffassung von der vergleichenden Literaturwissenschaft als der eines in den klassischen Sprachen und Literaturen geschulten Philologen, dessen literarische Interessen ihren Schwerpunkt nicht so sehr in der Literaturkritik als im Fortleben antiken Geistesgutes vom Mittelalter bis zur Neuzeit haben.

Soweit sich nach den ersten zwei, jetzt abgeschlossenen Jahrgängen der Zeitschrift beurteilen läßt, neigt der Herausgeber dazu, Studien über das Nachleben des Altertums sowie zur Toposforschung den Vorrang zu geben. Die (meist kürzeren) Beiträge zum Wechselverhältnis der Nationalliteraturen im 19. und 20. Jahrhundert hingegen besitzen nicht durchwegs das gleiche Niveau. Es bleibt zu hoffen, daß auch der zweite Teil des Programms der *Arcadia* (»das Studium der Wechselwirkungen zwischen den slawischen und westlichen sowie zwischen den europäischen und außereuropäischen Literaturen«) bald erfüllt wird.

In der bisher gründlichsten und methodologisch klarsten Darstellung, die die vergleichende Literaturwissenschaft im Deutschland der Nachkriegszeit erfahren hat, legte Rüdiger in den *Schweizer Monatshefte*n eine Art komparatistischen Glaubensbekenntnisses ab. Für ihn bleibt unsere philologische Sonderdisziplin auf die europäische Literatur »im weitesten Sinne des Wortes« beschränkt, allerdings unter Einbeziehung antiker sowie nah- und fernöstlicher Einflüsse und unter Berücksichtigung der »europäisch-amerikanischen Literatureinheit« der neuesten Zeit.[75]

Ausgeschlossen werden von Rüdiger das Studium der »Bilder anderer Nationen« (Guyards *mirages*) und die faktisch betriebene Stoff- und Motivgeschichte. Zudem möchte der Bonner Gelehrte den Begriff des literarischen Einflusses durch den der Wirkung, in der sich »lebendige Kräfte« verkörpern, ersetzt wissen. Sein eigenes, hochgestimmtes Programm entwickelnd unterstreicht er die Bedeutung folgender Themenkreise: das Studium des Nachlebens der antiken und biblischen Literatur (als Großform im Mythos, als Kleinform im Topos in Erscheinung tretend), die Beschäftigung mit den Vermittlern literarischer Werte (mit Betonung des Humanismus) und die Theorie und Praxis des Übersetzens. Dabei stellt er hohe Anforderungen an die Vorbildung des Komparatisten, indem er die Kenntnis des Griechischen und Lateinischen (Rüdiger selbst ist Mitherausgeber des Sammelbandes *Die Überlieferung der antiken Literatur*[76]) und der wichtigsten modernen Fremdsprachen voraussetzt.

Es ist zu wünschen, daß diese – von vielen amerikanischen Komparatisten als konservativ bezeichnete - Auffassung der vergleichenden Literaturwissenschaft in Deutschland Schule machen möge. Daß wenigstens in der Bundesrepublik die Zukunft verhältnismäßig rosig aussieht, beweist die Gründung eigener Lehrstühle in Darmstadt, Berlin und Aachen. Die anderen großen Universitäten werden kaum lange auf sich warten lassen.

In der Deutschen Demokratischen Republik zeigen sich, nach russischem Muster, erst in den allerletzten Jahren Spuren eines wachsenden Interesses an komparatistischen Fragen. In einer kurzen Anmerkung zu seinem schon erwähnten Überblick über den Stand der vergleichenden Literaturwissenschaft im zweigeteilten Deutschland stellte Walter Höllerer bedauernd fest, daß mit Ausnahme von Studien zum Wechselverhältnis zwischen der deutschen Dichtung und den slavischen Literaturen von ernsthaften Bemühungen komparatistischer Art im Osten Deutschlands nicht die Rede sein könne.[77] Die Sachlage, so heißt es weiter, werde dadurch erschwert, daß seit 1951 die Studenten in der DDR sich auf ein Hauptfach beschränken müßten, womit ihnen die Möglichkeit genommen sei, ihre Kenntnisse über das Gebiet einer einzigen Nationalliteratur hinaus zu erweitern. Was die Existenz von eigenen komparatistischen Lehrstühlen anbetreffe, so sei nichts Positives zu berichten, obgleich Halle, Jena und Greifswald – zum Teil aufgrund ihrer Bücherbestände – »offrent ... des possibilités de travail.« Der Jenaer Ordinarius für Romanistik war damals Eduard von Jan, dessen Würzburger Antrittsvorlesung wir schon erwähnten. Er selbst, so berichtet Höllerer, arbeite schon seit Jahren nicht mehr komparatistisch, und die letzte fachlich so ausgerichtete Dissertation sei im Jahre 1944 geschrieben worden.

Zu ergänzen wären Höllerers Ausführungen mit einem Hinweis auf die Tätigkeit der Romanisten Fritz Neubert (bis 1949), Viktor Klemperer und Werner Krauss und des früheren Leipziger Ordinarius Hans Mayer. Dieser nahm als einziger Vertreter der DDR an der Utrechter Tagung der AILC/ICLA teil, nachdem weder in Venedig noch in Chapel Hill eine ostdeutsche Delegation erschienen war.

Anfang der sechziger Jahre begann sich auch im anderen Deutschland ein der vergleichenden Literaturwissenschaft günstiges Lüftchen zu regen. So nahmen mehrere Forscher aus der DDR an der 1962 in Budapest stattfindenden osteuropäischen Komparatistentagung teil, und im gleichen Jahr hielt Werner Krauss vor dem Plenum der Deutschen Akademie der Wissenschaften in Berlin ein Referat über die Probleme der vergleichenden Literaturgeschichte.[78]

Krauss begründete die Wahl seines Themas damit, daß es in Anbetracht neuer amerikanischer und französischer Bestrebungen unumgänglich sei, »daß auch bei uns einmal die Anliegen dieser so stürmisch Einlaß fordernden Wissenschaft vernommen, daß ihre Lebensmöglichkeiten gesichtet und abgewogen werden« (S. 3). Als Muster der im marxistischen Sinn synchronisch ausgerichteten vergleichenden Literaturgeschichtsschreibung sollte das Werk des Pioniers der russischen Komparatistik, A. N. Wesselowsky, gelten, der »in seiner ›vergleichenden Poetik‹ ... die Entwicklung aller Literaturen« (S. 13) nach ein und demselben Prinzip erklären wollte. Bei Anwendung dieser Methode rücken, dem greisen Romanisten zufolge, »durch ihre innere Gesetzlichkeit, hinter der letzten Endes gemeinsame soziale Voraussetzungen stehen, auch in der Zeit und im Raum unverbundene Erscheinungen zueinander« (ebd.). Damit ist der Grundton aller aus dem ostelbischen Raume stammenden neueren Beiträge zur vergleichenden Literaturwissenschaft angeschlagen.

Im Schlußteil seines sachlich nicht immer zuverlässigen Referats[79] wendet sich Krauss energisch gegen das unsystematische und prinzipienlose Inbezugsetzen von historisch unverbundenen Phänomenen, d. h. also gegen die sogenannten Analogiestudien:

> Während die französische Komparatistik noch immer gewillt ist, die großen Themen der französischen Literatur im Auge zu behalten, ist in der maßgeblichen Zeitschrift der amerikanischen Komparatisten, in Werner Friedrichs [sic!!] *Com-*

*parative Literature*, die Willkür der Fragestellung unüberbietbar. Es scheint, als ließen sich zwischen jedem beliebigen Punkt im Raum und in der Zeit Beziehungen herstellen. ... Nicht alle Arbeiten in Friedrichs Zeitschrift verfallen in solche Irrtümer. Es finden sich neben vielen Belanglosigkeiten auch bessere Ansätze. Die Anarchie der Fragestellungen, der gänzliche Verzicht auf eine Selektion wird sich gewiß als Kaufpreis der wissenschaftlichen Freiheit entschuldbar machen wollen (S. 15f.).

Krauss' Vortrag war ein Signal für die Wiederbelebung komparatistischer Bestrebungen in der Deutschen Demokratischen Republik, und schon der Fribourger Kongreß wurde von mehreren ostdeutschen Vertretern beschickt. Ihm widmete der damalige Chefredakteur der *Weimarer Beiträge*, Evamaria Nahke, eine ausführliche kritische Betrachtung. Unter Hinweis auf René Etiembles Referat über das Thema »Ist es notwendig, den Begriff der Weltliteratur zu revidieren?« verfocht Frau Nahke die von Werner Krauss aufgestellte These, man müsse jetzt daran gehen, die Literaturen der Welt »vor dem Entstehen direkter Beziehungen zwischen ihnen« zu studieren.[80] Wie beim Stadialismus Wesselowskyscher Prägung solle in Zukunft die Betonung auf synchronisch verstandenen Phänomenen liegen. Damit käme auch die völkerkundliche Forschung zu ihrem Recht, nachdem sie unter dem Einfluß der französischen Komparatistik seit Jahrzehnten aus der vergleichenden Literaturwissenschaft verbannt gewesen sei.

Frau Nahke gibt am Ende ihres Berichtes einen deutlichen Hinweis auf das Gebot der Stunde:

Beim gegenwärtigen Stand unserer Forschung käme es zunächst vor allem darauf an, die bisherigen verdienstvollen Einzelbemühungen in vergleichenden, weltliterarischen Untersuchungen stärker zu koordinieren und neue Forschungskollektive aufzubauen, unverzüglich zu einer zielstrebigen Kaderauslese an unseren Universitäten für diesen Forschungsbereich überzugehen ... und schließlich auch die Fülle realen Quellenmaterials wissenschaftlich zu erschließen, das bei uns lagert und der vergleichenden weltliterarischen Forschung neue Aspekte zu eröffnen vermag. ... Nur indem diese Grundvoraussetzungen gesichert werden, wird es uns gelingen, nach dem Beispiel der SU ein eigenes Institut für Weltliteratur aufzubauen und die nächsten internationalen Kongresse stärker mitzubestimmen (S. 262).

In der Tat war die DDR beim Belgrader Komparatistenkongreß durch eine starke Delegation vertreten, die sich aus Lehrstuhlinhabern und aus Mitgliedern der Deutschen Akademie der Wissenschaften in Berlin-Ost zusammensetzte. In den letzten Jahren war außerdem die Akademie ernsthaft darum bemüht, das ihr zugängliche reichhaltige Quellenmaterial dokumentarisch zu erschließen. Sie veranstaltete im Dezember 1966 ein internationales Kolloquium, zu dem freilich keine Teilnehmer aus dem Westen geladen waren.[81] Auch die akademische Zukunft der vergleichenden Literaturwissenschaft in Ostdeutschland sieht nicht mehr ganz so düster aus wie noch vor wenigen Jahren. Durch die Initiative des Germanisten Walter Dietze ist nämlich gegenwärtig die Leipziger Universität dabei, ein Institut ins Leben zu rufen, dem die Errichtung eines Lehrstuhl folgen soll. Damit wäre auch hier der tote Punkt überwunden.

### 3. Die Vereinigten Staaten

Die Geschichte der vergleichenden Literaturwissenschaft in den Vereinigten Staaten von Amerika beginnt nominell im letzten Drittel des vorigen Jahrhunderts. Doch läßt sich der von Ralph Waldo Emerson, Henry Wadsworth Longfellow und James Russell Lowell akademisch und außerakademisch vertretene Kosmopolitismus – den Anschauungen Matthew Arnolds in England vergleichbar – als zwangsläufig in die Komparatistik mündende Tendenz bezeichnen. Die erste ausdrücklich dem Studium der »general or comparative literature« gewidmete Vorlesung wurde, allem Anschein nach, 1871 vom Reverend Charles Chauncey Shackford an der Cornell University gehalten.[82] Freilich begründete Shackford keine Tradition; denn als er 1886 in den Ruhestand trat, fand sich solange kein Nachfolger, bis der Aristoteles-Forscher Lane Cooper 1902 an die gleiche Universität berufen wurde, wo er von 1927 bis 1943 sogar eine komparatistische Abteilung leitete. Er kommt auf diese Phase seiner Tätigkeit in seiner *Experiments in Education* genannten Autobiographie zu sprechen.[83]

Ein weiterer Vorläufer der vergleichenden Literaturwissenschaft in Amerika war der Einzelgänger Charles M. Gayley, der von 1887 bis 1889 an der University of Michigan ein vergleichendes Seminar über Literaturkritik abhielt, dann aber bis 1923 an der Staatsuniversität von Kalifornien tätig war, wo es ihm 1912 gelang, eine komparatistische Abteilung ins Leben zu rufen, die aber schon vier Jahre später mit dem anglistischen Seminar verschmolzen wurde. In einem vom 20. Juli 1894 datierten, an die Herausgeber der Zeitschrift *The Dial* gerichteten Brief – wohl dem ersten Beitrag zur öffentlichen Auseinandersetzung mit der vergleichenden Literaturwissenschaft jenseits des Ozeans – regte dieser Gelehrte die Gründung einer Society of Comparative Literature an. Es ist bezeichnend für seine Mentalität, daß er auch den Namen Society of Literary Evolution in Betracht zog, womit er sich als Gesinnungsgenosse Ferdinand Brunetières auswies.

»Each member«, heißt es in Gayleys Brief, »should devote himself to the study of a given type or movement in a literature with which he is especially, and at first hand, familiar. Thus, gradually, wherever the type or movement has existed, its evolution and characteristics may be observed and registered«.[84] Die Gesellschaft, deren Aufgabe es sein sollte, das Wesen der literarischen Gattungen durch *teamwork* zu erschließen, sollte eine in der Literaturgeschichtsschreibung spürbare Lücke füllen, denn »the work is not yet undertaken by any English or American organization, or by any periodical or series of publications in the English language.« Trotz dieser prophetischen Stimme in der Wüste des philologischen Spezialistentums sollten noch über sechs Jahrzehnte bis zur Gründung der American Comparative Literature Association (ACLA) verstreichen.

Der erste amerikanische Lehrstuhl für Komparatistik wurde im Studienjahr 1890/91 an der Harvard University errichtet. Sein Inhaber war zunächst Professor Arthur Richmond Marsh, der vier Vorlesungen (teils für *graduates*, teils für *undergraduates* bestimmt) über mittelalterliche Literatur zu halten versprach. Die Literatur der Neuzeit scheint sich hingegen in Amerika erst nach der Jahrhundertwende komparatistischer Behandlung erfreut zu haben.

Professor Marsh beschrieb seine Tätigkeit in einem vor Mitgliedern der Modern Language Association of America 1896 in Boston gehaltenen Referat, in dem das neue Fach als »as yet undeveloped in theory« und »still extremely limited in practice« bezeichnet wird. Marsh umriß den Kompetenzbereich der vergleichenden Literaturwissenschaft viel großzügiger als wir (gebrannte Kinder) dies heute tun. Sie sollte es sich zur Aufgabe machen »to examine ... the phenomena of literature as a whole, to compare them, to group them, to classify them, to enquire into the causes of them, to determine the results of them«.[85] Im Schlußteil seines Aufsatzes verleiht Marsh seiner Definition einen wissenschaftlicheren Anstrich, indem er der Komparatistik das Studium von »literary origins«, »literary developments« (»the process by which is gradually elaborated the material out of which literary masterpieces are made«) und »literary diffusion« zuweist (S. 167). Gayleys Skeptik gegenüber dem Kunstwerk als Eigenschöpfung und dem schöpferischen Originalgenie (»I do indeed believe that no literary masterpiece ... can be properly regarded as the peculiar and individual creation of the man that brings it to birth« [S. 169]) klingt heute befremdend, weil sie auf Taine zurückweist und seine methodologische Perspektive veraltet erscheinen läßt.

Zur Gründung einer eigenen komparatistischen Abteilung kam es an der Harvard University erst 1904. Ihr stand fünfzehn Jahre lang Professor H. C. Schofield vor. Sein illustrer Kollege war Irving Babbitt, das Haupt der unter dem Namen *neo-humanism* bekannten konservativen Schule, der als Verfasser der klassizistischen Studien *The New Laokoon* und *Rousseau and Romanticism* international bekannt wurde.[86] Schofield gründete 1910 die »Harvard Studies in Comparative Literature«, eine monographische Reihe, die mit George Santayanas Buch *Three Philosophical Poets*: *Lucretius*, *Dante*, *Goethe* debutierte und innerhalb derer 1960 Albert Lords in der Epenforschung schnell berühmt gewordene Abhandlung *The Singer of Tales* erschien.[87] 1946 wurde die Abteilung von Harry Levin, der ihr nach dem Tode des Slawisten Renato Poggioli jetzt wieder vorsteht, neu organisiert.

Die nach Harvard älteste komparatistische Abteilung Amerikas ist die 1899 an der Columbia University in New York gegründete. Sie wurde anfangs von George E. Woodberry geleitet, dem der Neuhumanist J. E. Spingarn und später auch J. B. Fletcher mit Rat und Tat zur Seite standen. Allerdings wurde sie schon 1910 der englischen Abteilung angeschlossen, mit der sie auch heute noch fusioniert ist.[88] Das Jahr 1903 ist insofern das *annus mirabilis* der amerikanischen Komparatistik, als damals die erste Fachzeitschrift unserer Disziplin in englischer Sprache lanciert wurde, das *Journal of Comparative Literature*, das leider schon nach einem Jahr (vier Heften) sein Erscheinen einstellte. Zu den Mitarbeitern des ersten und einzigen Jahrgangs gehörten außer den Herausgebern auch Fernand Baldensperger und Benedetto Croce (»L'umorismo«, S. 200–228), der die Gründung des *Journal* zum Anlaß nahm, sich in seinem Hausorgan *La Critica* mit der vergleichenden Literaturwissenschaft zu beschäftigen.

Woodberrys Glaubensbekenntnis findet sich im Vorspann zur ersten Nummer seiner Zeitschrift, deren Aufgabe erst fünfundvierzig Jahre später von einem ähnlichen Fachorgan – der an der Univertät Oregon erscheinenden Zeitschrift *Comparative Literature* – übernommen wurde.[89] Methodologisch gesehen ist seine Begriffsbestimmung unscharf, erstreckt sie sich doch auf die Beschäftigung mit Dichtungen »within the limits of a single literature«. Als Schwerpunkte der von ihm vertretenen Fachrichtung bezeichnet Woodberry das Studium von »sources ... themes ... forms ... environments ... [and] artistic parallels«. Der traditionellen Dreiteilung schließt sich also hier die soziologische Sehweise an. Woodberrys Hinweis auf die wechselseitige Erhellung der Künste ist für Amerika verfrüht, findet aber in G. G. Smiths noch zu erwähnendem Beitrag zu *Blackwood's Edinburgh Magazine* aus dem Jahre 1901 eine gleichzeitige Entsprechung.

Wie unwissenschaftlich der Humanist Woodberry im Grunde veranlagt war, zeigt der folgende Abschnitt aus seinem *editorial*:

> It appears to me ... that the study of forms should result in a canon of criticism, which would mean a new and greater classicism, having in its own evolution refining and ennobling influences upon the work of original genius and also upon public taste as turned to the masters of the past; and that the study of themes should reveal temperamentally, as form does structurally, the nature of the soul, and it is in temperament, in moods, that romanticism, which is the life of all literature, has its dwelling-place. To disclose the necessary forms, the vital moods of the beautiful soul is the far goal of our efforts.[90]

Originalgenie, schöne Seele, Klassik und Romantik werden hier im Sprachgebrauch eines *gentleman critic* zu vagen Begriffen, die keinen festen Inhalt mehr umschließen und keinen wirklichen Beitrag zur theoretischen Fundierung der neuen Disziplin leisten.

Aus dem oben Gesagten erhellt, daß der von W. P. Friederich in seinem 1945 veröffentlichten Plädoyer »The Case of Comparative Literature« beklagte Verfall der amerikanischen Komparatistik nach dem Ersten Weltkrieg in Wirklichkeit schon um 1900 – ehe die Disziplin methodologisch gesichert war – einsetzt: »The teaching of and graduate work in Comparative Literature during the past years has been declining so deplorably in our American universities that it seems imperative to investigate the causes of the decline and to take a stand against it with a solid and vigorous program that will restore this important branch of our Humanities to the respected place it so richly deserves«.[91] Statistisch wird unsere Behauptung durch die Tatsache erhärtet, daß in der ersten Dekade unseres Jahrhunderts nur zwei neue komparatistische Abteilungen in Amerika gegründet wurden. Zu ihnen gesellten sich im folgenden Jahrzehnt die kurzlebigen »departments« an den Staatsuniversitäten von Kalifornien (1912–1916) und Texas (1919–1926).[92]

Das nach Woodberrys Programm für Amerika wichtigste Zeugnis der Vorweltkriegsepoche ist die Antrittsvorlesung Frank W. Chandlers, der 1910 zum Ropes Professor of Comparative Literature an der Universität von Cincinnati bestallt worden war. Chandlers Ausführungen sind, wie die seines Vorgängers, für uns eigentlich nur noch von historischem Interesse. Für diesen Gelehrten ist die vergleichende Literaturwissenschaft durchaus nicht auf die schöngeistige Literatur beschränkt, sondern dient als Hilfswissenschaft einer als »comparative sociology« oder »comparative psychology« deklarierten Disziplin:

> But the notion of literature as a whole is by no means incompatible with the notion of the separate literatures as national. Indeed, it is only as we think of the whole body of literary work that we may truly perceive national differentiae. And in discovering such differentiae will lie part of the duty of the student of comparative literature. ... Practically, the sources of national differentiae must be sought in racial, geographical and historical conditions; and the operation of such conditions upon art must be analyzed.[93]

Der Verfasser schwimmt also im Fahrwasser der Literatursoziologie, wie sie von Forschern wie dem Engländer Hutcheson Macaulay Posnett schon gegen Ende des 19. Jahrhunderts vorgefühlt, aber erst nach dem Ersten Weltkrieg von Georg Lukács und im nicht-marxistischen Bereich von Levin Schücking und Robert Escarpit systematisch entwickelt wurde. Seine Beschäftigung mit »national differentiae« nimmt zudem die von Carré und Guyard empfohlene Gattung der »image-mirage«-Studien voraus.

Als eigentliche Aufgabe der Komparatistik bezeichnete Chandler das Studium von »themes ... types ... environments ... origins ... influences [and] diffusion«, also eine synkretistische Mischung der von Marsh und Woodberry gesetzten Ziele. Hinzu kam bei ihm das Studium der Literatur »by periods or movements, the examination of it with a view to ascertaining its genetic laws« sowie auch die Beschäftigung mit Problemen der Literatur-Ästhetik und das Aufspüren der Gesetze des literarischen Wachstums (»literary growth«) innerhalb der Nationalliteraturen (S. 15f.). Die Literaturwissenschaft geriet also sowohl mit der Ästhetik als auch mit der Biologie (wobei Chandler immerhin zur Vorsicht rät) in Kollision.

Bei allen guten Vorsätzen faßte der Gelehrte aus Cincinnati den Begriff der vergleichenden Literaturwissenschaft zu weit und gab, nach eigenem Geständnis, dem akademischen Nachwuchs ein eher abschreckendes als nachahmenswertes Beispiel: »But not only is this field difficult by reason of its newness and immensity: it is peculiarly difficult also by reason of its diversity. A knowledge of history and esthetics, anthropology and folklore, is to be presumed of those who would here speak with authority« (S. 22).

Der akademische Verfall der Komparatistik tritt in einem 1925 verfaßten Bericht Professor Frank L. Schalls deutlich zutage.[94] Wie Schalls Erfahrungen lehren, bedeutete der Begriff »vergleichende Literaturwissenschaft« dem amerikanischen Studenten der zwanziger Jahre wenig. So wurde etwa das Studium Ibsens – wohl als eines Dichters, dessen Werk zur Literatur eines verhältnismäßig kleinen Landes gehört – ohne weiteres als komparatistisch bezeichnet oder »comparative« mit »contemporary« verwechselt.[95]

Mehr oder minder bewußt wurde in jenen Jahren in Amerika die vergleichende Literaturwissenschaft über den gleichen Kamm geschoren wie die Begriffe »general literature«, »world literature«, »Great Books« und »Humanities«. Mit gutem Recht monierte Schall: »Entre *littérature comparée* et *littérature générale* la distinction n'est pas toujours précise aux États-Unis. Il arrive que la seconde expression substitue à la première, dans certains programmes de cours, sans que la matière des leçons en soit très sensiblement altérée« (S. 53). Auch entging es seiner Aufmerksamkeit nicht, daß in Amerika damals die Komparatistik vielfach im Rahmen der Einzelphilologien betrieben wurde, ohne daß dem Kind ein eigener Name zugestanden wurde. Selbst der von Schall als maßgebend bezeichnete Stanforder Gelehrte Albert Guérard nannte sich »Professor of General Literature«.[96]

Bei aller Verwirrung der Begriffe und Gefühle ließen sich immerhin selbst in den zwanziger und dreißiger Jahre vereinzelte transatlantische Stimmen vernehmen, die dazu aufriefen, die vergleichende Literaturwissenschaft zu restaurieren. So schrieb Oscar J. Campbell

1926 einen »What is Comparative literature?« betitelten Aufsatz, in dem es heißt:

The term ›comparative literature‹ provokes emotion. The dilettante greets it effusively. A study with so ample a descriptive title will provide him, he expects, with a short and easy road to an appreciative understanding of all the important modern literatures. The scholar is likely to regard the term with disapproval. He suspects that the profession of an interest in comparative literature is a form of intellectual presumption; and he believes the peculiar virtues claimed for its methods and its aims to be identical with those inherent in all scientific studies of literature.[97]

Leider vermag Campbell im Zuge seiner Darlegungen diese Haltung nicht zu entkräften; denn auch seiner Definition fehlt es an Klarheit. Zwar widerlegt er Woodberrys Behauptung, auch innerhalb einer Nationalliteratur könne man komparatistisch arbeiten (S. 27), doch befremdet sein Hinweis auf die zwei »Wurzeln« der Disziplin, nämlich »the investigation or origins of poetry« (S. 29) und »the study of folklore, mythography, and comparative mythology« (S. 31). Campbell geht somit theoretisch auf Gaston Paris zurück und stimmt mit Brunetière überein, wenn er sagt: »One need not assert with Taine that a work of modern literature is a sort of automatic register of ›race, milieu, and moment‹ to believe that no man of letters can emancipate himself from the influence of his social environment and the spirit of his age«.

Selbst wenn man zugibt, daß Campbell diese beiden, für seine Auffassung von der vergleichenden Literaturwissenschaft unentbehrlichen Gesichtspunkte selbst als »in a sense preliminary to the main and central study of comparative literature« (S. 33) bezeichnet, war der methodologische Schaden angerichtet. Versöhnt wird der kritische Leser durch die Tatsache, daß am Schluß des Aufsatzes das Aufweisen von Ähnlichkeiten (nicht Unterschieden) und die Lösung des Problems der dichterischen Originalität als eigentliche Ziele unserer Wissenschaft genannt werden. Ihren eigentlichen Tiefstand erreichte die Debatte um die vergleichende Literaturwissenschaft in Amerika erst im Jahre 1936, als mehrere Fachgelehrte in zwei Nummern der Zeitschrift *Books Abroad* ihre Meinung zu diesem Thema äußerten. Ihr fruchtloser Streit ging unter anderem darum, wer der eigentliche Vater der Komparatistik sei.[98]

Wie wiederholt in der Geschichte unserer Disziplin gab ein Krieg und die durch ihn ausgelösten pazifistischen Bestrebungen dem fast gänzlich darniederliegenden Fach neuen Auftrieb. Den Bemühungen Arthur E. Christys ist es zu danken, daß im Jahre 1942 der National Council of Teachers of English ein »Comparative Literature Committee« ins Leben rief, das beauftragt war, das Studium der Weltliteratur im allgemeinen und der »vergleichenden« Literatur im besonderen an amerikanischen Gymnasien, Colleges und Universitäten zu fördern. Dies war der dringend notwendige erste Schritt zur Konsolidierung der den Einzelphilologien skeptisch gegenüberstehenden Forscher.

Als Sohn amerikanischer Missionare in China geboren, hatte Christy seine Jugend in Asien verbracht und fungierte nach Abschluß seines Studiums von 1930 bis 1945 als »Professor of English and Comparative Literature« an der Columbia University.[99] 1942 rief er eine *Comparative Literature Newsletter* genannte Publikation, die als Organ des oben erwähnten Komitees gedacht war, ins Leben. Daß auch politische Gesichtspunkte eine Rolle spielten, beweist der Brief des Präsidenten Roosevelt (in dem von den sogenannten Liberal Arts Colleges als einem »mainspring of liberal thought throughout the country« die Rede ist) im ersten Heft der neuen Zeitschrift, in der auch Pearl S. Buck mit Bemerkungen über »The Values of Literature« zu Worte kam.

Christys Zeitschrift hielt sich durch vier Jahrgänge (1942–1946) und dreißig Nummern, ließ sich aber anscheinend trotz des ihr von ihren akademischen Lesern entgegengebrachten Interesses nicht in ein lebensfähiges Gebilde umwandeln.[100] Neben Einzeldarstellungen zur Geschichte der amerikanischen Komparatistik sowie Hinweisen auf deren Stand und Aussichten finden sich in den hektographierten Blättern Vorarbeiten zu dem vom Herausgeber großzügig geplanten bibliographischen Handbuch, dessen Aufgabe von einem der Mitarbeiter wie folgt beschrieben wurde:

> The following notes represent the beginning of our attempt to plan a guide to comparative and ›world‹ literature. We believe that this guide should first of all be of use to college teachers whose teaching or study must cross national boundaries. Supposing a person trained to teach one body of literature who now needs to explore another literary region, these notes suggest the first serious guides to the new study. I present in each case 1) the name of a standard study of the specific literature or literary region; 2) the name of a standard work of bibliographical reference to translations of the literature into English; 3) the names of current surveys of scholarship in the literature, the number of which seems to increase steadily. The various literatures are classified by countries, by periods, by international relationships.[101]

Im ersten Heft des dritten Bandes (S. 1–10) wurde ein detaillierter Plan zur Organisation und Struktur dieses Gemeinschafts-Unternehmens sowie eine Liste der angeworbenen Mitarbeiter vorgelegt. Dieser Plan kam nicht zur Ausführung; und erst ein kürzlich veröffentlicher Führer durch die Weltliteratur zum Gebrauch von Gymnasiallehrern darf als vom Komitee des National Council of Teachers of English ausgeführtes Projekt gelten.[102]

Mit A. E. Christys Ableben im Jahre 1946 stellte der *Comparative Literature Newsletter* sein Erscheinen ein; doch war der vergleichenden Literaturwissenschaft inzwischen mit Werner Paul Friederich, einem gebürtigen Schweizer, der Amerika zu seiner Wahlheimat gemacht und an der Harvard University promoviert hatte, ein rettender Engel erschienen. Friederich wirkt seit 1936 an der Staatsuniversität von North Carolina, wo seit 1925 eine Abteilung für Komparatistik ohne eigene Fakultät besteht.[103] Schon 1945 veröffentlichte er den schon erwähnten Aufsatz »The Case of Comparative Literature«, in dem ein ausgefeilter Plan zur Reform der akademischen Lehrpläne in diesem Fach unterbreitet wird. Er diente in den folgenden Jahren als Diskussionsgrundlage.[104]

Friederichs Reformpläne waren durchaus nicht auf die Universität von North Carolina beschränkt, sondern bezogen das gesamte amerikanische Hochschulnetz mit ein. Weitblickend erkannte dieser Forscher die Notwendigkeit des Aufbaus komparatistischer Kadres (man verzeihe diesen Ausdruck) auf nationaler Ebene. Zu den sieben bestehenden »Comparative Literature Groups« der Modern Language Association (Prose Fiction, Popular Literature, Arthurian Literature, Renaissance, Anglo-French, Anglo-German und Franco-German) gesellte sich, dank seiner Initiative, 1948 eine sogenannte *section*, als Dachorganisation.[105] Friederich entwickelte ein Vier-Punkte-Programm, das im Laufe eines Jahrzehnts in rascher Folge verwirklicht wurde. Erst nach Erfüllung dieses Solls gab er das Steuer aus der Hand, um jüngeren Kräften Platz zu machen.

1949 erschien das erste Heft der Zeitschrift *Comparative Literature*, 1950 Baldensperger-Friederichs *Bibliography of Comparative Literature*, und 1952 der erste Band des *Yearbook of Comparative and General Literature*, »an organ in which the practical aspects of our calling could be analyzed and constantly re-examined«. Das Programm dieses Jahrbuchs wurde von seinem Herausgeber wie folgt umrissen:

The present *Yearbook*, therefore, while not accepting research articles on literary problems per se, opens its pages wide to all comparatists who wish to discuss such problems as the scope and the task of Comparative Literature, the teaching of Great Books courses, the difficulties encountered in achieving interdepartmental collaboration or in choosing the most suitable texts or the best available translations, the delineation (if any) of Comparative, General, and World Literature, the administrative technical problems involved in setting up the necessary curricula for an international study of literature, and so forth.[106]

1954 erschien Friederichs, in Gemeinschaftsarbeit mit David H. Malone verfaßte *Outline of Comparative Literature from Dante to O'Neill*, und im gleichen Jahre wurde in Oxford die »International Comparative Literature Association« gegründet, die 1958 in Chapel Hill, dem Sitz der Staatsuniversität von North Carolina, tagte.

Ende der fünfziger Jahre fand, wie schon angedeutet, eine Art Wachablösung in der amerikanischen Komparatistik statt. Haskell M. Block (an der Sorbonne ausgebildet) regte die Schaffung eines nationalen Fachverbandes an, der als Zweig der internationalen Dachorganisation 1960 ins Leben gerufen wurde. Er hat heute mehr als dreihundert Mitglieder, die mit Stolz auf die drei in dreijährigem Abstand erfolgten Tagungen (New York im Jahre 1962, Cambridge, Mass., im Jahre 1965 und Bloomington, Indiana, im Jahre 1968) zurückblicken können.[107] Sein offizielles Sprachrohr ist seit 1965 der leider sehr unregelmäßig erscheinende, *ACLAN* genannte *newsletter* (bisher nur zwei Nummern). Inzwischen hat ihn W. B. Fleischmann als Herausgeber wieder ins Leben gerufen.

Nachdem die Yale University (1948) und die Indiana University (1952) den Nachkriegsreigen eröffnet hatten, begann nach einer etwa sechsjährigen Pause die vergleichende Literaturwissenschaft wie nie zuvor zu blühen und zu gedeihen. Fast jede Graduate School, die etwas auf sich hält, sieht sich dazu veranlaßt, den Zeichen der Zeit zu folgen; und jedes neue Studienjahr bringt frohe Zeitung von der Gründung neuer komparatistischer Abteilungen und Seminare. Einer Übersicht im sechzehnten Band (1967) des *Yearbook of Comparative and General Literature* zufolge gibt es augenblicklich in Amerika zwischen 45 und 50 »graduate programs« mit über tausend Studenten (M. A. und Ph. D.). Zahlenmäßig liegt die Staatsuniversität von Kalifornien (Berkeley) mit 150 Hauptfächlern – gefolgt von der New York University und der Indiana University mit etwa 100 Hauptfächlern – an der Spitze.

Auch an komparatistischen Zeitschriften herrscht momentan in den Vereinigten Staaten kein Mangel. 1963 wurde an der Universität von Maryland die Vierteljahresschrift *Comparative Literature Studies* gegründet, die seit 1967 an der Staatsuniversität von Illinois verlegt wird. Im kurzen Vorwort der Herausgeber zu einer Special Advance Issue heißt es vorausblickend: »*Comparative Literature Studies* ... will feature articles on literary history and the history of ideas, with particular emphasis on European literary relations with both North and South America«. Die ersten Jahrgänge der Zeitschrift zeigten, daß nur ein verhältnismäßig kleiner Teil der Beiträge die *littérature comparée* im engeren Sinne vertreten. So befaßte sich ein ganzes Heft mit dem gegenwärtigen Stande der Literaturkritik in den Ländern Europas und Amerikas, während ein zweites dem Wechselverhältnis von Literatur und Religion nachspürte. Daß *CLS* geistesgeschichtlich ausgerichtet ist, erklärt sich u. a. daraus, daß A. O. Lovejoy die *history of ideas* an der Johns Hopkins Universität im Staate Maryland systematisch entwickelte.

Seit etwa einem Jahr erscheint unter dem Patronat der Western Michigan University das Fachorgan *Comparative Drama*, dessen Inhalt bislang allerdings an Niveau zu wünschen übrig läßt; und Ende 1967 machte die mit Fragen der Gattungsgeschichte und -theorie befaßte Zeitschrift *Genre* in Chicago ihr Debüt. Ihre Herausgeber veranstalteten bei Gelegenheit der Tagung der Modern Language

Association im Dezember vorigen Jahres ein Symposium, auf das wir im 5. Kapitel zu sprechen kommen werden.

Im Jahre 1962 wurde das erste in englischer Sprache abgefaßte Sammelwerk von Essays über die vergleichende Literaturwissenschaft veröffentlicht. Es enthält unter dem Titel *Comparative Literature. Method and Perspective* eine Reihe pädagogischer Beiträge, deren Verfasser mit einer Ausnahme an der Indiana University lehren und an einer einführenden Ringvorlesung beteiligt sind oder waren. [107a] Ende 1967 erschien schließlich Jan Brandt Corstius' *Introduction to the Comparative Study of Literature*, ein Gegenstück zu den Handbüchern Van Tieghems und Guyards. Leider wird diese verdienstvolle Studie den an sie zu stellenden Anforderungen nicht gerecht, denn die Betonung liegt hauptsächlich auf der Geschichte der Literatur und der Literaturkritik, und die Behandlung der Materie ist ganz auf die Begriffe Tradition und Überlieferung (Konvention) abgestimmt. Methodologische Fragen,die nicht direkt oder indirekt aus dieser Fragestellung erwachsen, werden nur im sechsten Kapitel des Buches (»Some Concepts Basic to the Study of Comparative Literature«) kurz gestreift.

Ähnliche Übersichten oder Sammelbände sind angekündigt. Viele von ihnen werden die berechtigten wissenschaftlichen Erwartungen nicht erfüllen, und zwar deshalb, weil der günstige Wind, der der vergleichenden Literaturwissenschaft in Amerika heute wieder die Segel schwellt, auch manches Schiff in Bewegung setzt, das für die Fahrt auf hoher See nicht recht geeignet ist. Die Lehrstühle für Komparatistik schießen ins Kraut, ohne daß ein Gärtner dem Wildwuchs Einhalt täte; und wem es mit der vergleichenden Literaturwissenschaft als einem methodologisch fundierten Zweig der Philologie ernst ist, muß fast wünschen, daß sie wieder aus der Mode kommt, die den Geschmack verdirbt.

## 4. England

In England nahm die systematisch betriebene Literaturgeschichtsschreibung, F. C. Roe zufolge[108], zur Zeit der Thronbesteigung der Königin Victoria mit Henry Hallams *Introduction to the Literature of Europe in the 15th, 16th and 17th Centuries* ihren Anfang. Im Vorwort zur ersten Auflage dieses Buches gibt der Verfasser einen kurzen Überblick über die Geschichte solcher Unternehmen, die er (wie in Deutschland später Franz Koch) bis zu Daniel Georg Morhof zurückverfolgt. Hallam erwägt die Vorteile der von ihm gewählten Methode, indem er feststellt:

The advantages of such a synoptical view of literature as displays its various departments in their simultaneous condition through an extensive period and in their mutual dependency seems too manifest to be disputed. And since we possess little of this kind in our own language, I have been induced to undertake that to which I am, in some respects at least, very unequal, but which no more capable person, so far as I could judge, was likely to perform.[109]

Hallam beschränkte sich, polyhistorischem Brauch folgend, durchaus nicht auf die schöngeistige Literatur, sondern besprach auch philosophische, juristische, medizinische, ja sogar theologische Schriften.[110]

Der Begriff »comparative literature« wurde ein Jahrzehnt nach dem Erscheinen von Hallams *Introduction* in Anlehnung an das französische *littérature comparée* von Matthew Arnold geprägt. Dieser plädierte unentwegt für ein grenzunbewußtes Studium der Literatur und wurde so zum eigentlichen Geburtshelfer der englischen Komparatistik. L. A. Willoughby berichtet, Arnold habe den Ausdruck seiner fragmentarisch gebliebenen Übersetzung von Jean-Jacques Ampères *Histoire comparative* einverleibt.[111] Es ist uns aber nicht gelungen, dies zu bestätigen. Soweit uns bekannt, existiert nämlich kein Werk Ampères dieses Namens: und auch den von uns befragten Arnold-Spezialisten ist Willoughbys Hinweis verdächtig. Doch schrieb der englische Dichter und Kritiker im Mai 1848 an seine Schwester: »How plain it is now, though an attention to the comparative literatures for the last fifty years might have instructed any one of it, that England is in a certain sense far behind the continent«.[112]

Den bisher stärksten Impuls gab der vergleichenden Literaturgeschichte in England das 1886 erschienene Buch eines ehemaligen Juristen, späteren Ordinarius für Altphilologie und Anglistik am University College von Auckland in Neuseeland. *Comparative Literature*, verfaßt von Hutcheson Macaulay Posnett, war der erste umfassende Versuch einer Darstellung der Methodenlehre. Das Werk erschien bezeichnenderweise als 54. Band der International Scientific Series, in der u. a. Herbert Spencers *The Study of Sociology* und Th. Ribots *Diseases of Memory* (in der englischen Fassung) zum Druck gelangt waren. Als 52. Band war R. Hartmanns *Anthropoid Apes*, als 53. O. Schmidts Studie *The Mammalia in Their Relation to Primeval Times* der Posnettschen Monographie vorausgegangen.[113]

Posnett, der als Schüler des Rechtslehrers Sir Henry Maine auftrat, wertete die Literaturgeschichte als einen Zweig der Soziologie, was bei einem Kind des positivistischen 19. Jahrhunderts kaum verwundert.[114] Er beschrieb seine Methode als die einer »application of historical science to literature« und verurteilte (in einem fünfzehn Jahre später abgefaßten apologetischen Essay) die »unhistorische« Richtung, d. h. die Literaturkritik oder -wissenschaft. Er erklärte den »literary specialists, champions of the old and unhistorical criticism, and many amateur critics who are content to echo the sentiments of the old school without inquiry« (S. 856) den Krieg und verstieg sich zu der Behauptung: »While fully recognizing the hopeful prospects of Comparative Literature, especially in Germany, France, and America, I must confess a desire to see the study less exclusively in the hands of literary men« (S. 866).

Man ist versucht, Posnett eines von der Geschichte inzwischen selbst korrigierten Irrtums zu zeihen, darf aber nicht vergessen, daß der Verfasser von *Comparative Literature* bei allem Anspruch auf Wissenschaftlichkeit die von ihm methodologisch erfaßte Disziplin nicht als Ableger einer mechanistisch verfahrenden Naturwissenschaft verstanden wissen wollte. Darin unterschied er sich von Zola, der in seinem *Roman experimental* die Meinung vertrat, auch bei Produkten des menschlichen Geistes und der Einbildungskraft herrsche ein unumstößliches Kausalgesetz: »Quand on aura prouvé que le corps de l'homme est une machine, dont on pourra un jour démonter et remonter les rouages au gré de l'expérimentateur, il faudra bien passer aux actes passionels et intellectuels de l'homme«.[115]

In seinem 1901 erschienenen Aufsatz warnt Posnett sogar ausdrücklich davor, naturwissenschaftliche Gesetze mechanisch auszulegen oder anzuwenden. Er sieht in ihnen nur »a brief summary of a vast number of observed and recorded facts« (S. 857). Wenn von »social evolution, individual evolution, and the influence of environment« als den wichtigsten Faktoren beim vergleichenden Studium der Literatur die Rede sei, so dürfe man nicht unterstellen »that these ›laws‹ possess some mysterious authority over the literary world« (ebd.).

Die von Posnett konzipierte vergleichende Literaturwissenschaft stützt sich in der Tat weniger auf den Einfluß von »climate, soil, animal and plant life« als auf die Beobachtung der sozialen Entwicklung »from communal to individual life« (*Comparative Literature*, S. 20). Ihre spezielle Aufgabe ist der Nachvollzug des vom Ordnungsprinzip der primitiven *clans* zur Stadt-, National- und Universalkultur erfolgenden Aufstiegs: »We therefore adopt, with a modification hereafter to be noticed, the gradual expansion of social life, from clan to city, from city to nation, from both of these to cosmopolitan humanity, as the proper order of our studies in comparative literature« (ebd. S. 86).

Vom heutigen Standpunkt aus ist Posnetts Definition schon deswegen unhaltbar, weil sie nicht unbedingt über- und international verfährt. Ja der englische Forscher geht soweit, das Studium internationaler literarischer Wechselwirkungen als ein bloßes Randgebiet der Komparatistik zu bezeichnen, und zwar deshalb, weil hier die ruhig fortschreitende Bewegung innerhalb einer Kultursphäre außer acht gelassen wird: »The cases of Rome and Russia are enough to prove that external influences, carried beyond a certain point, may convert literature from the growth of the group to which it belongs into a mere exotism, deserving of scientific study only as an artificial production indirectly dependent on social life« (*Comparative Literature*, S. 83). Hier geht Taine als Gespenst um und untergräbt die vergleichende Literaturwissenschaft methodologisch; denn seine Theorie von der spezifischen Schwerkraft von *race*, *milieu* und *moment* »firmly anchors its victim in national waters and does not permit him to drift out into the more international seas«.[116] Daß die Perlen Fremdkörper in den Austern sind, will den Gefolgsleuten Taines anscheinend nicht einleuchten.

Das eigentliche Augenmerk des Komparatisten richtet sich, Posnett zufolge, auf die innere Entwicklung der einzelnen Nationalliteraturen als Ausdruck ihres sozialen Fortschritts: »National literature has been developed from within as well as influenced from without; and the comparative study of this internal development is of far greater interest than that of the external, because the former is less a matter of imitation and more an evolution directly dependent on social and physical causes« (S. 81). Das Studium dieses Phänomens ist aber vergleichend insofern, als verschiedene Stadien der Entwicklung gleichzeitig im Querschnitt durch das zeitgenössische Leben eines Volkes zu beobachten sind. Es handelt sich also bei der vergleichenden Betrachtung nationaler und internationaler Erscheinungen im Grunde um Analogien zwischen normal fortschreitenden, zeitweilig unterbrochenen und rückschrittlichen historischen Prozessen.

In dem bereits erwähnten Aufsatz »The Science of Comparative Literature« machte Posnett erneut darauf aufmerksam, daß »comparative« mit »historical« vertauschbar sei, wobei ersteres Attribut den Vorteil biete, sowohl auf räumlich als auch auf zeitlich verschiedenen Ebenen Anwendung finden zu können:

> What, then, is the method of Comparative Literature? What is the method of studying literary facts which leads us to recognize a literary science? It is a method for which no single name as yet exists. From the standpoint of time we call it ›historical‹, from other standpoints we call it ›comparative‹. The name ›comparative‹ is, on the whole, the better name; because we often find existing at the same time, and even in the same country, types of social and individual life ranging from very low to very high degrees of evolution (S. 864).

Mit dem von Arnold in Umlauf gebrachten, von ihm selbst zuerst systematisch verwendeten terminus »Comparative Literature« war Posnett ziemlich unzufrieden. Da es im Englischen keinen Ausdruck gäbe, der dem deutschen Begriff der Literaturwissenschaft entspräche, habe er sich gezwungen gesehen »to make the name of the subject-matter do duty for the uncoined name of the study of the subject-matter« (S. 856). Saintsbury übersieht diese Selbstkritik, wenn er Posnett vorwirft, *comparative literature* sei »a very awkward phrase, neither really representing *littérature comparée* nor really analogous to

›Comparative Anatomy‹. ›Comparative Study of Literature‹ would be better; otherwise ›Comparative Criticism‹ or ›Rhetoric‹ is wanted«.[117] Der gleiche Vorwurf ist in der Kontroverse um die wahre Aufgabe der Komparatistik sowohl von ihren Feinden als ihren Verehrern noch oft gemacht worden, konnte aber den *fait accompli* nicht aus der Welt schaffen.

Saintsbury selbst, der sich – »for the usual reason«, also wohl, weil es nicht auf Literaturkritik abzielt – kurzerhand weigert, Posnetts Buch im Rahmen seiner Geschichte dieser Disziplin zu behandeln, bekannte sich freimütig zur Komparatistik: »I have never myself, since I began to study literature seriously almost forty years ago, had the slightest doubt about its being not only the *vita prima* but also the *vita sola* of literary safety«.[118] Sowohl mit seinem dreibändigen Hauptwerk als auch mit dem unvollendet gebliebenen, auf zwölf Bände berechneten Projekt einer Gesamtdarstellung von *Periods of European Literature* gehört er unbedingt in die Vorfront der europäischen Komparatisten von Rang, dem unter den Zeitgenossen wohl nur Georg Brandes nahekommt.[119] Übrigens hatte schon Posnett auf die Notwendigkeit einer – freilich auf seine Weise konzipierten – großangelegten synoptischen Darstellung der europäischen Literatur hingewiesen, wie sie unter dem Protektorat der *AILC/ICLA* jetzt in Angriff genommen wird.[120]

In England endete der von Hallam eingeleitete Abschnitt der vergleichend verfahrenden Literaturgeschichtsschreibung mit Sir Sidney Lees Studie *The French Renaissance in England. An Account of the Literary Relations of England and France in the Sixteenth Century*, der eine englische Fassung von Frédéric Auguste Loliées *Histoire des littératures comparées des origines au XX^e^ siècle* vorausgegangen war.[121] In seinem Vorwort gibt Lee zu verstehen, er hoffe »to have succeeded in bringing home . . . the interest attaching to that comparative study of European literature, on which I have sought to lift a corner of the curtain« S. V.). Er bestätigt ferner, daß das vergleichende Studium der Literatur »has been pursued in this country on a smaller scale and less systematically than abroad. Yet the comparative study of literature is to my thinking a needful complement of those philological and aesthetic studies which chiefly occupy the attention of English scholars« (ebd.).

Ehe wir uns dem akademischen Zweig der komparatistischen Bestrebungen in England zuwenden, wozu eine Reihe neuerer und neuester Entwicklungen Anlaß gibt, sei uns erlaubt, kurz auf zwei Aufsätze G. Gregory Smiths aus den Jahren 1901 und 1905 hinzuweisen. In der anonym veröffentlichten Abhandlung »The Foible of Comparative Literature« begutachtete Smith die Ergebnisse der Pariser Tagung. Nach Ablehnung der von Brunetière und G. Paris vertretenen, nachmals von ihm als »bibliographisch« bezeichneten

Standpunkte macht er eine, damals äußerst kühn anmutende und in ihrer Radikalität erst von René Etiemble übertroffene Auffassung der vergleichenden Literaturwissenschaft, die er auf horizontale statt auf die bisher üblichen vertikalen Querschnitte der europäischen oder Weltliteratur angewandt sehen möchte, geltend: »Is not [Brunetière's] analysis exclusively ›perpendicular‹ in effect, whereas, if there is any general value in the term ›comparative‹, it should be ›horizontal‹?« (S. 43)[122]

Smith geht soweit, seine Definition mit Überspringung des literarhistorischen und -kritischen Positivismus auf die sogenannten Analogie-Studien auszudehnen, womit er die nachmals von Van Tieghem und Guyard vertretenen »klassischen« Ansichten im vorhinein erledigt: »May there not be a comparative interest in things whose only connection is from analogy, or even in forms and motives, between which there may not only be no admitted or known connection, but not even an obvious hint of likeness?« (S. 45) Schließlich erwägt er – anderthalb Jahrzehnte vor Oskar Walzel – die Einbeziehung des Studiums der wechselseitigen Erhellung der Künste: »Whether the different arts have, or do not have, a common aesthetic basis, is a question which need not prevent our discovering certain analogies or using one art as a touchstone for the others; and we may do so without being convicted of the quackery of the symphony-in-blue journalism« (ebd.). Alle diese Rufe verhallten ungehört.

In seinem vier Jahre später erschienenen Essay »Some Notes on the Comparative Study of Literature« kam Smith noch einmal auf den Pariser Kongreß zu sprechen und setzte sich für eine Aufstockung der orthodoxen Komparatistik durch eine vergleichende Literaturkritik ein: »If instead of the connexion between individual books or phases we substitute the connexion and development of critical ideas, we have at once greater possibilities for the comparative student« (S. 4).[123] Von dieser Umstellung erhoffte er sich eine Neuorientierung der vergleichenden Literaturwissenschaft unter Betonung der »unity of literature rather than the differences, or, let us say, the unity in the differences« (S. 5).

Zur Frage der akademischen Legitimation der Komparatistik in England wäre zu sagen, daß sich ihr aus verschiedenen, noch näher darzulegenden Gründen stets innere und äußere Schwierigkeiten in den Weg gestellt haben, wie dies kürzlich R. A. Sayce im Rückblick angedeutet hat: »Nevertheless it must be admitted that comparative literature meets with resistance, and the slowness of British universities (in contrast to American and continental universities) in taking up the subject is one instance«.[124] Sayce macht zwei Umstände für diese bedauerliche Sachlage verantwortlich: einmal die positivistischen Exzesse der französischen Komparatisten und zum anderen das Vorhandensein sprachlicher Grenzen, die den Kunst- und Musikhistoriker nicht berühren. Akademisch drückt sich dies in der Abkapselung der Einzelphilologien aus, wie etwa in Oxford, »where barriers between faculties are fairly rigid«.

Die der vergleichenden Literaturwissenschaft gegenüber in England waltende Skepsis hat aber wohl noch andere, tiefer liegende Gründe. Als entscheidend möchte man u. a. den Umstand bezeichnen, daß – wenigstens im 19. Jahrhundert – der englische Student der *humaniores litterae* ohnehin Komparatist war, da er in den klassischen Sprachen und Literaturen des Altertums bewandert war und gelernt hatte, die Dichtung seiner Muttersprache an ihnen zu messen. Die Komparatistik als eigene Wissenschaft gedeiht aber nur dort, wo die Kenntnis des Griechischen und Lateinischen nicht mehr als selbstverständlich vorausgesetzt wird, d. h. nicht mehr ein organischer Teil der Bildung ist.

Neusprachliche, vor allem anglistische Lehrstühle wurden in England erst gegen Ende des vergangenen Jahrhunderts errichtet und galten zunächst als Stiefkinder der Altphilologie. H. Gifford berichtet z. B. daß »not long since, at Oxford a moratorium used to fall after the year 1830«, was besagt, daß nur die vor diesem Zeitpunkt verfaßten schöngeistigen Werke des wissenschaftlichen Studiums für würdig erachtet wurden.[125] Erst nach der Jahrhundertwende kam es zur Gründung von Seminaren für die wichtigsten modernen Fremdsprachen (Deutsch, Französisch, Italienisch usw.), womit auch formell die Grundlage komparatistischer Arbeit im Rahmen des Universitätsbetriebes geschaffen wurde. »Until the opening years of the century« sagt Roe (YCGL 3, S. 7),

> comparative literature did not find a place among subjects recognized in the Faculties of Arts. At that time, when several university institutions in the United Kingdom received their charters as universities, some chairs of Modern Languages were created; before the end of World War I these numbered thirty-one, nearly all of them Chairs of French or German.

Willoughby, der mitteilt, er habe den Ausdruck »comparative literature« zuerst im Jahre 1904 aus dem Munde J. G. Robertsons vernommen, berichtet, sein Lehrer sei von 1896 bis 1903 als Extraordinarius in Straßburg (der Wirkungsstätte L.-P. Betzs) tätig gewesen und wäre, hätte er sich entschließen können, auf dem Kontinent zu bleiben, wohl dessen Nachfolger geworden (Forschungsprobleme I, S. 21). In England eröffnete sich ihm diese Laufbahn damals nicht; denn die vergleichende Literaturwissenschaft fand ihre offiziöse Anerkennung erst 1921, dem Gründungsjahr der *Revue de littérature comparée*, als Fernand Baldensperger am University College von Aberystwyth in Wales acht Vorlesungen über die europäische Literatur des 18. Jahrhunderts hielt. Als Eric Partridge 1926 eine zusammenfassende Darstellung der Wissenschaftsgeschichte erscheinen ließ, lebte er in Paris und veröffentlichte auch dort sein *Critical Medley. Essays, Studies and Notes in Comparative Literature.* Auch er setzte sich, wie Posnett und Betz vor ihm vergebens für die Schaffung von komparatistischen Lehrstühlen ein.

Die neueste Phase in der Geschichte der englischen Komparatistik ist zukunftsträchtiger. So erschienen in den Jahren 1942–1946 an der Universität von Cardiff vierundzwanzig Nummern einer *Comparative Literature Studies* benannten Zeitschrift, die als behelfsmäßige Weiterführung der während der deutschen Besetzung Frankreichs freiwillig suspendierten *Revue de littérature comparée* gedacht war und unter dem Protektorat der französischen Exilregierung stand. Willoughby (Forschungsprobleme I, S. 28) hält es für sinnvoll, »daß gerade ... am Saume der keltischen Welt unter dem Schutze des französischen Konsuls für Westengland und der Schriftsteller Walter de la Mare und Hugh Walpole ein neues Unternehmen gegründet wurde, die von Marcel Chicoteau und Kenneth Unwin geleiteten *Comparative Literature Studies*«. Mit ihrem Unternehmen hatten die Herausgeber folgende Intentionen:

This new series of studies embodies the work and research of British scholars interested in the interrelationship of European language and literature. Published in book form, these studies are available from time to time, and all centres of intellectual understanding in this country are earnestly asked to give their wholehearted support to this war-time literary endeavour. No such publication has previously existed in Britain.

Die im Vorspruch zur sechzehnten Nummer im Anschluß an eine dort abgedruckte Erklärung der französischen Kulturmission verkündete Absicht, die Publikation auch nach dem Wiedererscheinen der *Revue de littérature comparée* fortzusetzen, scheiterte leider schon nach einem Jahr.

Von 1948 bis 1951 existierte an der Universität von Aberdeen (Schottland) eine von Studenten ins Leben gerufene Gesellschaft für vergleichende Literatur, und 1953 wurde in Manchester das erste komparatistische Lektorat des Inselreichs geschaffen. Ihm folgte die Gründung eines Lehrstuhls an der Universität von Essex, wie überhaupt die im letzten Jahrzehnt gegründeten englischen Hochschulen durch Errichtung von interdisziplinären Instituten mit der »Oxbridger« Tradition der fachlichen Autonomie zu brechen suchen, wie das auch in Konstanz oder Bochum der Fall ist. In den Commonwealth-Ländern sind (mit Ausnahme von Kanada) ähnliche Tendenzen bisher kaum spürbar.[126]

Im Herbst 1964 ergriff endlich auch die »Faculty of Medieval and Modern Languages« der Oxforder Universität die Initiative und billigte einen »course in general and comparative literature«.[127] Kandidaten für den B. Phil. sind angehalten, sich auf zwei oder drei Nationalliteraturen zu spezialisieren und müssen eine etwa achtzig Seiten lange These sowie drei Seminararbeiten (je eine über Literaturtheorie und -kritik, über Fragen der Methodenlehre und über eines von zwanzig ausgewählten komparatistischen Themen) vorlegen. Dieses Jahr ist auch das erste Oxforder Doktorat der Vergleichenden Literaturwissenschaft verliehen worden. Das Eis ist also gebrochen; und es steht zu hoffen, daß auch auf diesem Gebiet England aus seiner *splendid isolation* erlöst und in der AILC/ICLA, in der es bisher nur durch Einzelgänger wie Roger A. Shackleton und A. M. Boase vertreten war, eine aktivere Rolle spielen wird.

## 5. Italien

In seinem 1946 verfaßten Aufsatz »La letteratura mondiale« stellte der italienische Gelehrte L. F. Benedetto bedauernd fest, daß sein und seiner Altersgenossen Jugendtraum von einer kommenden Blüte der Komparatistik in ihrem Vaterlande sich nicht erfüllt habe: »La realtà non ha corrisposto come avremmo voluto a quelle nostre speranze giovanili. La *sintesi* tanto attesa non è venuta. La letteratura comparata non ha raggiunto, di fronte alle discipline più antiche e, in generale, di fronte al pubblico, quell'alto indiscusso prestigio di cui ai nostri occhi era degna. Specialmente in Italia.«[128] (Die Wirklichkeit hat unseren Jugendträumen nicht so entsprochen, wie wir es gewünscht haben, denn die allseits ersehnte Synthese hat sich nicht realisiert. Die vergleichende Literaturwissenschaft hat gegenüber den traditionellen Fächern und, ganz allgemein, gegenüber dem Publikum jenes hohe unbezweifelbare Ansehen, das ihr in unseren Augen zustand, nicht erreicht, besonders nicht in Italien.) Daß italienische Forscher sich der vergleichenden Literaturwissenschaft bisher nur sporadisch und ohne rechte Begeisterung gewidmet haben, ist vor allem dem nachhaltigen Einfluß Benedetto Croces zuzuschreiben, der am Anfang unseres Jahrhunderts der Komparatistik das Recht absprach, sich als methodologisch gesicherte akademische Eigendisziplin zu etablieren.

In der Tat gibt es heute in Italien keine eigens verwalteten Lehrstühle für vergleichende Literaturwissenschaft, während die »vergleichende« Forschung – vor allem auf die Wechselbeziehungen zwischen italienischer und angelsächsischer Literatur bezogen – durchaus nicht vernachlässigt wird.[129] Man denke nur an das umfangreiche Lebenswerk des römischen Anglisten Mario Praz und seiner Schüler.[130] Benedetto kennzeichnete die Sachlage recht genau, als er schrieb:

Se le cattedre non si sono moltiplicate nella misura desiderabile, sono state però create, in quasi tutte le facoltà letterarie, delle cattedre speciali per le principali letterature straniere. Esse ne hanno degnamente tenuto le veci. I professori di letterature straniere sono stati quasi tutti, particolarmente in Italia, dei comparatisti eccelenti (S. 133). (Auch wenn die Lehrstühle nicht in dem gewünschten Maß vermehrt wurden, so sind doch innerhalb der philologischen Fachrichtungen eigene Lehrstühle für die wesentlichen Literaturen des Auslandes geschaffen worden, die als vollgültiger Ersatz gelten dürfen. Die Lehrer für fremde Sprachen und Literaturen sind daher vor allem an den italienischen Hochschulen beinahe ausnahmslos vorzügliche Komparatisten gewesen.)

Einen Höhepunkt dieser komparatistischen Bestrebungen von Seiten der fremdsprachigen Philologien an den Universitäten der Halbinsel stellt der von Attilio Momigliano herausgegebene Sammelband *Letterature comparate* dar, der einen systematischen Überblick über die Geschichte des Verhältnisses der italienischen zur provenzalischen, französischen, spanischen, deutschen, skandinavischen und griechisch-römischen Literatur (sowie der italienischen Dialektliteratur!) geben will, ohne sich des näheren mit Forschungsstand und -aufgaben der Komparatistik zu befassen. Der Band bildet den Abschluß einer Reihe von Darstellungen zur Geschichte der italienischen Nationalliteratur und soll deren internationale *ambiance* ausloten. Momiglianos kurze Einführung schließt mit dem Hinweis, es sei Aufgabe des Sammelwerkes, nicht nur die Perspektive der Universitäts-Studenten zu erweitern, sondern auch den Gymnasiallehrern eine Möglichkeit zu geben, die Weltliteratur an ihre Schüler heranzutragen.[131] (Übrigens sei am Rande vermerkt, daß sich nur in Frankreich und Italien – und erst neuerdings in den Vereinigten Staaten – die beamteten Komparatisten mit dem Lehrplan und den Studienzielen der höheren Schulen ihres Landes befassen. So widmet Antonio Porta ein eigenes Kapitel seiner Monographie *La letteratura comparata nella storia e nella critica* dem »insegnamento della letteratura comparata« an italienischen Gymnasien).[132]

Durchlaufen wir kurz die sehr bewegte und schwer auf einen Hauptnenner zu bringende Geschichte der vergleichenden Literaturwissenschaft in Italien. Ebenso wie Goethes Begriff der Weltliteratur am Anfang der deutsch-französischen Bemühungen um eine übernationale Auffassung der europäischen Dichtung steht, tut dies in Italien Giuseppe Mazzinis Befürwortung einer *letteratura europea* oder *letteratura dei popoli*. Mazzini vertrat diese Ansicht in seiner 1829 verfaßten, in der Florentiner Zeitschrift *Antologia* erschienenen Abhandlung »D'una letteratura europea«, in der es heißt: »Esiste in Europa una concordia di bisogni e di desideri, un comune pensiero, un'anima universale, che avvia le nazioni per sentieri conformi ad una stessa meta. Dunque la letteratura – quando non voglia condannarsi alle inezie – dovrà inviscercarsi in questa tendenza, esprimerla, aiutarla: dovrà divenire europea«. (In Europa herrscht Einigkeit in den Wünschen und Bedürfnissen, es gibt eine gemeinsame Idee, ein

Weltprinzip, das die Nationen auf ähnlichen Wegen zu dem gleichen Ziel hinführen wird. Deshalb darf und muß sich die Literaturwissenschaft, will sie sich nicht selbst zur Sterilität verurteilen, in diese Tendenz einfügen, sie zum Ausdruck bringen und sie unterstützen: Sie muß europäisch werden.)

Mazzinis, dem Wesen nach romantisches, Ideal einer auf nationaler Grundlage aufgebauten europäischen Literatur und einer ihr angemessenen europäischen Literaturgeschichtsschreibung ließ sich nicht verwirklichen; denn nach dem Sieg des Positivismus im zweiten Viertel des Jahrhunderts ging es mit dem Idealismus der vorhergehenden Generation rasch zu Ende. Hinzu kam außerdem das erwachende Nationalgefühl der Italiener, das immer höhere Flammen schlug und den Paneuropäismus auf viele Jahrzehnte hinaus verdrängte. Franco Simone umschreibt die Lage nach 1848 wie folgt:

> Après la crise de 48, la culture italienne n'offrait plus aux aspirations du Risorgimento les ressources qui, jadis, sur la voie de l'unité et de la regénération nationales, avaient ému la pensée et dirigé l'action de tant d'hommes de mérite. Gagnée, par réaction, à un positivisme cru et reniant les grandes idées maîtresses de jadis, la nouvelle culture italienne en vint se former du réel une vision naturaliste, et à ne rechercher, en conséquence, que la matérialité des faits.[133]

In der Komparatistik ergab diese Betonung der »matérialité des faits« eine Entsprechung zu den stoffgeschichtlichen Bestrebungen Franz Kochs oder Gaston Paris' in der sogenannten Turiner Schule, als deren Gründer und Haupt Arturo Graf gilt.[134] Es ist durchaus kein Zufall, daß ein Produkt dieser Schule zum Anlaß für Croces massiven Angriff auf die vergleichende Stoffgeschichte diente.

Akademisch gesehen schlug die Stunde der Komparatistik in Italien 1861, als der führende Literaturhistoriker der zweiten Jahrhunderthälfte, Francesco de Sanctis, in seiner Eigenschaft als Minister für den öffentlichen Unterricht einen Lehrstuhl für vergleichende Literaturgeschichte an der Universität von Neapel gründen ließ. Sein erster Inhaber sollte der jungdeutsche Publizist Georg Herwegh werden, der aber dem ehrenvollen Ruf nicht Folge leisten konnte oder wollte. So blieb der Lehrstuhl unbesetzt, bis de Sanctis selbst sich seiner annahm. Er lehrte von 1871 bis 1875 in Neapel; und erst nach langer Pause vermochte ihn sein Lieblingsschüler Francesco Torraca mehr schlecht als recht zu ersetzen. Dessen Berufung erfolgte im gleichen Jahr, in dem sich Croce in seiner neuen Zeitschrift *La Critica* dazu anschickte, der Komparatistik »alten Stils« das Lebenslicht auszublasen.

Wie steht es aber mit de Sanctis' Ansichten über die vergleichende Literaturwissenschaft? Leider läßt sich diese Frage nicht eindeutig beantworten, zum Teil schon deshalb, weil de Sanctis (wie mancher andere italienische Literaturhistoriker[135]) kein systematischer Denker war oder sein wollte. Obwohl er selbst unter dem Einfluß Hegels stand, grauste ihm vor Systemen; und er bezeichnete sich wiederholt als einen Pragmatiker.[136] Dies hielt ihn aber nicht davon ab, sich gelegentlich theoretisch zu literaturwissenschaftlichen Fragen zu äußern.

Es ist – vom heutigen Standpunkt aus – paradox, daß der Altmeister der italienischen Komparatistik sein Hauptwerk (die *Storia della letteratura italiana*) ganz auf das Studium der eigenen Nationalliteratur beschränkte. Für ihn war es aber eine unumstößliche Tatsache, daß man den Geist derselben nur erfassen könne, wenn man mit ihr geschichtlich, geographisch, soziologisch und kulturell verwachsen sei: »E mio obbligo notare ciò che si muove nel pensiero italiano, perchè quello solo è vivo nella letteratura, che è vivo nello spirito« (zitiert bei Porta, S. 66). (Es gehört zu meinen Pflichten, das, was im italienischen Geistesleben vorgeht zu registrieren, denn Literatur lebt nur, wenn sie von einem lebendigen Geist getragen wird.)

Der Paradoxe gibt es im Leben und Schaffen von Francesco de Sanctis übergenug. So besteht etwa der italienische Gelehrte einerseits ausdrücklich auf der Eigenständigkeit des literarischen Kunstwerks, während er andrerseits ständig historisch-soziologische Momente ins Spiel bringt. Man versteht, wieviel Croces Theorie vom reinen Ausdruck dem Vorbilde dieses Forschers verdankt, wenn man dessen Aussagen Beachtung schenkt. So heißt es bei de Sanctis: »Un lavoro può avere questa o quella somiglianza con altri, ma è innanzi tutto se stesso. Un lavoro può proporsi il tale o tale esemplare, ma sopratutto deve essere esso il suo proprio modello«. (Ein Werk kann in diesem oder jenem Punkt einem anderen ähneln, aber in erster Linie ist das Werk es selbst. Ein Werk kann sich das eine oder andere Vorbild suchen, es muß jedoch vor allem sich selbst Modell stehen); und an anderer Stelle lesen wir: »Il comune non ci darà mai ragione del valore intrinseco di un lavoro, posto non in ciò che esso ha di comune col secolo, con la scuola, coi predecessori, ma in ciò che ha di proprio e di incomunicabile«.[137] (Die Gemeinsamkeiten werden uns niemals Auskunft über den eigentümlichen Charakter eines Werkes geben, da dieser nicht in den Dingen, die das Werk mit dem Jahrhundert, einer Schule oder den Vorläufern gemein hat, zum Ausdruck kommt, sondern in seiner Eigenheit und seiner Nicht-Übertragbarkeit.)

Stammen diese Thesen wirklich von demselben Mann, dessen Arbeitshypothese wie folgt umrissen werden konnte: »Si ripete tanto spesso che il de Sanctis fu un moralista, che avrebbe soffocato tutta la letteratura pura della storia d'Italia: in verità il De Sanctis aveva occhio sempre a questo suo termine, che una storia della letteratura non può non essere la storia morale del popolo in mezzo al quale è nata«.[138] (Man wiederholt so oft, de Sanctis sei ein Moralist gewesen, der die unverfälschte Darstellung der italienischen Geschichte unterdrückt habe; in Wirklichkeit hatte de Sanctis immer sein Ziel vor Augen: daß nämlich Literaturgeschichte zugleich nichts anderes als die Sittengeschichte jenes Volkes sein kann, welches die Literatur hervorgebracht hat.)

Wendet man de Sanctis' aus Einzelaussagen künstlich zusammengestoppelte Theorie auf die vergleichende Literaturwissenschaft an, so zeigt sich z. B., daß dieser Gelehrte davon überzeugt war, Vergleiche seien nur innerhalb einer Nationalliteratur (also zwischen Boccaccio und Dante oder Tasso und Ariost) möglich, weil nur hier ein einheitliches Bezugssystem gegeben sei. Hingegen verurteilte er schärfstens das Studium bloßer Parallelen (Analogien) im Stoff, in den Motiven und in den Charakteren, ganz gleich ob innerhalb einer einzelnen Literatur (wie bei Saint-Marc Girardins Vergleich von Corneilles Horace und Victor Hugos Triboulet) oder auf internationaler Basis (wie bei Schlegels Abhandlung über die zwei Phaedren.)[139] Er verachtete »l'arte di ribattezare un uomo dandogli il nome di un altro« und warnte seine Fachgenossen:

Voi dovete considerarmi le cose come sono in sè, nella loro individualità e non nei loro rapporti più o meno lontani e estrinseci. Questa critica a rapporti e a paralleli fa effetto como le antitesi ed i concetti: ti colpisce, ti sorprende, e, se vuoi, ti diletta anche, ma non tardi molto a scoprirvi di sotto il vacuo e il falso.[140] (Ihr müßt mir die Dinge betrachten wie sie an sich sind, als Individualitäten, und nicht mit Hilfe mehr oder weniger entfernter, äußerlicher Beziehungen. Diese auf Beziehungen und Parallelen basierende Kritik hat die gleiche Wirkung wie die Antithesen und die Geistesblitze: Sie beeindruckt, überrascht, vergnügt uns wohl auch; doch nicht lange, und wir entdecken darunter die ganze falsche Hohlheit.)

In der Geschichte der vergleichenden Literaturwissenschaft schwankt also das Charakterbild von de Sanctis insofern als dieser Gelehrte die Extreme des Analogie-Studiums und der materialistischen Stoffgeschichte verabscheute, zugleich aber den goldenen Mittelweg des Studiums wechselseitiger übernationaler Einflüsse unbetreten ließ. Methodologisch wäre die italienische Komparatistik, wenn sie seinem Vorbild gefolgt wäre, unweigerlich in eine Sackgasse geraten. Doch kümmerten sich die Vertreter der Turiner Schule wenig um die Mahnungen ihres neapolitanischen Kollegen und opferten weiter dem Geist des literarhistorischen Positivismus. Arturo Graf betrachtete es als seine vordringlichste Aufgabe, »nel vario e nel mutevole il conforme e il costante« aufzuspüren. Ihm folgten Simone Pucci, der sich im Jahre 1880 in Genua über die *Principi di letteratura generale italiana e comparata* verbreitete, sowie C. de Lollis, F. Toldo, der junge Farinelli und Torraca.

Es blieb Benedetto Croce vorbehalten, die Zwiespältigkeit der Anschauungen seines Vorgängers und Vorbildes de Sanctis durch eine monolithische, der vergleichenden Literaturwissenschaft feindliche

Auffassung zu ersetzen. Croce setzte sich mit der Komparatistik bei wechselnden Anlässen auf mancherlei Art so entschieden auseinander, daß er sie fast völlig atomisierte und ihrer Eigenart beraubte. Will man ihm Gerechtigkeit widerfahren lassen, so muß man freilich berücksichtigen, daß seine Ablehnung im Prinzip bei aller theoretischen Fundierung eine komparatistische Praxis ihrerseits durchaus nicht ausschloß, jedenfalls nicht in den neunziger Jahren des vorigen Jahrhunderts. Einer der gründlichsten Kenner des Croceschen Werkes, der amerikanische Gelehrte Gian N. Orsini, hat mit gutem Recht behaupten können: »[Croce] was a comparatist all his life. He started early, evidently inspired by the 19th century interest in comparative studies, and in his twenties (1892–1894) investigated the literary, intellectual, and social relations between Italy and Spain from the Middle Ages to the end of the 18th century«.[141]

Schon um 1894 brach sich allerdings bei Croce der Zweifel Bahn. So heißt es in einer aus diesem Jahr stammenden Abhandlung, die Parallelenjagd »non è lavoro per se stante, ma solo una delle forme che possono assumere, a volta a volta, l'esposizione e la valutazione dell'opera letteraria«.[142] (ist keine eigenständige Arbeit, sondern nur eine der Formen, die die Auslegung und Bewertung literarischer Werke von Mal zu Mal annehmen können). Und die vergleichende Methode nennt der Siebenundzwanzigjährige »un semplice strumento della ricerca storica« (ein einfaches Hilfsmittel der Geschichtsforschung), dazu bestimmt, »nell'integrare i dati frammentari della tradizione con l'aiuto di casi simili o analoghi che presentano forma più completa« (durch die Ergänzung fragmentarisch überlieferter Angaben mit Hilfe ähnlicher oder analoger, dafür vollständigerer Fälle) größere Zusammenhänge zu erschließen.[143]

Zur ersten direkten Konfrontation mit der vergleichenden Literaturwissenschaft kam es bei Croce erst nach 1900, und zwar aus Anlaß der Gründung von Woodberrys *Journal of Comparative Literature* und Kochs *Studien zur vergleichenden Litteraturgeschichte*. Am 27. August 1902 schrieb der junge Gelehrte an Karl Vossler:

> Sie werden von [Joel] Spingarn erfahren haben, daß in New York eine Zeitschrift für vergleichende Literaturwissenschaft erscheinen wird. Spingarn hat mir geschrieben, mich um einen Artikel zu bitten. Ich kann nicht verstehen, wie man aus der vergleichenden Literaturgeschichte eine Spezialität machen kann. Die Zeitschrift, die Max Koch herausgab, sollte eine Warnung sein. Als ob nicht jede ernsthafte literarische Untersuchung, jede erschöpfende kritische Arbeit mit Notwendigkeit vergleichend sein müßte, das heißt um die historische Situation des Kunstwerks innerhalb der Weltliteratur wissen müsste.[144]

Der archimedische Punkt liegt hierbei in der Erkenntnis, daß der Vergleich ein der Literaturwissenschaft nicht nur geläufiges, sondern sogar unentbehrliches Werkzeug ist und schon deshalb nicht Eckpfeiler einer Sonderdisziplin sein kann. Um diesen Punkt dreht sich auch der »La letteratura comparata« überschriebene kurze Aufsatz im ersten Jahrgang von *La Critica*, in dem sich Croce mit Kochs Begriffsbestimmung auseinandersetzt.[145] Zum Auftakt wird mit Nachdruck festgestellt: »La letteratura comparata è quella che si serve del *metodo comparativo*. Il metodo comparativo, appunto perchè è un semplice metodo di ricerca, nun può giovare a delimitare un campo di studii« (S. 77). (Die vergleichende Literaturwissenschaft bedient sich der *vergleichenden* Methode. Die vergleichende Methode kann eben aufgrund ihres Charakters als einfaches Forschungsinstrument nicht dazu taugen, das ganze Arbeitsfeld abzustecken.)

Was die von Koch gepriesenen Forschungsmethoden angehe, so seien diese »di mera erudizione, e non si prestano mai ad una trattazione organica« (reines Bildungsgut, sie eignen sich nicht für eine organische Interpretation.) Sie zielten nicht darauf ab, »a comprendere un'opera letteraria, non ci fanno penetrare nel vivo della creazione artistica« (ein literarisches Werk zu verstehen, sie lassen uns nicht in den Kern der künstlerischen Schöpfung eindringen); noch sei es ihre Absicht, »la genesi estetica dell'opera letteraria« oder den »momento creativo« festzulegen.[146] Stattdessen hielten sie sich an die »storia esterna dell'opera già formata (vicende, traduzioni, imitazioni, etc.), o un frammento del vario materiale che ha contribuito a formarla (tradizione letteraria)« (S. 78) (die äußere Geschichte des fertigen Werkes (Skandale, Übersetzungen, Nachahmungen etc.), oder an ein Teilstück aus den Stoffgebieten, die zu seiner Entstehung beigetragen haben (literarische Überlieferung) . . .). Vergleichende Literaturwissenschaft sei nur dann wünschenswert, wenn sie – wie Spingarn in seinem kurzen Beitrag zur Pariser Historikertagung angeregt hatte – eine historisch-ästhetische Analyse (etwa in der Form einer Weltliteraturgeschichte) beabsichtige (S. 80).

Schon im folgenden Jahr nahm Croce ein den Positivisten besonders ans Herz gewachsenes Thema der vergleichenden Literaturwissenschaft aufs Korn: die auch in manchen Fremdsprachen unter diesem Namen bekannte berühmt-berüchtigte Stoffgeschichte.[147] Der Vergleich verschiedener Behandlungen desselben Stoffes, so meint er, gehe von einer irrigen Voraussetzung aus, denn Voltaires Sophonisbe habe mit der des Trissino oder Alfieri nichts gemein. Jeder Dichter mache sich den von ihm gewählten Stoff zu eigen und assimiliere ihn, so daß man von Einflüssen im engeren Sinne nicht reden könne:

La critica, movendo a sua volta da Sofonisba, come del dato di fatto per esaminare le loro opere, non fa se non ripetere l'errore commesso da quei poeti che poetarono *invita Minerva*. ... Se il personaggio e la favola hanno ricevuto una nuova vita nello spirito del poeta, questa nuova vita è il vero personaggio e la vera favola: se non l'hanno ricevuta, ciò che sempre interessa è il conato, sia pure sterile, di nuova vita; non mai la presunta trattabilità, o il presunto modo ideale in cui il tema dovrebbe essere trattato (S. 486). (Wenn die Kritik ihrerseits von der

Sophonisbe als Basis für die Untersuchung jener Werke ausgeht, dann wiederholt sie nur den Irrtum jener Dichter, die *invita Minerva* sangen.... Wenn die Personen und das Thema durch die Vorstellungskraft des Dichters neues Leben erhalten haben, so bürgt dieses neue Leben für die Echtheit der Personen und des Themas; haben sie es dagegen nicht erhalten, dann bleibt doch immer das Interesse für den – vielleicht sterilen – Versuch, neues Leben zu inspirieren, bestehen, aber nicht für eine mutmaßliche Geschicklichkeit oder die Idealform, in der das Thema eigentlich zu behandeln sei.)

»Le lion est du mouton assimilé« sagte Paul Valéry, und schon Goethe hatte Ähnliches im Sinn, als er Eckermann gegenüber erklärte »man könne ebensogut einen wohlgenährten Mann nach den Ochsen, Schafen und Schweinen fragen, die er gegessen und die ihm Kräfte gegeben«.[148]

Croce schloß sich dieser Auffassung von ganzem Herzen an. Wo von Einflüssen die Rede sei, meinte er, denke man an die Literatur statt Dichtung *(poesia)*; nur Ideen – das Rohmaterial der Dichtung – ließen sich von Werk zu Werk, von Land zu Land und von Sprache zu Sprache verpflanzen.[149] Auch Übersetzung sei aus diesem Grunde nicht möglich, da sie unweigerlich am Kern des dichterischen Gebildes vorbeigehe. Wir werden dieser Auffassung – die die Vertreter des amerikanischen New Criticism von Croce übernahmen – im 3. Kapitel erneut begegnen.

Mit der radikalen Ablehnung positivistischer Stoff- und Motivgeschichte sowie aller mit dem Begriff des Einflusses operierenden Studien literarkritischer und -historischer Art war Croces Arsenal der gegen die Komparatistik als Wissenschaftszweig zu richtenden Waffen keineswegs erschöpft. Zu erwähnen wäre noch seine schon bei De Sanctis vorgeformte negative Beurteilung der Gattungspoetik. In Verbindung mit Croces Anspruch auf die Autonomie des Kunstwerks mußte die Einreihung einzelner Dichtungen in das Gefüge einer fest umrissenen Tradition vorgeformter literarischer Muster als rein äußerliches Hilfsmittel erscheinen, ohne daß über den Wert eines Dramas, Romans, Epos oder Gedichts Entscheidendes gesagt werden kann. – Schließlich ist, Croces wiederholt geäußerter Ansicht nach, »the influence of a writer on a foreign literature ... properly a part of the latter and not of the history of the former«[150]. (Hierin folgte ihm, wie wir sahen, Julius Petersen.)

Es wäre falsch zu behaupten, Croce habe es stets abgelehnt, die künstlerischen Monaden, auf deren Eigenart er so nachdrücklich bestand, in ein Verhältnis zu bringen. Um 1920 rang er sich sogar zu der Erkenntnis durch, die einzig wahre Literaturgeschichte sei die Geschichte der dichterischen Persönlichkeit. Der Historiker schloß also einen Kompromiß mit dem Ästhetiker. »The true logical form of literary and art history«, heißt es in einem von Orsini unter dem englischen Titel »The Reform of Literary and Art History« zitierten

Aufsatz, »is the characterization of the single artist and of his work, and the corresponding expository form is the essay or the monograph«.[151] Wie Franco Simone in seinem Überblick über die italienische Komparatistik bestätigt, gab diese Auffassung den Anstoß zu einer Reihe von monographischen Studien. Croce selbst machte mit seinem *Goethe* (1918) den Anfang.

Indem wir uns der Nachfolge Croces in der italienischen Literaturwissenschaft zuwenden, können wir nicht umhin, die »Bekehrung« des bedeutendsten italienischen Komparatisten der ersten Jahrhunderthälfte, Arturo Farinelli, zu erwähnen, dessen Name auch im deutschen Sprachbereich Klang hat. Farinelli lehrte von 1896 bis 1904 in Innsbruck und veröffentlichte komparatistische Studien wie *Deutschlands und Spaniens literarische Beziehungen* (1892-1895) und *Grillparzer und Lope de Vega* (1894) in deutscher Sprache. Er folgte 1907 einem Ruf nach Turin, wo er sich in zunehmendem Maße dem Studium der *littérature générale* widmete. 1916 erschien seine Abhandlung über das Thema *La vita è un sogno* und 1924 eine Darstellung von *Byron e il Byronismo*. Daneben vertiefte sich Farinelli in die Romantik der Germania und Romania.

Farinellis Hinwendung zur Monographistik erfolgte ziemlich abrupt um 1925. In einem *Il sogno di una letteratura mondiale* betitelten Aufsatz erklärte der Turiner Ordinarius, daß »per la letteratura che non è di effetto e di parole, il mondo più vasto, l'unico mondo è il cuore dell'individuo«;[152] (die weiteste, die einzige Welt für eine Literatur, die nicht auf Effekthascherei und Schlagworte aus ist, liegt im Herz des Einzelnen). Und fünf Jahre später verkündete er die neue Heilslehre in seinem Beitrag zur Festschrift für Fernand Baldensperger:

> Bisognerà, in ogni nostro giudizio o apprezzamento, ricadere nel dominio interiore e non dare mai eccessivo valore agli influssi, come di forza determinante o sconvolgente, persuasi che solo nell'intima vita e nei secreti accordi dell'anima si svolgono i destini della poesia e dell'arte.[153] (Bei jeder Beurteilung oder Bewertung unsererseits werden wir uns auf den innersten Bereich beschränken müssen und den Einflüssen als bestimmender oder gar revolutionärer Kraft keine allzu große Bedeutung beimessen, da wir überzeugt sind, daß nur die Psyche und die geheimen Harmonien der Seele für das Schicksal von Dichtung und Kunst ausschlaggebend sind.)

Er selbst schrieb in der Folge Monographien über Shakespeare, Michelangelo, Petrarca, Leopardi, Goethe und Mozart.

Mit Farinellis Tod kam die vergleichende Literaturwissenschaft als solche in Italien ins Stocken, wenn auch Gelehrte wie Mario Praz, Gian N. Orsini, Franco Simone und Carlo Pellegrini sich in ihren Arbeiten immer wieder über die Grenzen der Nationalliteratur hinwegsetzen.[154] Pellegrini gründete 1946 zusammen mit Vittorio Santoli die *Rivista di letterature moderne*, die seit dem achten Jahrgang

(1955) den Titel *Rivista di letterature moderne e comparate* trägt, ohne daß diese Namensänderung von den Herausgebern näher begründet würde. In ihrem Organ soll die Literatur vom europäischen Standpunkt aus betrachtet werden, wie der folgende Auszug aus dem programmatischen Vorwort zeigt:

Abbiamo voluto intitolare il nostro *Rivista di letterature moderne* per desiderio di chiarezza: in realtà avremmo potuto chiamarlo anche più semplicemente *Rivista di letteratura*, convinti come siamo che esista una sola letteratura, quella mondiale, che si esprima di necessità in differenti linguaggi e in modi diversi, ma che per questo non cessa dall'essere fondamentalmente una. ... L'Europa è un concetto culturale, una mentalità, un ethos, certe forme artistiche e moduli espressivi. ... Per questo dalla nostra rivista saranno bandite categorie e distinzioni artificiose. (Wir haben aus dem Wunsch nach Klarheit heraus unser Organ *Rivista di letterature moderne* genannt: tatsächlich hätte es genauso gut schlicht *Rivista di letteratura* heißen können, sind wir doch überzeugt, daß nur eine Literatur, nämlich die Weltliteratur existiert, die sich notwendig in verschiedenen Sprachen und Formen äußert, die aber im Grunde doch nur eine einzige Literatur darstellt. ... Europa beinhaltet einen Kulturbegriff, eine Mentalität, ein Ethos, bestimmte Kunst- und Ausdrucksformen. ... Deshalb werden aus unserer Zeitschrift künstliche Kategorien und Einteilungen verbannt.)

Im Zuge des wissenschaftlichen Wiederaufbaus im Italien der Nachkriegsjahre plädierte L. F. Benedetto 1948 nicht nur für eine Reintegrierung des Studiums der Nationalliteraturen, sondern auch für die Verknüpfung der literarhistorischen mit der literarkritischen Methode: »Perchè une letteratura comparata possa fiorire, perchè une *Storia generale della letteratura* diventi possibile, bisogna che l'equivoco sia dissipato e che si radichi nella coscienza comune l'apparente truismo che *Critica letteraria* e *Storia letteraria* sono due discipline distinte, ugualmente legittime«.[155] (Damit eine vergleichende Literaturwissenschaft blühen kann, damit eine *Allgemeine Literaturgeschichte* überhaupt möglich wird, müssen Mißverständnisse ausgeräumt werden; im Bewußtsein aller muß sich festsetzen, daß *Literaturkritik* und *Literaturgeschichte* zwei verschiedene, gleichermaßen legitime Fachrichtungen sind.)

Im Wintersemester 1949/50 organisierte Antonio Porta an der Mailänder Università Bocconi den ersten und in der Geschichte der italienischen Hochschulen einzig dastehenden komparatistischen *corso* von vier Vorlesungen zur europäischen Literatur. Eine kritische Beschreibung dieser Vorlesungsreihe findet sich in der Druckfassung der methodologischen Einführungsvorlesung, die unter dem Namen *La letteratura comparata nella storia e nella critica* erschien.[156] Leider änderte Portas ernsthafte Bemühung nichts am *status quo*, und die italienische Komparatistik verfiel wieder in ihren gewohnten Dornröschenschlaf, aus dem sie 1956 bei Gelegenheit des in Venedig tagenden ersten Kongresses der internationalen Spitzenorganisation nur vorübergehend erwachte.

Die während des Kongresses verlesenen Referate behandelten das Thema »Venedig in der Literatur«, was damals methodologisch einen Rückfall in die Stoff- und Motivgeschichte bedeutete und weder direkt noch indirekt auf die inzwischen stattgefundene Neuorientierung schließen ließ. Die kurze Ansprache, die der Rektor der Universität Venedig, Italo Siciliano, zur Eröffnung des Kongresses hielt, beweist in ihrem Ton und ihrer Anlage, daß eine Renaissance der vergleichenden Literaturwissenschaft in Italien nicht zu erwarten stand.[157] Im Gegensatz zu ihren französischen, amerikanischen und japanischen Kollegen scheinen sich die italienischen Forscher wirklich Croces spöttische Mahnung aus dem Jahre 1907 zu Herzen genommen zu haben:

La solennità con la quale si suole appiccicare la qualifica *comparativo* a gruppi più o meno organici di cognizioni, di discutibile consistenza scientifica, non è ancora passata di moda, e molto ce ne vorrà perchè passi. Chi farà la storia della cultura di questo secolo dedicherà uno dei più gustosi capitoli alla mania delle *scienze nuove*, che non sono poi nè nuove nè scienze.[158] (Die Feierlichkeit, mit der man das Etikett *vergleichend* mehr oder weniger organischen Wissenszweigen fragwürdiger wissenschaftlicher Fundierung zu verleihen pflegt, ist noch nicht ganz außer Mode gekommen und bis zu ihrem gänzlichen Verschwinden wird noch einige Zeit vergehen. Wer einmal die Kulturgeschichte dieses Jahrhunderts schreibt, wird wohl eines der ergötzlichsten Kapitel der Sucht nach *neuen Wissenschaften* widmen, die letzlich weder neu noch Wissenschaften sind.)

## 6. Die anderen Länder

Den ausführlichen Einzeldarstellungen über die Geschichte der vergleichenden Literaturwissenschaft in Frankreich, Deutschland, den Vereinigten Staaten, England und Italien soll – der Vollständigkeit halber – eine skizzenhafte Übersicht über die Entwicklung unserer Disziplin in anderen Ländern Europas und der übrigen Weltteile folgen. Von den skandinavischen Staaten hat nur Dänemark im Anschluß an die großartige literarhistorische Leistung von Georg Brandes eine bescheidene komparatistische Tradition aufzuweisen. Sie wurde besonders von dem kürzlich verstorbenen Paul Krüger an der Universität Aarhus gepflegt, der es sich zur Aufgabe machte, den Briefwechsel seines großen Landsmannes herauszugeben.[159] Ihr Hauptvertreter ist heute wohl Professor Billeskov Jansen in Kopenhagen, wo auch die zwar nicht strikt komparatistische, aber weltoffene Zeitschrift *Orbis Litterarum* erscheint. Während Norwegen und Finnland auf der Weltkarte der vergleichenden Literaturwissenschaft kaum zu finden sind, fehlt es an mehreren schwedischen Universitäten (besoendrs in Upsala) nicht an guten Beispielen.

Von den Benelux-Staaten spielt organisatorisch Holland eine wichtigere Rolle als das zweisprachige Belgien. Es besitzt im Institut für vergleichende Literaturgeschichte der Utrechter Reichsuniversität (1948 von Smit und Sparnaay gegründet und jetzt von J. Brandt Corstius geleitet) einen akademischen Schwerpunkt von übernationaler Bedeutung. Dieses Institut, dem ein Institut für allgemeine Literaturwissenschaft angeschlossen ist (ihm steht H. P. H. Teesing vor), hat sich besonders durch die Herausgabe der *Utrechtse Publikaties voor Algemene Literatuurwetenschap*[160], der durch sie ersetzten *Regesten* und der 1961 eingestellten Bibliographie komparatistischer Arbeiten aus dem flämisch-niederländischen Sprachraum verdient gemacht. Es ist aktiv an der Vorbereitung des von der AILC/ICLA geplanten terminologischen Wörterbuchs beteiligt. Auch in Amsterdam und Groningen wird im Rahmen des Studienbetriebs komparatistisch gearbeitet. Inhaber des Amsterdamer Lehrstuhls ist jetzt J. Kamerbeek, Jr., ein bisheriger Mitarbeiter von Brandt Corstius.

Als eigentlicher Pionier der vergleichenden Literaturwissenschaft in den Niederlanden gilt allgemein William de Clercq (1795–1844), der 1824 eine Studie über den Einfluß der ausländischen Literaturen auf das niederländische Schrifttum veröffentlichte.[161] – Im flämischen Teile Belgiens wurde die Komparatistik 1922 zur Wissenschaft von Frank Baur erhoben, der auf dem Leidener Philologenkongreß eine allerdings erst 1927 gedruckte Rede zur Methodenlehre dieses Forschungszweiges hielt. Baur unterteilte die vergleichende Literaturwissenschaft in vier Sachgebiete – die Krenologie, die Doxologie, die Genologie und die Thematologie –, ein Verfahren, das terminologisch von Van Tieghem in seinem Kompendium *La Littérature comparée* gutgeheißen wurde. Zwar gibt es keine komparatistischen Lehrstühle im heutigen Belgien; doch dürfen Walter Thys (Ghent) und – im französischen Sprachsektor – Roland Mortier (Brüssel) als Felsen in der Brandung gelten.[162]

Als akademisches Lehrfach ist die vergleichende Literaturwissenschaft auf der iberischen Halbinsel sowie in Mittel- und Südamerika noch heute so gut wie unbekannt. Historisch gesehen bietet sich die Erklärung an, daß in Spanien die neuphilologischen Disziplinen erst in den zwanziger Jahren unseres Jahrhunderts offizielle Anerkennung erfuhren und dort noch immer stiefmütterlich behandelt werden. So war auch die Anzahl der im spanisch und portugiesisch sprechenden Teil der Welt erscheinenden literaturhistorischen und literarkritischen Fachzeitschriften bis vor wenigen Jahren sehr gering; erst in allerletzter Zeit setzt hier ein Umschwung ein.

Die zeitlich früheste Auseinandersetzung mit der Methodenlehre der vergleichenden Literaturwissenschaft in der Iberia datiert – soweit uns bekannt – aus dem Jahre 1912, als Fidelino de Figueiredo sein Buch *A Critica litteraria como sciencia* veröffentlichte. In dem Unterabschnitt »Litteratura comparada e critica de fontes« setzt sich der portugiesische Gelehrte mit der Komparatistik auseinander, wobei er sich der Meinung Croces anschließt, der Vergleich sei eine aller Literaturkritik immanente Technik und eine eigene Wissenschaft lasse sich auf dieser Verfahrensweise nicht aufbauen. Doch empfahl Figueiredo die Ausdehnung literarischer Studien auf die allgemeine Literatur- und Ideengeschichte.[163] Die gleiche Meinung vertrat er zwei Jahrzehnte später in der Studie *Pyrene. Ponto de vista para uma Introducção á História Comparada das Literatuaras Portuguesa e Espanhola*,[164] wo es auf S. 12 heißt:

A literatura comparada – repito o que afirmava já em 1912 – não tem um método próprio, porque repete o método normal da história literária, coisa por si muito aleatória; apenas extende as suas investigações a um campo mais vasto, transpondo na perseguição das causas dos fenómenos as fronteiras nacionais, à busca de influências externas; é apenas um alargamento do quadro dos estudos.

Neuerdings macht sich im portugiesischen Sprachraum der Einfluß Wolfgang Kaysers geltend.

Abgesehen von mehreren Gelehrten spanischer Abstammung, die heute an amerikanischen Universitäten tätig sind, – so Claudio Guillen und Bernardo Gicovate[165] – gibt es kaum Nachfolger Figueiredos, obwohl in Mexiko (Antonio Alatorre) und Chile Institute für vergleichende Literaturwissenschaft existieren und in Argentinien Guillermo de Torre wirkt. Doch wird an dem von Roque Esteban Scarpa geleiteten *Centro de Investigaciones de Literatura Comparada* der Begriff so weit gefaßt, daß Monographien über einzelne Dichter und Schriftsteller (Thomas Mann, T. S. Eliot, Eugenio Montale usw.) als komparatistisch gelten. Wie wenig Gedanken man sich um die methodologischen Grundlagen unserer Wissenschaft zumindest in Südamerika macht, geht aus einem fälschlich *Literatura comparada en Hispanoamerica* betitelten Aufsatz von Estuardo Nuñez in *CLS* hervor, der sicher nicht vereinzelt dasteht.[166] Spanien, Portugal und ihre amerikanischen »Provinzen« sind fachlich also noch immer Neuland.

Die äußerst verwickelte und durch neue politische Verwicklungen immer wieder unterbrochene Geschichte der vergleichenden Literaturwissenschaft in Osteuropa auf wenigen Seiten im Abriß darstellen zu wollen, ist verlorene Liebesmüh. Trotzdem muß im Rahmen unserer Übersicht der Versuch gemacht werden. Zunächst einmal sei darauf hingewiesen, daß bei der Vielzahl von miteinander verwandten, aber doch selbständigen slawischen Sprachen selbst innerhalb eines der geographischen Ausdehnung nach so riesenhaften Landes wie Rußland die Anwendung der vergleichenden Methode literatur- und sprachwissenschaftlich *de rigueur* ist. Es ist auch wiederholt versucht worden, die slawischen Literaturen in ihren Wechselbeziehungen darzustellen, so letzthin von Dimitri Tschichevsky und Roman Jakobson.[167]

Andrerseits stieß die Darstellung des Verhältnisses der slawischen zu den westlichen Literaturen schon deshalb häufig auf staatlich gelenkten Widerstand, weil die sogenannten Einflüsse dabei meistens einseitig (d. h. von Westen nach Osten gerichtet) waren, wenigstens insofern als das russische Schrifttum vor der Mitte des 19. Jahrhunderts in Frage kam. Entweder leugnete man kurzerhand das Bestehen solcher Einflüsse, oder man berief sich auf die soziologisch-anthropologisch orientierte Lehre vom Stadialismus, der zufolge Einflüsse durch Parallelen ersetzt werden:

The idea of »development« as a circle or a series of self-repeating circles has led Veselovsky's followers to the theory of so-called stadialism, according to which literary facts are considered regardless of their genesis, their historical environment, their chronology and their locale, but merely with reference to their »analogousness«. Stadialism as applied to literature implies parallel cyclical development without borrowing.[168]

War so – selbst bei Vorhandensein eines Moskauer Gorki-Instituts für Weltliteratur – der slawischen Komparatistik im westlichen Sinne noch nach Stalins Tod zunächst der Boden entzogen, so setzte (hauptsächlich durch ungarische Initiative) um 1960 auch in Osteuropa eine neue Entwicklung ein. Schon ein Jahr nach dem Utrechter Kongreß fand in Budapest eine Tagung statt, deren Thema das vergleichende Studium der Nationalliteraturen der kommunistischen Länder war und zu der auch einige westliche Forscher geladen waren. Die Referate, die bei dieser Konferenz verlesen wurden, faßte I. Söter von der Ungarischen Akademie der Wissenschaften in einem von ihm herausgegebenen Bande zusammen, dessen Inhalt im Westen viel Beachtung fand.[169]

Die organisatorische Tat der Ungarn blieb nicht ohne Folgen. So überreichte anläßlich der Fribourger AILC/ICLA-Tagung die ungarische Delegation einen *Littérature hongroise, littérature européenne* benannten Sammelband,[170] und Ende 1966 berief die Deutsche Akademie der Wissenschaften in Ostberlin die schon erwähnte Tagung, deren Ergebnisse inzwischen im Druck vorliegen. Trotz einiger unliebsamer und durchaus vermeidbarer Zwischenfälle kam es bei der Belgrader Konferenz im August/September vergangenen Jahres zur – hoffentlich nicht provisorischen – Schließung einer *entente cordiale* zwischen Ost und West. Die Anwesenheit einer stattlichen Delegation aus der Sowjetunion unter Führung der Altmeister Viktor Schirmunsky und M. Alexejew (ihr gehörten auch Vertreter des Leningrader Puschkin-Museums – einem zweiten sowjetischen Zentrum komparatistischer Forschung – an) trug dazu bei, der Tagung epochemachenden Charakter zu verleihen. Das von der Ungarischen Akademie der Wissenschaften vorgeschlagene und von ihr betreute Projekt einer umfassenden Geschichte der Literatur, das in Belgrad in die Wege geleitet wurde, beschränkt sich zwar auf die in den europäischen Sprachen verfaßte Dichtung, ist aber als sichtbarer Ausdruck eines neuen komparatistischen Gemeinschaftsgeistes gar nicht hoch genug einzuschätzen.

Indem wir vom Allgemeinen zum Besonderen vorstoßen, dürfen wir wenigstens einen Blick auf die Geschichte der vergleichenden Literaturwissenschaft in Rußland und Ungarn werfen, während wir uns bei den anderen osteuropäischen Staaten (Jugoslawien, Rumänien, Polen, Bulgarien und der Tschechoslowakei) auf bibliographische Angaben beschränken müssen. Als Vater der Komparatistik in Rußland gilt Alexander Wesselowsky, der, von 1838 bis 1906 lebend, seit 1870 in Petersburg einen Lehrstuhl für allgemeine Literatur innehatte.[171] Seine in die Zukunft weisende wissenschaftliche Leistung wird von Werner Krauss wie folgt gewürdigt:

> In seiner *Vergleichenden Poetik* wollte Wesselowsky die Entwicklung aller Literaturen umfassen. Dabei rücken durch ihre innere Gesetzlichkeit, hinter der letzten Endes gemeinsame soziale Voraussetzungen stehen, auch in der Zeit und im Raum unverbundene Erscheinungen zueinander. So stellt Wesselowsky die Poesie der alten Germanen, die archaische Poesie der Hellenen, der Indianer nebeneinander. Ilias und Kalewala, Beowulf und altabessinisches Balaylied plazieren sich in dieselbe Reihe. Zur Ausführung seines gewaltigen Plans mußte sich Wesselowsky eine Vorstellung von der Typik des Verlaufs der menschlichen Gesellschaftsentwicklung machen, und zu diesen einzelnen Stadien suchte er die dazugehörigen typischen Darstellungen und Dichtungsformen.[172]

Die von den Schülern Wesselowskys – namentlich von Schirmunsky – postulierte Theorie des Stadialismus wurde zwar, wie der Formalismus, in der ersten Phase der Sowjetherrschaft stillschweigend sanktioniert, war aber in den dreißiger Jahren heftigen Angriffen von seiten des Parteiapparats ausgesetzt. Schirmunsky, der in seinen Büchern über Byron und Puschkin und über Goethe und die russische Literatur die Rezeptivität, d. h. die passive Rolle Rußlands im Wechselspiel der literarischen Kräfte beschrieben hatte, sah ein wahres Scherbengericht über sich hereinbrechen. Den Stadialisten wurde vorgeworfen, ihre Theorie sei fatalistisch und pessimistisch, setze eine endlose Wiederkehr des Gleichen voraus und wisse weder den historischen Fortschritt der Menschheit noch die nationalen Eigenheiten zu erklären.

Gleb Struve, der in einer Reihe von Aufsätzen im *Yearbook of Comparative and General Literature* den Versuch macht, nachzuweisen, wie es der vergleichenden Literaturwissenschaft in der jüngsten Phase der russischen Geschichte erging, zerlegt dieselbe in vier Abschnitte:

> 1) a period of relative freedom, approximately from 1917 through 1929, when it was not necessary for a literary scholar to be a Marxist ... 2) the second period, which covered the thirties and, on the whole, lasted through the war years ... and which was characterized by so-called Socialist Realism in literature ... and by the

growing insistence on compliance with the strict Marxist doctrine where literary scholarship was concerned. ... 3) the third period, which was inaugurated by the famous resolution of the Central Committee of the Communist Party in 1946, which emphasized the necessity of rooting out the relics of bourgeois mentality in Soviet literature, and more particularly the spirit of »servility before the capitalist West«.[173]

Wie Struve im ersten Nachtrag feststellt, begann der vierte Abschnitt im Jahre 1955 mit dem Einsetzen des sogenannten Tauwetters. Im Zuge dieser Entwicklung kam es sehr bald zur Rehabilitierung Wesselowskys und Schirmunskys; und 1959 wurden die mit dem vergleichenden Studium der Literatur verknüpften Grundsatzfragen bei einer im Gorki-Institut für Weltliteratur abgehaltenen Tagung unter sieben verschiedenen Gesichtspunkten erörtert.[174] Damit war auch in den anderen Ostblock-Ländern der Anstoß zur Neubesinnung gegeben. Dabei ist das Tempo der im Bereich der Literaturgeschichte stattfindenden Entwicklung in den einzelnen osteuropäischen Ländern recht verschieden. Nur in Jugoslawien sind systematisch Lehrstühle für die vergleichende Literaturwissenschaft geschaffen worden, während in Bulgarien, Rumänien, Polen und der Tschechoslowakei immer noch zögernd vorgegangen wird.[175] Auf die Lage der Deutschen Demokratischen Republik haben wir schon hingewiesen. Ungarn nimmt in diesem Zusammenhang insofern eine Sonderstellung ein, als es kulturhistorisch dem Westen jahrhundertelang näherstand als dem Osten.[176] So nimmt es nicht wunder, daß schon 1877 in Klausenburg eine komparatistische Zeitschrift erscheinen konnte, die allerdings 1888 – also zwei Jahre nach der Gründung von Kochs *Zeitschrift für vergleichende Litteraturgeschichte* – ihr Erscheinen einstellte.[177]

Herausgeber der polyglotten *Acta Comparationis Litterarum Universarum* war Hugo Meltzl de Lomnitz (1846–1908), ein gebürtiger Transylvanier, der als Kind deutsch, ungarisch und rumänisch sprach und später zusätzlich klassische, slawische und germanische Sprachen erlernte. Er studierte in Leipzig und Heidelberg und wurde 1873 Professor für deutsche Sprache und Literatur in Klausenburg. Seine Zeitschrift war auf dem Glauben gegründet, »eine Menschenrace, und wäre sie politisch noch so unbedeutend, [sei] und [bleibe] darum vom vergleichend-literarischen Standpunkt immerhin so wichtig als die größte Nation« (I, 311). Literarisch gesehen hieß das aber, daß »vom vergleichend[en] Standpunkt sogar die Wichtigkeit einer Literatur auf Kosten der anderen vollständig auf[hört]; sie sind alle gleich wichtig, ob sie denn europäische oder nicht europäische ... sein mögen« (II, 496). Kein Wunder, daß bei dieser, bis ins neunzehnte Jahrhundert zurückreichenden Tradition Ungarn auch heute in der vergleichenden Literaturwissenschaft eine Rolle spielt und im Budapester, der Ungarischen Akademie der Wissenschaften angeschlossenen und von G. M. Vajda geleiteten Institut de Littérature Comparée eine der bedeutendsten Einrichtungen dieser Art besitzt. Seine Mitglieder entfalten eine lebhafte publizistische Tätigkeit.

Von den bisher nicht behandelten Erdteilen verdient allein Asien in der Geschichte unserer Disziplin einige Aufmerksamkeit. Im Fernen Osten ist es vor allem Japan, dessen wissenschaftlicher Beitrag uns angeht, obwohl jetzt auch Südkorea eine eigene Fachorganisation besitzt. Wie Saburo Ota, der Vorsitzende des japanischen Komparatistenverbandes (Nihon Hikaku Bungaku Kai), ausführt, war das Studium der Nationalliteratur seines Vaterlandes im Grunde schon immer komparatistisch, da die Klassiker stets in ihrem Verhältnis zu den chinesischen Vorbildern betrachtet wurden: »This was a primitive stage of comparative study in Japan, as [the Japanese scholars] had no systematic method or academic principles and did not distinguish between comparison and parallelism«.[178]

Mit der Methodologie der französisch verstandenen *littérature comparée* wurde man in Japan erst durch die Übersetzung von Van Tieghems Handbuch im Jahre 1943 vertraut, obgleich die Bücher von Posnett und Loliée schon seit Jahrzehnten zugänglich waren und der Begriff der Weltliteratur in den dreißiger Jahren in Umlauf kam. Das Ende des zweiten Weltkrieges brachte nach der Ausmerzung des japanischen Imperialismus den Neubeginn komparatistischer Bestrebungen. 1948 wurde der obengenannte Verband, dem heute ca. 600 Mitglieder angehören und der sowohl das *Hikaku Bungaku* genannte Jahrbuch als auch eine Vierteljahresschrift herausgibt, ins Leben gerufen. Eigentlich komparatistische Vorlesungen werden jedoch nur an einigen wenigen japanischen Universitäten gehalten, und die Zahl der Studenten, die die vergleichende Literaturwissenschaft als Hauptfach belegen, ist verhältnismäßig gering.

Solange die komparatistische Forschung in Japan dem Positivismus der orthodoxen Pariser Schule zusprach, beschäftigte sie sich fast ausschließlich mit den westlichen Einflüssen, denen die einheimische Literatur in der Meiji-Epoche (1868–1912) ausgesetzt war. Sie richtete ihre Aufmerksamkeit vor allem auf die zahlreichen Übersetzungen aus den westlichen Kultur-Sprachen, die damals angefertigt wurden, und erfaßte diese sowohl bibliographisch als auch statistisch.[179] Daneben befaßte sie sich mit Quellenkunde und Rezeptionsgeschichte. Eine der russischen Entwicklung parallel laufende nationalistische Reaktion war letzten Endes unvermeidlich:

Besides, there is a good reason for such antipathy to comparative literature among scholars of Japanese literature. Some students of comparative literature are inclined to emphasize Western influences so much that they end in saying that modern Japanese literature is nothing but a sheer imitation of Western literature. Such opinions have caused serious disputes among scholars and have given a bad reputation to comparative literature in Japan.[180]

In den letzten Jahren macht sich auch in Japan der Einfluß der liberalen amerikanischen Auffassung immer stärker geltend; und es steht zu hoffen, daß auch im Land der aufgehenden Sonne in Zukunft Gesichtspunkte der Art, wie sie René Etiemble in seinem Buch *Comparaison n'est pas raison* zur Diskussion stellt, weitgehend berücksichtigt werden.

In Indien ist die Komparatistik heute noch rudimentär. Bis vor etwa zwei Jahren war sie akademisch (und wohl auch forschungsmäßig) auf eine 1956 gegründete, unter der Leitung von Buddhadeva Bose stehende Abteilung an der Jadavpur-Universität in Kalkutta beschränkt[181], und nur der Initiative des kürzlich von einer Informationsreise durch Europa und die Vereinigten Staaten zurückgekehrten Direktors des Seminars für indische Sprachen und Literaturen an der Universität von Neu Delhi, R. K. Das Gupta, ist es zu verdanken, daß man sich in diesem mittelöstlichen Lande auch wissenschaftlich mit den Wechselbeziehungen befaßt, die zwischen den auf Hindi, Bengalisch und Tamil geschriebenen Werken bestehen.

Auch in den arabischen Staaten ist es, was die vergleichende Literaturwissenschaft anbetrifft, erst nach dem Zweiten Weltkrieg zu bescheidenen Ansätzen gekommen. Zwar gibt es seit Jahrzehnten in Ägypten – und neuerdings auch in Algerien – Forscher, die ihre (zum Teil komparatistische) Ausbildung an der Sorbonne erfahren haben; doch scheint erst jetzt der geeignete Zeitpunkt zur Gründung entsprechender Lehrstühle gekommen zu sein.[182] Auch hier ist ein Wechsel der Perspektive zu erwarten, da bis vor kurzem das Augenmerk fast gänzlich auf den Einfluß der westeuropäischen Literatur auf die arabische (also auf die Geschichte der letzten fünfzig oder fünfundsiebzig Jahre) gerichtet war. Erst wenn der bedeutende arabische Beitrag zur Weltliteratur in das Forschungsprogramm der arabischen Hochschulen aufgenommen wird, wird sich die vergleichende Literaturwissenschaft auch in diesem Teil der Welt akademisch durchsetzen.

Mit diesem Hinweis auf die nah-, mittel- und fernöstliche Entwicklung der vergleichenden Literaturwissenschaft beschließen wir den historischen Teil unserer Darstellung und wenden uns den systematischen Kapiteln über die Methodologie unseres Sonderfaches zu, deren es bei der gegenwärtig in Deutschland noch herrschenden terminologischen Unsicherheit dringend bedarf.

Drittes Kapitel

# »Einfluß« und »Nachahmung«

Als Schlüsselbegriff aller komparatistischen Forschung muß unbedingt derjenige des Einflusses gelten, da er, seiner Natur nach, das Vorhandensein zweier Produkte voraussetzt: des Werkes, von dem er ausgeht, und desjenigen, auf das er wirkt. Methodologisch besteht – das braucht kaum betont zu werden – ein Unterschied zwischen dem Studium von Einflüssen innerhalb einer Nationalliteratur und solchen, die die Landesgrenzen überschreiten, nur insofern als es sich bei letzteren zumeist um in verschiedenen Sprachen abgefaßte Dichtungen handelt.

Nach Ihab H. Hassans Meinung ist leider im literaturwissenschaftlichen Betrieb allgemein »the concept [of influence] called upon to account for any relationship, running the gamut of incidence to causality, with a somewhat expansive range of intermediate correlations«.[1] Besonders in amerikanischen Fachkreisen stand diese, jedenfalls für die vergleichende Literaturwissenschaft lebenswichtige Frage in den letzten Jahren wiederholt im Brennpunkt des Interesses. An der langen und teilweise sehr hitzig geführten Debatte beteiligten sich außer Hassan Gelehrte wie Anna Balakian, Haskell Block, Claudio Guillen und Joseph T. Shaw.[2] Sie fand mit einem anläßlich der ersten Tagung des amerikanischen Komparatistenverbandes abgehaltenen Symposium ihren vorläufigen Höhepunkt und Abschluß.[3] Wir werden uns im folgenden mit den Ansichten der eben genannten Forscher auseinandersetzen, um eine Klärung des Begriffs herbeizuführen.

Um methodologischen Verwicklungen möglichst vorzubeugen, wollen wir zunächst einmal davon absehen, daß vielfach der Ausstrahler *(emitter, émetteur)* und Empfänger *(receiver, récepteur)* eines literarischen Einflusses nicht in direktem Kontakt stehen, sondern durch Mittelsmänner *(transmitters, intermediaries, transmetteurs)* in der Person von Übersetzern, Rezensenten, Kritikern, Gelehrten oder Reisenden oder durch Bücher und Zeitschriften miteinander in Berührung gebracht werden können. Die hier ausgesparte Funktion des Mittlers wird im nächsten Kapitel, wenn auch nur flüchtig, zu bestimmen sein. Erwähnt seien immerhin zwei Beispiele, die dazu dienen mögen, die Aufmerksamkeit des Lesers auf die Tatsache zu lenken, daß es sich bei Einflüssen keineswegs immer um einfache Verhältnisse von Ursache und Wirkung handelt.

J. T. Shaw nennt Mikhail Lermontow einen Dichter, der das Modell der Byronischen Verserzählung von Puschkin übernommen, zusätzlich aber auf Byron selbst zurückgegriffen habe, um die von seinem Landsmann übersehenen oder verworfenen Eigenheiten des Engländers für sein Werk nutzbar zu machen. Byrons Einfluß auf Lermontow war also zweifacher Art. Diese Beobachtung veranlaßt den amerikanischen Gelehrten zu folgenden Überlegungen:

> One of the most complex problems in the study of literary influence is that of direct and indirect influence. An author may introduce the influence of a foreign author into a literary tradition, and then, as in the case of the Byronic tradition in Russia, it may proceed largely from the influence of the native author. But as the tradition continues, it may be enriched by another native author going back to the foreign author for materials or tonalities or images or effects which were not adopted by the first author (*S/F*, S. 68).

Am Beispiel Benjamin Franklins und seiner Sammlung von moralisierenden Gemeinplätzen, *Poor Richard's Almanac* zeigt außerdem A. O. Aldridge, daß »one author may be influenced by parts of another's work without being aware of his predecessor as an artist or of the totality of his work« (Symposium, S. 146). Einige der im Almanach enthaltenen Maximen stammen nämlich aus der Feder La Rochefoucaulds, ohne daß im einzelnen nachzuweisen wäre, ob Franklin dieselben direkt von dem französischen Aphoristiker übernahm oder seine Kenntnisse einer englischsprachigen Kompilation verdankte.

Indem wir uns der systematischen Betrachtung des Problems zuwenden, tun wir dies mit dem Hinweis, daß der vergleichende Literaturwissenschaftler prinzipiell keinen Wertunterschied zwischen dem aktiven (ausübenden) und passiven (aufnehmenden) Faktor des Einfluß-Verhältnisses machen darf. Es ist letzten Endes so wenig schandhaft, etwas zu nehmen, als es an und für sich löblich ist zu geben. Auch muß man von der psychologischen Tatsache ausgehen, daß der *emitter* sich im allgemeinen nicht als solcher aufspielt und der *receiver* sich seiner Abhängigkeit nur selten bewußt ist.

Als wichtige Ausnahme zu der soeben aufgestellten Regel gelte die Schul- oder Gruppenbildung, wobei Ausstrahlung und Empfang im Verhältnis vom Meister zu seinen Schülern oder vom Führer zu seinen Gefolgsleuten meist bewußt aufeinander abgestimmt sind. Aber hierbei handelt es sich gar nicht um Einfluß, sondern um Nachahmung. Zu bemerken ist ferner, daß bei einer theoretischen Behandlung des Problems dem *emitter* verhältnismäßig wenig Beachtung zu schenken sein wird, da sein Beitrag sachgemäß im Kapitel über die Wirkungsgeschichte (Rezeption, *reception*, *diffusion*, *success*, Belesenheit) zu behandeln ist, wobei ästhetische Kriterien – wenigstens im

Anfangsstadium der Untersuchung - eine untergeordnete Rolle spielen; denn Rezeption läßt sich - schon rein chronologisch gesehen - am besten als *Vorstufe* zur Aneignung bezeichnen.

Inwieweit sich unser Kapitel über den literarischen Einfluß sowohl mit bewußtem als auch mit unbewußtem Nachvollzug von seiten eines *receiver* befassen soll, sei zunächst offengelassen. Inhaltsmäßig wären die Begriffe »Einfluß« und »Nachahmung« wohl am ehesten so abzugrenzen, daß »Einfluß« als unbewußte Nachahmung und »Nachahmung« als bewußter Einfluß gilt. Wie Shaw treffend bemerkt: »In contrast to imitation, influence shows the influenced author producing work which is essentially his own. Influence is not confined to individual details or images or borrowings or even sources – though it may include them – but is something pervasive, something organically involved in and presented through artistic works« (*S/F*, S. 65). Aldridge, der Einfluß als »something which exists in the work of one author which could not have existed had he not read the work of a previous author« definiert, pflichtet Shaw bei, indem er feststellt: »Influence is not something which reveals itself in a single, concrete manner, but it must be sought in many different manifestations« (Symposium, S. 144). Anders ausgedrückt: Einfluß ist keineswegs identisch mit wörtlicher Übereinstimmung.

Will man die Möglichkeiten, die sich aus der Behandlung der Materie von verschiedenen Gesichtspunkten ergeben, völlig ausschöpfen, so stellt man am besten eine Reihe auf, die mit dem Phänomen der *Übersetzung* beginnend, über *Bearbeitung*, *Nachahmung* und *Einfluß* in aufsteigender Linie zum Originalkunstwerk führt, wobei man unter Originalität nicht unbedingt formale oder inhaltliche Neuerungen zu verstehen hat, sondern auch neue Konzeptionen oder Konstellationen, die sich mitunter gehaltlich oder gestaltlich auf Vorbilder stützen. Wir teilen in dieser Hinsicht durchaus die Meinung Welleks und Warrens:

> Originality is usually misconceived in our time as meaning a mere violation of tradition, or it is sought for at the wrong place, in the mere material of the work of art, or in its mere scaffolding – the traditional plot, the conventional framework.... To work within a given tradition and adopt its devices is perfectly compatible with emotional power and artistic value.[4]

Die Dialektik von Originalität und Nachahmung durchzieht die Literatur- und Kunstgeschichte wie ein roter Faden. So wird die Nachahmung (ihr Schimpfname ist Eklektik) in klassizistischen Epochen gepriesen und vom Sturm und Drang, der Romantik und dem Surrealismus verworfen. Unannehmbar ist sie zu allen Zeiten als *Plagiat*, d. h. als Nachahmung ohne Nennung des Vorbilds oder als Zitat ohne Angabe der Quellen. Dabei bleibt oft genug zweifelhaft, wo das Plagiat aufhört und die schöpferische Nachgestaltung einsetzt; so in Brechts frecher und berühmt-berüchtigter Verwertung der Villon-Übersetzungen K. L. Ammers in der *Dreigroschenoper*.[5]

»In the case of imitations« sagt Shaw, »the author gives up, to the degree he can, his creative personality to that of another author, and usually of a particular work, while at the same time being freed from the detailed fidelity expected in translation« (*S/F*, S. 63). Bei der *Bearbeitung*, die, wo es sich um fremdsprachliche Werke handelt, oft genug von einer wörtlichen Übersetzung ausgeht, haben wir es entweder mit einer in Richtung auf künstlerischen Eigenwert vorstoßenden kongenialen Anverwandlung oder – wie bei Maurice Valencys englischer Fassung des Schauspiels *Der Besuch der alten Dame* von Friedrich Dürrenmatt – mit dem Versuch der Anpassung an den Geschmack eines fremden Publikums zu tun. Dabei kommt es oft zum schöpferischen Verrat (*trahison créatrice*). In neuester Zeit haben sich bedeutende amerikanische Dichter – wir denken vor allem an Robert Lowell – einer eigenartigen Form der poetischen Nachahmung bedient, die sie selbst als *imitation* ausgeben. Sie haben – wie Goethe im *West-Östlichen Divan* oder Ezra Pound und Bertolt Brecht in Anlehnung an chinesische Vorbilder – an schon vorliegende Übersetzungen ausländischer Dichtung anknüpfend, paraphrastische Gedichte verfaßt, die im Grunde Originalprodukte sind.

Eine weitere Art der Nachahmung beruht nicht auf einer spezifischen Vorlage, sondern bezieht sich auf den Stil eines Dichters oder einer ganzen Epoche. In der Literaturwissenschaft fungiert sie unter dem Namen »Stilisierung«: »Related to an imitation but perhaps best considered separately is a stylization, in which an author suggests for an artistic purpose another author or literary work, or even the style of an entire period, by a combination of style and materials« (*S/F*, S. 63). Shaw nennt als Beispiel Puschkins Epitaph für Byron und seine Verwendung des altrussischen Stils in einzelnen Partien des *Eugen Onegin*. Wir erinnern in diesem Zusammenhang an die noch am Ausgang des vorigen Jahrhunderts geläufige Schulpraxis, Gedichte im Stil von Klassikern oder Zeitgenossen schreiben zu lassen, wie dies, Rudolf Germer zufolge, T. S. Eliot noch 1905 in St. Louis tun mußte.[6]

Als komische Variante der Stilisierung wäre die *Burleske* zu nennen, die (etwa in den Operetten von Gilbert und Sullivan) die Absicht verrät, einen leicht verzerrend nachgeahmten Stil ins Lächerliche zu ziehen. Hingegen werden im *Pastiche*, das nicht humoristisch ist, formale (seltener inhaltliche) Züge aus verschiedenen Werken gemischt und in lockerer Form dargeboten. Verfolgt die Nachahmung literarischer Vorbilder den Zweck, diese zu verunglimpfen, so spricht man von *Parodie*, wobei es unweigerlich zu Deformationen kommt.[7] Während bei der *Satire* und der *Karikatur* das Leben Modell steht, tut es bei der Parodie die Kunst. Hierbei ist zu beachten, daß

Parodie und Satire vielfach im gleichen Werk – oft sogar an gleicher Stelle – zu finden sind und sich auf diese Weise gegenseitig ergänzen und den Rücken decken. Im übrigen ergibt es sich oft von selbst, daß bei der Parodie die bewußt entstellende Nachahmung literarischer Muster in künstlerische Originalität umschlägt. Unbewußte Parodie hingegen ist ein Widerspruch in sich selbst, obwohl man versucht sein könnte, eventuell Stilblüten, Kitsch und Klischees unter diese Rubrik zu bringen.

Parodie und Travestie sind als schöpferische Formen der Kritik Übergangserscheinungen vom positiven zum sogenannten »negativen« Einfluß. Darunter verstehen Gelehrte wie Anna Balakian das Auftreten neuer Tendenzen und Bestrebungen als Reaktion auf vorherrschende Kunstmeinungen und Geschmacksrichtungen; kurz: Kunstrebellionen oder -revolutionen. Die Literaturgeschichte bietet hierfür eine Fülle von Beispielen, so etwa Victor Hugos Verwerfung der französischen Neoklassik Corneilles und Racines im Vorwort zu seinem Drama *Cromwell* und Marinettis futuristische Ablehnung aller musealen Kunst.

Professor Balakian macht darauf aufmerksam, daß solche »negativen« Einflüsse zumeist innerhalb einer Nationalliteratur in Erscheinung treten, wenn die Söhne gegen ihre literarischen Väter aufbegehren:

> It is interesting to note that very often the influences of authors of the same nationality and language upon each other are negative influences, the result of reactions, for generations often tend to be rivals of each other and in the name of individualism reject in the work of their elders what they consider to be the conventions of the past. (*YCGL* 11 [1962], S. 29)

Die vergleichende Literaturwissenschaft wird sich also mit diesem merkwürdigen, aber charakteristischen literarhistorischen Phänomen nur selten zu befassen haben, wohl auch deshalb, weil »there is no longer a question of rivalry, and particularly as the reading of foreign literature is done generally at a more mature age when one may be more aware of the need for models and direction« (ebd.).[8] – Als reizvolle Variante des »negativen« Einflusses sei schließlich auch der wohl von Brecht geprägte Begriff des *Gegenentwurfs* erwähnt. Hier geht es darum, ein literarisches Vorbild durch Umkehrung der polemischen Spitze sozusagen in sein Gegenteil zu verwandeln, wie dies Brecht mit Becketts *Waiting for Godot* vorhatte.

Wir wollen versuchen, noch weitere Grenzen abzustecken, um etwaigen terminologischen und sachlichen Überschneidungen vorzubeugen. Die Notwendigkeit einer solchen Grenzregulierung erhellt aus der Tatsache, daß die französischen Theoretiker der vergleichenden Literaturwissenschaft leider nicht immer gewillt waren, »Einfluß« und »Wirkung« auseinanderzuhalten. So heißt es bei Van

Tieghem: »D'ailleurs, dans la pratique, l'étude de l'influence d'un écrivain à l'étranger est si étroitement liée à celle de son appréciation ou de sa *fortune* . . . qu'il est le plus souvent impossible de les séparer l'une de l'autre« (Van Tieghem, S. 117).

In seiner unselbständigen Darstellung, in der er auch vor Plagiaten nicht zurückscheut[9], versteigt sich Guyard dazu, *influence* als eine von mehreren, unter der Überschrift »La Fortune des auteurs« gemeinsam zu behandelnde Erscheinung aufzuführen. Wohl erklärt er ausdrücklich, man müsse »soigneusement« zwischen *diffusion*, *imitation*, *succès* und *influence* unterscheiden, doch zählt er zu den angeführten »plusieurs sortes d'influence« auch den Rousseau-Kult, die Wirkung der Shakespeareschen Dramen auf die französischen Romantiker und die europäische Verbreitung der aufklärerischen Ideen Voltaires (Guyard, S. 22). Zudem beginnt das fünfte, »Influence et Succès« genannte Kapitel seines Kompendiums mit dem den Tatbestand verdunkelnden Satz: »La fortune des auteurs en dehors de leur pays d'origine a certainement suscité en France et parmi les disciples étrangers de l'école comparatiste française plus de travaux qu'aucune autre branche de la littérature comparée« (ebd. S. 58).

Ein besseres Unterscheidungsvermögen besitzt Jean-Marie Carré, der in seinem Vorwort zu Guyards Übersicht über den Stand und die Aufgaben komparatistischer Forschung die »études d'influence« als »difficiles à mener« und »souvent décevantes« bezeichnet und ausgesprochenen Rezeptionsstudien den Vorrang gibt. Sowohl in ihrem Aufsatz im *Yearbook of Comparative and General Literature* als auch in dem schon erwähnten Symposium verwahrt sich Anna Balakian energisch gegen die Kontamination von Einfluß- und Rezeptionsstudien, indem sie darlegt, wie verschieden im Grunde die Voraussetzungen sind, die jeweils in Betracht gezogen werden müssen. Rezeptionsstudien vermögen zwar neues Licht auf die künstlerische Physiognomie des Ausstrahlers zu werfen, doch bewegen sie sich meist auf soziologischer, (völker-)psychologischer oder gar statistischer Ebene. Bei Einflußstudien geht es aber vordringlich um die Auslotung künstlerischer Potenzen, wobei quantitative Maßstäbe durch qualitative zu ersetzen sind. Auch hier ist also die Dialektik von Ursprünglichkeit und Nachahmungstrieb am Werk:

> One is sometimes led to wonder whether any study of influence is truly justified unless it succeeds in elucidating the particular qualities of the borrower, in revealing along with the influence, and almost in spite of it, what is infinitely more important: the turning point at which the writer frees himself of the influence and finds his originality (*YCGL* 11 [1962], S. 29).

In einem von Guyard zitierten Ausspruch Gustave Lansons wird dieser Unterschied von Quantität und Qualität mit einem Seitenblick auf den Determinismus der Naturalisten sogar noch schärfer gefaßt:

»Les grandes œuvres sont celles que la doctrine de Taine ne dissout pas tout entières.«

Im allgemeinen beruht die Kohärenz von Rezeptionsstudien auf der Einheit der Person des Ausstrahlers, dessen Ruhm und Nachruhm verfolgt und bewertet werden sollen. Einen besonderen Fall stellt die Verwendung von Zitaten oder Anspielungen dar. Wörtliche Übereinstimmungen (falls diese nicht auf einem Zufall beruhen) stellen eine oberflächliche Form des Einflusses dar; ja sie gehören überhaupt in den Bereich der Rezeption. Der Umschlag von der Quantität in die Qualität erfolgt nämlich erst in Werken der Art, wie sie Herman Meyer in seiner feinsinnigen Studie *Das Zitat in der Erzählkunst*[10] kritisch untersucht hat, nämlich in Romanen, in denen das Zitat leitmotivisch zum Strukturelement geworden ist. Besonders aufschlußreich ist in dieser Beziehung die von Arno Holz und Johannes Schlaf unter dem norwegischen Pseudonym Bjarne P. Holmsen veröffentlichte naturalistische Skizze »Papa Hamlet«, wo mit den laufend eingestreuten Zitaten aus Shakespeares Drama parodistisch-satirische Absichten verfolgt werden. Unbewußte Zitate – wie die zahlreichen Faust-Reminiszenzen in der neueren deutschen Literatur, die einer monographischen Darstellung harren – sind wohl schon deshalb nicht echte Einflüsse, weil sie meist vereinzelt auftreten und eigentlich nur Bildungsgut sind.

Im Rahmen unserer Ausführungen zum Thema »Einfluß« sei an dieser Stelle noch derjenigen Art des »negativen« Einflusses gedacht, den Robert Escarpit als schöpferischen Verrat bezeichnet.[11] Der französische Literarsoziologe versteht darunter die bekannte Tatsache, daß ein Werk von einem späteren Publikum mißverstanden wird. Escarpit spricht von *récupérations* oder *résurrections*, die es einer Dichtung ermöglichen, »au delà des barrières sociales, spatiales ou temporales, des succès de remplacement auprès d'autres groupes étrangers au public propre de l'écrivain« zu erzielen, und fährt fort:

> Nous avons vu que les publics extérieurs n'ont pas un accès direct à l'œuvre. Ce qu'ils lui demandent n'est pas ce que l'auteur a voulu y exprimer. Il n'y a pas coincidence, convergence entre leurs intentions et celles de l'auteur, mais il peut y avoir compatibilité. C'est-à-dire que l'auteur n'a pas voulu expressémentl'y mettre ou peut-être même n'y a jamais songé (S. 111).

Als typische Beispiele einer solchen auf sozialen, historischen und sogar generationsbedingten Unterschieden beruhenden Gewichtsverschiebung erwähnt Escarpit die Volkstümlichkeit von Swifts *Gulliver's Travels* und Daniel Defoes *Robinson Crusoe*, die heute als Kinderlektüre beliebt sind, während umgekehrt Lewis Carrolls klassisches Kinderbuch *Alice in Wonderland* auch erwachsene Leser und Kritiker anspricht.

Beim Übersetzen ist der schöpferische Verrat nicht zu umgehen, und nicht zu unrecht heißt es im Volksmund *traduttore traditore*. Vom Standpunkt der rezipierenden Literatur aus gesehen ist jedenfalls die wörtliche Übertragung (besonders bei lyrischer Dichtung) ein Verbrechen. Entschuldbar wird es erst, wenn die Umsetzung von einer Sprache in die andere kongenial ist, »parce qu'elle donne une nouvelle réalité à l'œuvre en lui fournissant la possibilité d'un nouvel échange littéraire avec un public plus vaste, parce qu'elle l'enrichit non simplement d'une survie, mais d'une deuxième existence« (Escarpit, S. 112).

Am schöpferischsten freilich ist der Verrat, wenn die Umformung der Vorlage sich nicht auf die bloße Übertragung beschränkt, obwohl auch auf dieser Stufe der Anverwandlung die Übersetzung manchmal eine Rolle spielt (siehe Baudelaires Verhältnis zu Edgar Allan Poe). Anna Balakian lenkt die Aufmerksamkeit auf eine in der Tradition des 19. Jahrhunderts fest verankerte Kette von *trahisons créatrices*, die sich nach beiden Seiten beliebig verlängern läßt: nämlich die Ahnenreihe des französischen Symbolismus, die von den deutschen Romantikern (vor allem Novalis) über A. W. Schlegel, Coleridge und Poe bis zu Baudelaire und Mallarmé reicht und über diesen hinaus noch im Surrealismus Folgen zeitigt.

Noch zweimal müssen wir auf dem Wege zum Zentralproblem dieses Kapitels vorübergehend Halt machen. So muß betont werden, daß bei sogenannten Analogie- und Parallelstudien von Einfluß im eigentlichen Sinne nicht die Rede sein kann, sondern höchstens von Wahlverwandtschaften *(affinités)* oder »falschem« Einfluß. Halten wir uns an ein von Van Tieghem zitiertes Beispiel:

> Il y a des affinités très marquées, qui paraissent d'abord dues à une influence d'ailleurs plausible; une enquête plus approfondie montre qu'il n'en est rien. Deux exemples de ce cas peuvent être considérés comme classiques. Cet Ibsen, dont on parle tant, n'est pas original, disait Jules Lemaître en 1895. Toutes ses idées sociales et morales sont dans George Sand. Georg Brandes ... lui répondit qu'Ibsen n'avait jamais lu Sand. Peu importe, disait Faguet à M. Huszár. Cela importe beaucoup: ils ont puisé dans le même courant, mais ils n'ont pas de dette l'un envers l'autre: il n'y a pas eu influence. L'autre exemple est celui de Daudet, considéré, à partir du *Petit Chose*, comme un imitateur de Dickens. Or, il a constamment nié l'avoir lu. Si étrange que cela paraisse, il n'y a donc pas eu influence, mais courant commun (Van Tieghem, S. 136f.).

Van Tieghem würde hieraus folgern, man müsse das Verhältnis von Ibsen zu George Sand und von Daudet zu Dickens unter dem Oberbegriff der *littérature générale* (nicht der *littérature comparée)* erfassen. Wir lassen diese Frage offen, teilen aber prinzipiell die Meinung Ihab Hassans, man müsse genau zwischen Affinität und Einfluß unterscheiden:

> When we say that A has influenced B, we mean that after literary or aesthetic analysis we can discern a number of significant similarities between the works

of A and B.... So far we have established no influence; we have only documented what I call affinity. For influence presupposes some manner of causality (Hassan, S. 68).

Bei aller Glaubwürdigkeit dieser Aussage ist zu beachten, daß die beiden Komplexe nur selten eindeutig geschieden sind, da Affinitäten und Einflüsse oft koexistent sind, wobei mit dem Zeitgeist nichts erklärt ist. So weist etwa in einer Anmerkung zu seinem beachtenswerten Aufsatz »Literatura como sistema« Claudio Guillen auf die Tatsache hin, daß sich zwar in der Fernando de Rojas zugeschriebenen *Celestina* textliche Anklänge an andere spanische Dichtungen fänden, diese »Einflüsse« aber an Bedeutung denjenigen der stoischen Tradition – wie sie sich in Petrarcas *De remediis* spiegelt – nachständen, ohne daß wörtliche Anklänge an Petrarca spürbar würden.[12]

Auch auf die Heranziehung des literaturhistorisch wichtigen Begriffs der *Quelle* darf der Forscher, der sich mit dem Problem des Einflusses befaßt, nicht völlig verzichten. Der Zusammenhang von Einfluß und Quelle ergibt sich schon äußerlich durch den Umstand, daß beide Nomina auf die Fließbewegung des Wassers hinweisen. Die Quelle ist nämlich der Ursprung des Fließens, der Einfluß (bei der Mündung) aber dessen Ziel, an welchem die Bewegung aufhört. Im Bereich literarischer Forschung täte man gut daran, die beiden Begriffe so zu scheiden, daß »Quelle« nur auf thematische Vorlagen, also Stoffe, die zwar Materialwert besitzen, aber eigentlich nicht- oder vorliterarischer Natur sind, Anwendung findet. Shaw spricht von *source* als einer Sache »providing the materials or the basic part of the materials – especially the plot – for a particular work.« (*S/F* S. 64). Quellen wären also sowohl Raphael Holinsheds *Chronicles* und Plutarchs Biographien großer Griechen und Römer als auch Tagesneuigkeiten, die den Anstoß zu Dichtungen geben.

Besteht man auf diesem Unterschied, so vermeidet man den Konflikt mit dem Sprachgebrauch, nach dem das Wort Quelle zur Bezeichnung eines literarisch schon vorgeformten Musters dient. Doch gibt es auch hier Fälle, in denen die Überschneidung unvermeidlich wird, weil die Quelle selbst schon Literatur ist, wie bei mythologischen und legendären Stoffen, die auch ihrem Grundgehalt nach nur in dichterischer Form bekannt sind. Um es kraß auszudrücken: eigentlich dient jedem Prometheus-Drama Aeschylus und jedem Ödipus- und Antigone-Drama Sophokles als Vorbild und zugleich als Quelle.

Nach diesem ausgedehnten Vorgeplänkel lassen wir jetzt einen Forscher zu Worte kommen, der sich weigert, den Begriff des literarischen Einflusses zu akzeptieren, ja der schlankweg behauptet, derselbe sei irreführend und stelle dem schöpferischen Künstlertum und der dichterischen Einbildungskraft ein Armutszeugnis aus. Da Einfluß ein passives Verhalten voraussetzt, möchte Claudio Guillen

– um diesen handelt es sich – ihn aus der Ästhetik entfernen und nur *in psychologicis* als Eselsbrücke zwischen der Quelle und dem Originalkunstwerk beibehalten. Der so verstandene, den Einfluß mit einschließende Begriff der Quelle wird zum stofflichen Requisit, dessen Vorhandensein lediglich beweist, daß eine wirkliche *creatio ex nihilo* unmöglich ist.[13]

Benutzen wir Guillens Argument als Sprungbrett: Hierbei gehen wir, dem amerikanischen Gelehrten folgend, von der auf der Hand liegenden Tatsache aus, daß beim Studium von literarischen Einflüssen sowohl die zu betrachtenden Werke als ihre Urheber einbezogen werden müssen, wenngleich der Hauptakzent auf das Verhältnis der Werke zueinander fällt. Ihab Hassan erinnert uns mit dem ihm eigenen Scharfblick daran, daß »no literary work can be said to influence another without the intermediacy of a human agent« (Hassan, S. 69). So sind wir in der Tat gezwungen, bei der Bestimmung von Einflüssen Psychologie zu treiben, selbst wenn dies gar nicht in unserer Absicht liegt; denn es ist ebenso falsch zu behaupten, Einflüsse fänden nur zwischen Werken statt (Schirmunsky), als axiomatisch festzustellen, sie berührten nur das Verhältnis zweier Autoren zueinander (Guillen).

Am Anfang seines Aufsatzes »The Aesthetics of Influence Studies in Comparative Literature« fragt Guillen: »When speaking of influences on a writer, are we making a psychological statement or a literary one?« (*Proceedings II*, Bd. I, S. 175). In seinem Beitrag zum ACLA-Symposium beruft sich der gleiche Gelehrte zur Stützung seiner These auf den allgemeinen Sprachgebrauch, demzufolge man sagt, ein Autor B sei von einem Autor A beeinflußt worden, während es eigentlich heißen müßte, im Werke B 1 fänden sich Spuren des Werkes A 1. »Thus« kommentiert Guillen, »we prefer to retain the equivocal ›X was influenced by Y‹, where we blend the psychological with the literary« (*CLS*, Special Advance Issue, S. 150).

Im Laufe seiner systematischen Darstellung unternimmt es Guillen dann, dieses scheinbare Paradox, das schon längst zum Gemeinplatz der Literaturgeschichtsschreibung geworden ist, aufzulösen. Er bemängelt zunächst die Tatsache, daß als Grundlage aller Einfluß-Forschung eine end- und lückenlose Kette von Ursachen und Wirkungen dient, während diese in Wirklichkeit zwei verschiedenen Reihen angehören und zwei verschiedene Seinsweisen repräsentieren. So schiebt sich zwischen den Autor A und sein Werk A 1 die Psychologie des Schaffensprozesses, zwischen das Werk A 1 und den Autor B die Psychologie des Aufnahmeprozesses und zwischen den Autor B und sein Werk B 1 wieder die des – diesmal durch den Aufnahme-Prozeß angereicherten – Schaffensprozesses. Zugleich sollen aber A 1 und B 1 dem psychologischen Subjektivismus entrückt und durch bloß literarische Gemeinsamkeiten verbunden sein. Wenigstens behaupten dies diejenigen Forscher, denen die sogenannte »intentional fallacy« (Hassan nennt sie »expressionist fallacy«) ein Dorn im Auge ist und die sich nicht davon abbringen lassen wollen, daß ein Kunstwerk bewußter oder unbewußter Ausdruck seines Schöpfers und daher mit eisernen psychologischen Ketten an diesen geschmiedet ist.

In der Literaturkritik sind bisher zwei Lösungen dieses Problems angestrebt und zur Diskussion gestellt worden. Die einfachere, im positivistischen 19. Jahrhundert beliebte bestand darin, daß man den Qualitätsunterschied von Kunst und Psychologie leugnete oder nivellierte und eine dem Kausalitätsgesetz deterministisch unterworfene Folge von Ursachen und Wirkungen postulierte, ganz so als ob der Schritt von A zu A 1 gleichwertig sei mit den Schritten von A 1 zu B und von B zu B 1. Diese mechanistische, quantitative Auffassung des künstlerischen Schaffensprozesses beruht auf der Annahme, es gäbe nichts Neues unter der Sonne und auch die Einbildungskraft sei nur eine ästhetische Mischmaschine. Taine ist denn auch erwartungsgemäß der Hauptangeklagte im Prozeß, den Guillen gegen diesen kritischen *modus vivendi* anstrengt:

Taine's interpretation of the creative act is not as explicit as his view of the nature of art or of the relationship between an artistic work and the people or the environment which produce it; to indicate a starting-point and an end-result, a cause and a product, is not the same as to show how the distance between the two is eliminated, that is to say, as to question the process of creation itself. We know that in Taine's system every work of art is determined by a cause and should be explained by it; but to indicate, again, that A controls B is not to show how the artist went from A to B (*Proceedings II*, Bd. I, S. 176).

Guillen lehnt diese simplifizierende Lösung in Übereinstimmung mit den meisten Zeitgenossen ab. Sympathischer ist ihm die Theorie Croces, die auf dem Glauben fußt, jedes Kunstwerk sei so *sui generis* und sei durch einen tiefen Abgrund von allen anderen Kunstwerken getrennt: »Nel momento della nascita di una nuova opera d'arte tutte quelle precedenti che erano presenti allo spirito del poeta, perfette o imperfette, grandissime, mediocri o pessime, diventano tutte, alla pari, materia«[14], d. h. also Quellenmaterial. In der Nachfolge Croces setzten sich in den späten dreißiger und frühen vierziger Jahren bei den amerikanischen New Critics und, im deutschen Sprachraum, bei Emil Staiger ähnliche Ansichten durch. So heißt es in Staigers Buch *Die Kunst der Interpretation*, der Positivist, der sich erkundige, was ererbt und was erlernt sei, mache vom Kausalgesetz einen falschen Gebrauch und scheine zu vergessen, daß Schöpferisches, gerade weil es schöpferisch ist, nie abgeleitet werden könne.[15]

Guillen teilt zwar grundsätzlich diese Auffassung, möchte aber als Komparatist den Begriff des Einflusses nicht völlig aufgeben. (Übrigens steht die Praxis der von den New Critics gepriesenen Dichter T. S. Eliot und Ezra Pound mit Croces Theorie im Widerspruch. Den Beweis dafür liefern die Montage-Technik des *Waste Land* oder der *Cantos* sowie die Spielarten der von Joseph Frank in seinem Essay *Spatial Form in Modern Literature*[16] beschriebenen, von ihm mit dem Sammelnamen »reflexive reference« bezeichneten Methoden.) Er salviert sein Gewissen, indem er einen Kompromiß zwischen Positivismus und Absolutismus zu schließen sucht, und zwar in der Weise, daß er psychologische Kategorien gelten läßt, ohne auf den Qualitätssprung zu verzichten. Der Einfluß wird nämlich bei der Durchführung seines Programms einfach auf das psychologische Gleis verschoben und erscheint als Moment oder Phase des schöpferischen Prozesses:

Our idea of influence ... would define an influence as a recognizable and significant part of the genesis of a literary work of art. ... The writer's life and his *creative* work exist ... on two different levels of reality. Influences, since they develop strictly on the former level, are individual experiences of a particular nature: because they represent a kind of intrusion into the writer's being or a modification of it or the occasion for such a change; because their starting-point is previously existing poetry; and because the alteration they bring about, no matter how slight, has an indispensable effect on the subsequent stages of the *genesis* of the poem (*Procedings II*, Bd. I, S. 181).

Guillen sieht also im Einfluß nur den Prozeß des Fließens, nicht aber dessen Ergebnis, das Eingeflossene. Er irrt aber wenn er unter diesen Umständen vom Einfluß als einem erkennbaren *(recognizable)* Bestandteil der Genese eines Kunstwerks spricht. Die von ihm selbst herangezogenen Beispiele zeigen allzu deutlich, wie selten es dem Philologen gelingt, in die Werkstatt des Genies einzudringen; ist es doch meistens reiner Zufall, wenn die uns überlieferte Biographie eines Dichters Anhaltspunkte für diese Art von Einfluß bietet.

Daß jenes von Guillen aufgeworfene Problem eher ein logisches als ein poetologisches ist, geht daraus hervor, daß der amerikanische Gelehrte in einer Anmerkung, die sich auf Haskell Blocks Erwiderung bezieht, zugibt, es sei schwer »the exact moment in which a work of art becomes independent of its creator and assumes an aesthetic vitality of its own« (ebd. S. 182, Anm. 14) festzulegen und zu bestimmen, an welchem Punkt der Qualitätssprung erfolgt und das Kausalitätsgesetz außer Kraft gesetzt wird.

Methodologisch hat Guillen bei seinem Versuch, das Studium des literarischen Einflusses auf eine neue Grundlage zu stellen, eine Unterlassungssünde oder *petitio principii* begangen, die das Fundament des von ihm errichteten Baus ins Wanken bringt. Er verhehlt nämlich seinen Lesern (wohl auch sich selbst), daß das was er als Einfluß bezeichnet und als Objekt ernsthafter wissenschaftlicher Tätigkeit gegen alle Einwände bewahrt wissen will, unter einem anderen Namen – dem der Inspiration – fröhliche Urständ feiert.

Allerdings spricht er gelegentlich von »genetic incitation«, und zwar unter Berufung auf den spanischen Forscher Amado Alonso, der behauptete: »Las fuentes literárias deben ser referidas al acto de creación como incitaciones y como motivos de reacción«.[17]

Die Inspiration ist in der Tat eine psychologische Kategorie. Sie setzt als Wirkung auf den Dichter eine persönliche Erfahrung voraus, die nur ausnahmsweise sichtbare Spuren hinterläßt. Sie ist auch da, wo man sie als Göttergabe verehrt und mit einem Heiligenschein umgibt, dem Sprachgebrauch nach jenes Ingredienz der Kunst, das weder übertragbar noch kommunikabel ist. Sie bezeichnet den Punkt wo aus der Masse der möglichen Stoffe und Darstellungsweisen das Wesen des zu konzipierenden Werks blitzartig aufleuchtet. Da die Inspiration oft außerliterarischer Natur ist – sie saugt ihre Nahrung aus der Malerei, der Musik, der Geschichte, ja dem Leben selbst – entzieht sie sich dem Vergleich.

Guillen selbst erwähnt ein Gedicht seines Vaters Jorge *(Cara a cara)*, das den entscheidenden Impuls von der rhythmischen Grundgestalt des Ravelschen Bolero erhielt: »The stubborn, unrelenting, obsessive quality of this piece's rhythm – but only its rhythm – fired the poet's initial desire to write his tenacious response to the more chaotic aspects of life« (*Proceedings II*, Bd. I, S. 185). Bei Valérys *Cimetière Marin* war es sogar nach dem Geständnis des Dichters eine von spezifischen musikalischen Vorbildern unabhängige rhythmische Figur, die dem Dichter vorschwebte und ihn Schritt für Schritt dazu führte, eine metrische und strophische Form und schließlich einen dieser Gestalt entsprechenden Gehalt zu finden.

Bei der Inspiration handelt es sich also um eine Stimmung, von der wir nichts wissen oder ahnen, falls nicht der Dichter selbst uns Einblick in seine geistig-seelische Verfassung im Augenblick der Zeugung gewährt. Wissenschaftlich deduzieren läßt sich diese Stimmung kaum. Unter diesen Umständen ist der von Guillen eingeschlagene Weg nicht gangbar.

Ob wir bei der Bestimmung von literarischen Einflüssen den Bereich der Literatur überschreiten dürfen, ist eine Frage, die, soweit die anderen schönen Künste in Betracht kommen, in dem als Exkurs gedachten achten Kapitel unserer Einführung zu klären sein wird. Wie wir uns dem Vorhandensein von außerkünstlerischen Einflüssen gegenüber verhalten sollen, ist schwer zu sagen. Ohne uns näher auf diese Fragestellung einzulassen, möchten wir andeuten, daß zwar die wissenschaftlichen Leistungen und Erkenntnisse eines Darwin, Marx, Freud oder Einstein der Dichtung nutzbar gemacht worden sind (z. B. im Naturalismus, im Surrealismus, im sozialistischen Realismus usw.), man aber diesen Einflüssen künstlerisch doch nicht allzuviel Beachtung schenken sollte, weil in solchen Fällen der Einfluß »will usually be upon content, rather than directly upon genre and style, upon *Weltanschauung* rather than upon artistic form« (*S/F*, S. 67). Methodologisch scheint es jedenfalls angebracht, diese nichtkünstlerischen Einflüsse von den künstlerischen zu trennen, also beim Studium des Surrealismus die Bedeutung Freuds und Charcots von der eines Achim von Arnim und Lautréamont zu sondern.[18]

Wir wollen nicht schließen, ohne auf Guillens Bewertung der im Kunstwerk selbst erkennbaren Einflüsse hinzuweisen und nötigenfalls Kritik an ihr zu üben. Der amerikanische Gelehrte verweist nämlich alle Einflüsse in den Bereich der literarischen *Tradition* und *Konvention*. Darunter versteht er überindividuelle Formen, Typen, Inhalte oder Darstellungsweisen (*topoi*, Gehalt und Gestalt der Elegie, das Schema des fünfaktigen Dramas, die mythischen oder legendären Figuren usw.), die nicht – oder nicht mehr – einem bestimmten Dichter als ihrem Erfinder zugeschrieben werden, sondern Allgemeingut geworden und den dem gleichen Kulturkreis angehörenden Dichtern sozusagen zur zweiten Natur geworden sind.

Aldridge bezeichnet Tradition und Konvention als »resemblances between works which form part of a large group of similar works held together by a common historical, chronological or formal bond« (*CLS*, Special Advance Issue, S. 143), während Guillen meint, Traditionen seien diachronisch, Konventionen aber synchronisch zu verstehen:

One tends to think of conventions synchronically, and of traditions diachronically. A cluster of conventions forms the literary vocabulary of a generation, the repertory of possibilities that a writer has in common with his living rivals. Traditions involve the persistence of certain conventions for a number of generations, and the competition of writers with their ancestors (Ebd., S. 150).

Gegen Tradition und Konvention abzugrenzen wäre ein Begriff wie der des literarischen Programms oder Manifestes, der die bewußte Ausrichtung eines Einzelnen oder einer Gruppe auf ein klar umrissenes Ziel voraussetzt, während Tradition und Konvention sich gerade dadurch auszeichnen, daß dort, wo sie wirken, von Zielbewußtheit nicht die Rede ist.

Guillen stellt die durchaus nicht rhetorisch – oder jedenfalls nicht nur rhetorisch – gemeinte Frage: »Did a Renaissance poet have to have read Petrarch in order to write a Petrarchan sonnet?« (ebd.) Und da die Antwort negativ ausfällt, schließt er, daß »literary conventions are not only technical prerequisites but also basic, collective shared influences«. Gegen diese Deutung ist wenig einzuwenden; doch überhebt sie uns nicht der Pflicht, im einzelnen Fall sehr genau nachzuprüfen, ob kollektive Einflüsse zur Erklärung inhaltlicher oder formeller Übereinstimmung ausreichen.

Unsere Kritik an Guillens Aufsatz hat erwiesen, daß der Versuch, mit Hilfe der Dialektik von Inspiration und Tradition-Konvention das Problem des literarischen Einflusses zu lösen und auf diese

Art das Kunstwerk als Monade zu retten, an terminologischen Klippen scheitern mußte. Ohne sich auf psychologische Kategorien einzulassen, hat Ihab Hassan gleichzeitig versucht, den Stier bei den Hörnern zu packen. In seinem Essay *The Problem of Influences in Literary History. Notes Towards a Definition* glaubt auch er beweisen zu können, »that the ideas of Tradition and of Development provide, in most cases, a sounder alternative to the concept of Influence in any comprehensive scheme of literature« (Hassan, S. 66). Man beachte, daß Hassan *convention* durch *development* ersetzt, also das synchronische Nebeneinander wieder in ein zeitliches Nacheinander auflöst.

Durch gründliche und ausführliche Überlegungen gelingt es Hassan tatsächlich, den gordischen Knoten, den die vielfach verschlungenen Fäden der unter dem Begriff »Einfluß« subsumierten Komplexe bilden, zu lösen, während Guillen ihn vergebens zu zerhauen trachtete. Freilich geht es dabei nicht ohne Verallgemeinerungen ab; denn ihm liegt daran, der Vielfalt von historischen, biographischen, soziologischen und selbst philosophischen Erkenntnissen gerecht zu werden. Seine Ausführungen gipfeln in der These, daß in dieser umfassenden Sicht Einfluß nicht mehr als »causality and similarity operating in time«, d. h. als *rapports de fait* und wie immer gearteten Analogien, verstanden werden solle, sondern als ein Koordinatennetz von »multiple correlations and multiple similarities functioning in a historical sequence, functioning ... within that framework of assumptions which each individual case will dictate« (Hassan, S. 73). Diese Begriffsbestimmung ist gleichsam die vorausgenommene Antwort auf Guillens gescheiterten Versuch, den Teufel mit Beelzebub auszutreiben. Denn nur dann, wenn das Gleichgewicht zwischen *rapports extérieurs* und *rapports intérieurs* und zwischen spezifischen Einflüssen und allgemeinen Konventionen oder Traditionen gewahrt bleibt, ist es möglich, die Kette A–A1–B–B1 jeweils lückenlos zu rekonstruieren.

Viertes Kapitel

# »Rezeption« und »Wirkung«

Wir haben uns im vorigen Kapitel ausführlich mit der von Claudio Guillen vertretenen Meinung befaßt, der Einfluß sei eine psychologische Kategorie, da er im beeinflußten Kunstwerk keine sichtbaren Spuren zurücklasse. Wir hielten diese Theorie für logisch und methodologisch verfehlt, da ihr Urheber den Begriff der Inspiration unterschob und, wo ihm dies nicht tunlich schien, Tradition und Konvention als Krücken benutzte.

Grundsätzlich ist eine Klärung der von Guillen angeschnittenen Frage nur dann möglich, wenn eine Abgrenzung des Einflusses gegen die literarische Rezeption (Horst Rüdiger sähe diesen Begriff am liebsten durch *Wirkung* oder *Aneignung* ersetzt)[1] vorgenommen wird. Terminologisch sähe die Sache etwa so aus, daß man als *Einfluß* das Verhältnis zweier Dichtungen zueinander, als *Rezeption* aber ein komplexeres Verhältnis bezeichnet, das auch die Urheber der Werke, die Leser und die Zeitumstände in Rechnung stellt, also zur Literarsoziologie oder -psychologie hin tendiert.

Eine besondere Spielart der Rezeption ist der *Erfolg (fortune, succès)*, der als Maßstab der Beliebtheit einer Dichtung gelten darf und sich rein statistisch anhand von Bestseller-Listen oder Aufführungszahlen erhärten läßt. Literarische Erfolge sind oft oberflächlich und von kurzer Dauer. Sie sind abhängig von der Mode oder von Ereignissen (Verleihung des Nobelpreises an einen Dichter, dessen früher, zur Legendenbildung führender Tod oder – wie im Fall Siniawski-Tertz – die gegen ihn angewandten totalitären Gewaltmaßnahmen) innerhalb des sogenannten Literaturbetriebs. Daß ein beim Publikum erfolgreiches Werk zur Nachahmung reizt, ist verständlich. Auf diese Art wird denn auch zuweilen in der Literaturgeschichte der Erfolg zum – zugegebenermaßen recht oberflächlichen – Einfluß: das *Werther*-Fieber führt zu *Werther*-Nachahmungen, in denen nicht das künstlerisch Wertvolle des Vorbilds übernommen, sondern das Sensationelle abgepaust wird. Zu den Auswirkungen dieses, dem Plagiat entfernt verwandten Phänomens im Bereich der Stoffgeschichte bemerkt Elisabeth Frenzel:

> Es ist bezeichnend, wieviele Werke von höchstem künstlerischen Rang einen bereits vorgeprägten Stoff haben, wie wenige eine frei erfundene Fabel. Diese

> wenigen sind dann meist Werke, die zeiterfüllenden Charakter tragen und in denen Zeittypisches auf die letzte Formel gebracht wurde: *Don Quixote*, *Simplicissimus*, *Robinson Crusoe*, *Werther*. Solche Werke haben wegen ihres zeittypischen Charakters keine eigentliche Stoffgeschichte entwickelt, sondern nur Nachahmungen im Gefolge gehabt, die viele Einzelzüge der Vorlage, die Personen und ihre Verknüpfung, die Situationen und das Handlungsschema kopierten.[2]

Daß der Erfolg nicht unbedingt Voraussetzung für den literarischen Einfluß ist, braucht nicht betont werden. Als besonders krassen Fall erwähnen wir die *Göttliche Komödie*, die weder beim großen Publikum noch bei der Mehrzahl der ausländischen Schriftsteller der Neuzeit nachhaltigen Eindruck machte, aber durch die Vermittlung der wenigen Dichter, die sie ergriff, ihrer Unsterblichkeit auch innerhalb der literarischen Tradition versichert wurde. Übrigens lassen sich auch aus dem Mangel an Rezeptivität von seiten eines Publikums soziologisch und – indirekt – literarisch wichtige Schlüsse ziehen. Dem für den Rezeptionsforscher wichtigen Begriff der *infortune* (*P/R*, S. 26) entspricht im literarischen Bereich das von Anna Balakian anhand von Poes vorgeblicher Wirkung auf Baudelaire aufgezeigte Phänomen des *non-influence* (*YCGL* 11, S. 26).

Wenn wir im folgenden versuchen, *Rezeption* und *Einfluß* voneinander zu trennen, so tun wir das im vollen Bewußtsein der dieser Aufgabe im Wege stehenden Hindernisse. Daß wir es vielfach mit Grenzfällen zu tun haben, darf uns aber nicht abschrecken. Stürzen wir uns *in medias res* und widmen wir zunächst der sogenannten *Belesenheit* als einem wichtigen Bindeglied innerhalb der Hierarchie der literarischen Werte unsere Aufmerksamkeit. Ihr entspricht übrigens, im Bereich des Theaters, die Vertrautheit mit dem dramatischen Repertoire, wie sie etwa bei Max Frisch vorausgesetzt werden muß, der als fleißiger Besucher des Zürcher Schauspielhauses die Stücke Claudels, Thornton Wilders und Tennessee Williams' auf der Bühne sah, ehe sie als Literatur auf ihn wirkten.

Als Gegenstand unserer Betrachtung in Sachen *Belesenheit* wählen wir Heinrich Manns zweiteiligen Altersroman *Henri Quatre*, in dem die Gestalt Montaignes eine entscheidende Rolle spielt.[3] Wie die Bestandsaufnahme der Arbeitsbibliothek des Dichters ergab, besaß dieser ein Exemplar der *Essais*, von denen einige mit Randnotizen von seiner Hand versehen sind. Einzelne Zitate aus diesen Stücken kehren leitmotivisch an vielen Stellen des umfangreichen Werkes wieder, das auch als Ganzes den Geist Montaignes, d. h. der aufgeklärten Skepsis, atmet. Zu diesem, im *Henri Quatre* selbst spürbaren Niederschlag der Lektüre Montaignes trat aber bei Heinrich Mann die Verarbeitung der geschichtlichen Tatsachen, mit denen er sich anhand der ihm zugänglichen Dokumente und Darstellungen vertraut machte. Bei aller historischen Authentizität des Romans ist aber Montaigne – der selbst auftritt und eigene Zitate bringt – dennoch ein Geschöpf der Einbildungskraft. Im historischen Roman, in dem ein Dichter-Philosoph agiert, wird also die Verquickung von Rezeption (= Belesenheit), Einfluß und Originalität plastisch anschaulich.

Der Unterschied von Einfluß und Wirkung im literarischen Bereich läßt sich besonders einleuchtend am Beispiel von Kafkas Briefen und Tagebüchern zeigen, die nicht zur Veröffentlichung bestimmt waren und somit als unverfälschte autobiographische Quellen gelten können. Das Problem des Einflusses ausländischer Autoren auf Kafka – einzig dieses ist ja für den vergleichenden Literaturwissenschaftler von Belang – ist diesseits und jenseits des großen Teiches von verschiedenen Gelehrten mehr oder minder souverän behandelt worden. So hat Mark Spilka in einem höchst instruktiven Aufsatz nachgewiesen, daß der Anfang der Erzählung *Die Verwandlung* in einem direkten Abhängigkeitsverhältnis zu Gogols Novelle *Die Nase* und Dostojewskis Roman *Der Doppelgänger* steht, und daß gewisse Elemente der Handlung wahrscheinlich aus Charles Dickens' Roman *David Copperfield* übernommen wurden.[4] Wendet man sich aber den Briefen und Aufzeichnungen Kafkas zu und prüft nach, welche fremdsprachlichen Autoren der Prager Dichter mit Vorliebe erwähnt, so zeigt sich, daß diese Ehre weder Gogol noch Dostojewski oder Dickens widerfährt, sondern vielmehr dem Franzosen Gustave Flaubert, dessen Leben und Werk Kafka zeitlebens faszinierten. (Er las übrigens Flauberts Briefe und Schriften zum Teil im Original.)

Bisher hat, soweit uns bekannt, noch niemand versucht, eine literarische (stilistische oder thematische) Abhängigkeit Kafkas von Flaubert nachzuweisen. Ein solcher Versuch müßte wohl fehlschlagen; denn die zwischen den beiden Dichtern bestehende Verwandtschaft ist, wie verschiedene Eintragungen in Kafkas Tagebuch beweisen, vor allem psychologischer Natur. So schrieb der am Roman *Der Verschollene* (= *Amerika*) Arbeitende am 6. Juni 1912: »Jetzt lese ich in Flauberts Briefen: ›Mein Roman *L'Education sentimentale* ist der Felsen, an dem ich hänge, und ich weiß nichts von dem, was in der Welt vorgeht‹. – Ähnlich wie ich es für mich am 9. Mai eingetragen habe«. Was hier in Frage steht, ist das Verhältnis des Dichters zu seinem Werk *in statu nascendi* und die als Zwang empfundene Notwendigkeit des Schreibens, die zur völligen Ausschaltung der Mit- und Umwelt drängt. Flaubert zog sich denn auch wirklich in die Landeinsamkeit zurück, um seine *Madame Bovary* in mühseliger Kleinarbeit bis zum »bitteren Ende« voranzutreiben; aber Kafka war an einen Beruf gefesselt, der ihm zur Qual wurde, weil er ihm nur das Wochenende und die Nachtstunden zur schriftstellerischen Tätigkeit übrigließ. So wurde ihm die 1917 konstatierte Tuberkulose zum Rettungsanker.

Die biographische Bedeutung der Seelenverwandtschaft von Flaubert und Kafka wird unterstrichen durch eine zweite Parallele im Bereich des Psychologischen. Ende Juli 1913 schrieb der Freund Max Brods mit Bezug auf seine geplante Heirat mit Felice Bauer: »Alles gibt mir gleich zu denken. Jeder Witz im Witzblatt, die Erinnerung an Flaubert und Grillparzer, der Anblick der Nachthemden auf den für die Nacht vorbereiteten Betten meiner Eltern, Maxens Ehe«.[5] Die hier zutage tretenden psycho-physiologischen Hemmungen hielt der Dichter mit Recht für unüberwindlich. Er teilte sie übrigens mit Flaubert, der am 28. Oktober 1872 an George Sand die folgenden Worte gerichtet hatte: »L'être féminin n'a jamais été emboîté dans mon existence; et puis, je ne suis assez riche, et puis . . . et puis . . . je suis trop vieux . . . et puis trop propre pour infliger à perpetuité ma personne à une autre«.

Unser Beispiel zeigt, daß der direkte Einfluß Flauberts auf Kafka nicht literarischer Art war. Nur weil beide Männer bedeutende Dichter sind, ist dieses psychologische Rezeptionsverhältnis auch literarhistorisch wichtig und für die komparatistische Forschung fruchtbar. Einfluß und Rezeption im Verhältnis Kafkas zu außerdeutschen Autoren verbinden sich am harmonischsten wohl im Falle Strindbergs, unter anderem deswegen, weil auch der Schwede sein persönliches Inferno nur leicht verschlüsselt in seinen Romanen und Dramen zur Darstellung brachte.

Projiziert man die einen Dichter umgebende psychologische Aura ins Soziologische, so nähert man sich der Mythe oder Legende. Diese bildet sich, wenn die biographischen Tatsachen verfälscht oder durch bewußte oder unbewußte Hervorhebung einzelner Züge so vereinfacht werden, daß eine Verzerrung des wahren Bildes erfolgt. Oft werden dabei neue Züge hinzugedichtet. So galt Dante wegen eines den Ursprung des Namens seiner Heimatstadt Mantua betreffenden Passus im zwanzigsten Gesang des *Inferno* im Mittelalter weithin als Zauberer[6], und sowohl Byron als Rimbaud leiden als Dichter darunter, daß ihnen die Nachwelt die falsche Art von Kränzen flicht.[7] Literarisch gesehen wirkt sich die Mythenbildung mitunter so aus, daß ein Dichter nur wegen eines einzigen Werks gelesen oder geschätzt wird, sein Nachruhm also auf einer allzu schmalen Basis ruht. Im Ausland ist Goethe vielfach nur als Verfasser des *Werther* bekannt, während Christian Morgenstern auch im deutschen Sprachgebiet zum »Opfer« seiner *Galgenlieder* geworden ist.

Im Unterschied zu dem oben behandelten Aneignungsverhältnis ist die Rezeption eines fremdsprachlichen Werkes durch einen Dichter ein über alle methodologischen Zweifel erhabenes Untersuchungsobjekt der vergleichenden *Literatur*wissenschaft, ganz gleich, ob diese Rezeption einen unmittelbaren, mittelbaren oder fragwürdigen literarischen Niederschlag findet. So vermag zwar Klaus

Schröter in seiner Studie über den jungen Heinrich Mann den Leser nur sehr bedingt davon zu überzeugen, daß Balzac großen Einfluß auf die Romane und Novellen des deutschen Dichters ausgeübt habe; er deckt aber unter Hinweis auf ein biographisches Vorkommnis die Gründe dafür auf, daß Heinrich Mann trotz seiner umfassenden Kenntnis des Balzacschen Werkes keinen monographischen Essay über den Franzosen schrieb:

Die Gründe für das Fehlen einer Studie über Balzac sind äußerer Art. Sie lassen sich ablesen aus dem Abdruck von Auszügen aus Heinrich Manns Korrespondenz in einem Auktionskatalog. 1908, als Heinrich Mann mit dem Inselverlag wegen Übernahme seines Gesamtwerks in Verbindung getreten war, erbot er sich, eine Einleitung zu der Ausgabe der Menschlichen Komödie, die im gleichen Jahr vom Inselverlag veranstaltet wurde, zu verfassen. Heinrich Mann richtete seinen Vorschlag durch den Rechtsanwalt Maximilian Brantl an Anton Kippenberg. Dieser entgegnete Brantl am 10. 8. 1908: »Nicht zustimmen können wir Ihnen aber in Bezug auf die Einleitung. Allerdings glauben auch wir, daß Heinrich Mann sich dieser Aufgabe in der ausgezeichnetsten Weise entledigt haben würde, aber wir finden, im Gegensatz zu Ihnen, auch die Einleitung von Hugo von Hofmannsthal außerordentlich fein und gelungen.[8]

Der einfachste Modus der auf obige Art zustande kommenden Aneignung ergibt sich in Fällen, wo der aufnehmende Dichter dank seiner Sprachkenntnisse direkten Zugang zu den fremdsprachlichen Originalen besitzt. Freilich gibt es auch hierbei graduelle Unterschiede, je nach den Sprachkenntnissen des rezipierenden Individuums. Bei mangelhafter Vertrautheit mit der Fremdsprache kommt es unweigerlich zu Mißverständnissen, die aber zum schöpferischen Verrat Anlaß geben. Dabei ist nicht immer eindeutig auszumachen, wo jeweils der schöpferische – also der Sache nach unbewußte – Verrat aufhört und die bewußte Manipulation der Vorlage einsetzt. Besonders Bertolt Brechts Verhältnis zur englischen und französischen Literatur wäre z. B. aus dieser Doppelperspektive zu sichten. Fragen wie »Hatte Brecht Zugang zu den Originaltexten?«, »Machte er von dieser Möglichkeit Gebrauch?«, »Reichten seine Sprachkenntnisse aus, die Texte sinngemäß zu interpretieren?« und »Lag ihm daran, bei der Umsetzung werkgetreu zu verfahren?« drängen sich dem Rezeptionsforscher auf und setzen ihn instand, bei geschickter Handhabung der Werkzeuge die Schattierungen von Einfluß und Rezeption in einen sinnvollen Bezug miteinander zu setzen.

Besonders reizvoll wird die Rezeptionsforschung, wenn der aufnehmende Dichter selbst als Vermittler *(transmetteur, intermediary)*, auftritt. In ihrem wiederholt erwähnten Aufsatz »Influence and Literary Fortune« hat Anna Balakian am Beispiel von Baudelaires Poe-Übertragungen und Gides Umsetzung Blakescher Gedichte nachgewiesen, welche schöpferischen Möglichkeiten aus dieser vom Dichter-Übersetzer selbst vorgenommenen Deformierung des Modells erwachsen. Wir möchten anhand zweier Stellen aus Hölderlins *Antigone*-Übertragung und dem Brechtschen »Gegenentwurf« diesen Aspekt der komparatistisch verstandenen Rezeptionsforschung ins Blickfeld der Betrachtung rücken.

Hölderlins Eindeutschung des griechischen Trauerspiels ist zwar insofern werkgetreu, als sie – von einigen »anstößigen« Stellen abgesehen[9] – das Vorbild Vers für Vers reproduziert; doch monierten schon die Zeitgenossen des deutschen Pindars die Dunkelheit gewisser Wortprägungen und Satzkonstruktionen. Seine Fassung der *Antigone* war nie populär und kam erst 1918 in Zürich zur Aufführung. Die Problematik ihrer Diktion läßt sich auf zweierlei Art erklären: einerseits aus der wohlerwogenen Absicht des Übersetzers, das Original so genau wie möglich nachzubilden, statt es sinngemäß, aber dem Stand der deutschen Sprache seines Zeitalters entsprechend wiederzugeben, d. h. zu modernisieren oder zu »bearbeiten«. So erklärt sich wahrscheinlich die archaisch klingende Bemerkung Ismenes: »Du färbst mir, scheint's, ein rotes Wort« (Vers 20) durch den mit der Jagd nach dem Purpur- (Tinten?)-fisch etymologisch verknüpften Gebrauch des Verbums *kalcheinein* bei Sophokles.

Andrerseits waren wohl Hölderlins Sprachkenntnisse unzureichend für das Verständnis gewisser Stellen wie dem von ihm mit »Denn jetzt ist über die letzte Wurzel gerichtet das Licht in Oedipus Häusern« (Vers 599ff.) übersetzten Teil eines Chorliedes, den die Amerikaner Dudley Fitts und Robert Fitzgerald mit den Worten »So lately this last flower of Oedipus' line drank the sunlight« wiedergeben. Brecht, dem das Griechische (im Gegensatz zum Lateinischen) fremd war, übernahm ungefähr ein Drittel des Hölderlinschen Textes in seine 1947 hergestellte Fassung, darunter die eben erwähnten, altertümlich anmutenden Stellen. Was er mit Hilfe dieses Kunstgriffs erreichte, war allerdings nicht die sonst von ihm durch die Verfremdung angestrebte Intellektualisierung und Objektivierung der auf der Bühne gezeigten Vorgänge, sondern im Gegenteil ein unnötiges Erschweren des Verständnisses. »Verfremdung durch Klassizität« entpuppt sich hier als ein zweischneidiges Schwert, indem sie sowohl klärt als auch verunklärt.

Auch das vom Dichter als Kritiker erstellte Bild fremdsprachiger Autoren und ihrer Werke gehört zur Rezeption innerhalb der Literatur selbst. Besonders anschaulich wird die Wellenbewegung des Aneignungsprozesses bei Flaubert, der in den Annalen der deutschen Literaturkritik des späten 19. und frühen 20. Jahrhunderts zunächst als Realist oder gar Naturalist (meist unter Hinweis auf den ihm wegen der *Madame Bovary* aufgehalsten Skandalprozeß), dann als Romantiker und Formkünstler – Parnassien – gepriesen oder gescholten wurde.[10] Erst ganz allmählich setzte sich die Erkenntnis durch, daß sich diese unterschiedlichen Aspekte seines Schaffens nicht gegenseitig ausschließen, sondern Romantik und Realistik (*Madame Bovary*) sowie Dekadenz und Formkunst (*Versuchung des Heiligen Antonius*) auch im gleichen Werk dialektisch aufeinander bezogen sein können.

Wir betraten mit unserem Hinweis auf Hölderlins *Antigone* das Spezialgebiet der Übersetzung, deren theoretisches und praktisches Studium in der vergleichenden Literaturwissenschaft unserer Tage eine ständig wachsende Beachtung findet und eine – man kann ruhig sagen: uferlose – Sekundärliteratur zeitigt. Wir sparen uns die Mühe, im Rahmen unserer gedrängten Darstellung der Aufgaben und Möglichkeiten der Komparatistik dieses Problem zu behandeln und begnügen uns damit, im bibliographischen Anhang auf einige einschlägige Arbeiten und Sammlungen hinzuweisen. Hingegen wollen wir kurz auf ein mit der Frage der *translatio* eng zusammenhängendes Phänomen der Literaturgeschichte eingehen, das in Deutschland unter dem Namen *Rezeption* bekannt ist, mit dem englischen oder französischen Begriff der *reception* aber wenig zu tun hat. Bei diesem Zweig der Rezeptionsforschung handelt es sich um das für die Beschäftigung mit der Überlieferungsgeschichte antiker Autoren unumgänglich notwendige Studium des Nachwirkens der Klassiker, also um das Problem des Ruhms, der Dauer und der literarischen Unsterblichkeit.

Mit den methodologisch vordringlichsten Fragen dieser Art befaßt sich Klaus Lubbers in seinem Aufsatz *Aufgaben und Möglichkeiten der Rezeptionsforschung.*[11] Es liegt diesem Gelehrten vor allem daran zu zeigen, wie es zur Herausbildung eines Klassiker-Kanons kommt und welchen Veränderungen er unterliegt. Dabei gilt es auszumachen, welche Rolle z. B. politische und soziale Gegebenheiten bei diesem Ausleseverfahren spielen und ob, qualitativ gesehen, auch in der Literatur ein Darwinsches *survival of the fittest* stattfindet. Daß dem nicht unbedingt so ist, beweist die Tatsache, daß wir das Überleben mancher klassischer Werke (wie der meisten uns bekannten Euripideischen Dramen) dem Zufall von Papyrus- und Vasenfunden verdanken, während von Äschylus und Sophokles nur die »kanonischen« sieben Tragödien auf die Nachwelt gekommen sind.

Eine so verstandene und gehandhabte Rezeptionsforschung (deren Gegenstück *en miniature* die Toposforschung ist) wird z. B. die Zusammensetzung des im Limbus von Dantes *Inferno* versammelten Dichter-Kreises zu erklären suchen, indem sie die Frage aufwirft, warum Lukan, Ovid und Horaz dem Dreigestirn der griechischen Tragiker den Rang ablaufen, warum im *Purgatorio* der heute vergessene Statius zum Führer wird, und wie es kam, daß es Homer erst seit dem 17. Jahrhundert seinem Nachahmer Vergil an Ruhm gleichtut.

Es bedarf keiner Erklärung, warum die wissenschaftliche Rezeptionsforschung eher literarhistorisch als literarkritisch orientiert sein muß, wenn sie die Schwankungen, denen die dichterischen Charakterbilder ausgesetzt worden sind, *sine ira et studio* registrieren will: »Der auf der Rezeptionsforschung aufbauende dialektische Literaturhistoriker verfährt nicht urteilend, sondern beschreibend. Er gibt das Urteil aus der Hand und legt es in die Hände einer stellvertretenden Auswahl von Kritikern der verschiedenen Epochen.« (Lubbers, S. 301f.).

Kriterien der Art, wie sich ihrer T. S. Eliot in seinem Essay »What Is a Classic?« bedient – die sprachliche und sittliche Reife der den Klassiker hervorbringenden Nation und das Vorhandensein literarischer Vorstufen, die die Grundlage bilden, auf welchen sein Werk ruht – sind komparatistisch nur insofern von Wert, als sie etwas über die Rezeptionsfähig- (und willig-)keit des englischen Dichters aussagen, der Homer, Dante und Shakespeare weniger klassisch findet als Vergil und der uns Deutsche mit seiner Indifferenz und seiner fast stolz zur Schau getragenen Unwissenheit in bezug auf Goethe schockiert. Selbst in seiner Hamburger Goethepreisrede vermochte Eliot diesen Eindruck nicht zu verwischen.

Der Klassiker, auch das weiß der Rezeptionsforscher, ist derjenige Dichter, dessen Werk aus dem Limbus der unmittelbar auf seinen Tod folgenden Gefahrenzone des Vergessens auftaucht und von der Nachwelt erhoben oder gelesen wird:

> Quantitativement, le tri décisif et le plus sevère est celui de la première génération extérieure à la zone biographique: tout écrivain a rendez-vous avec l'oubli dix, vingt ou trente ans après sa mort. S'il franchit ce seuil redoutable, il s'intègre à la population littéraire et il est assuré d'une survie à peu près permanente – du moins tant que dure la mémoire collective de la civilisation qui l'a vu naître (Escarpit, S. 31).

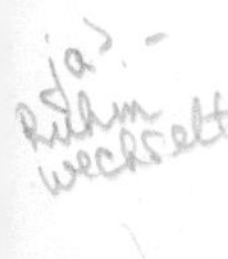

Die vereinfachende Tendenz dieser dogmatischen Aussage bleibt dem Kenner der Weltliteratur nicht verborgen. Gibt es doch bedeutende Ausnahmen wie Bertolt Brecht, der die Schwelle der Unsterblichkeit nicht erst zehn, zwanzig oder dreißig Jahre nach seinem Ableben zu überschreiten braucht, da sein schon zu Lebzeiten gesicherter Weltruhm nach seinem Tode unvermindert anhält, ja wächst. Selbst Max Frischs bitterer Hinweis auf die durchschlagende Wirkungslosigkeit des von ihm einst hoch verehrten Klassikers unterstreicht diese Tatsache. Immerhin ist es möglich, daß der *tri* in diesem Falle chronologisch verschoben und auch Brecht an einem heute nicht vorauszusehenden Zeitpunkt vorübergehend dem Vergessen anheimfallen wird. Anders verhält es sich bei Franz Kafka, dem großen Unbekannten der zwanziger und dreißiger Jahre, dessen Werk heute unter der Last seiner Exegeten und Nachahmer begraben ist, dessen Ruhm also die eigene Quelle zu verstopfen droht.

An interessanten Variationen zu diesem Thema herrscht in der Weltliteraturgeschichte kein Mangel. So macht Escarpit darauf aufmerksam, daß es häufig zu »Ausgrabungen« und Wiederentdeckungen längst verschollener Künstler kommt, und zwar gewöhnlich durch schöpferische Geister, die verkannte Klassiker als kongenial oder zeitgemäß empfinden und ihre Werke erneut in Umlauf bringen. So verhalf T. S. Eliot den »metaphysical poets« Donne, Marvell, Herbert und Crashaw zu neuem Leben, und die seinem Vorbild verpflichteten New Critics bezeichneten deren Gedichte als Muster der von ihnen entwickelten Poetik; die Existentialisten brachten nicht nur Dostojewski, sondern ebenso Ibsen *(Brand)* und Tolstoi *(Der Tod des Iwan Iljitsch)* wieder zu Ehren.

Für den als Rezeptionsforscher tätigen vergleichenden Literaturwissenschaftler ist aber nicht nur das Phänomen der Wiederentdeckung, sondern auch das der Entdeckung bisher im Ausland unbekannt gebliebener fremdsprachiger Dichter von großem Interesse. Ihm wird zur Aufgabe gemacht, nachzuweisen, warum Kafka durch den Surrealismus inthronisiert wurde und warum Brecht im Gefolge Becketts, Ionescos und des absurden Theaters seinen Einzug in Frankreich hielt.

Weltliterarisch gesehen heißt »von vielen Generationen gelesen zu werden« nichts anderes als »in jeder Generation neu übersetzt zu werden«. Diese historisch bedingte Fortzeugung des schöpferischen Verrats steht im Widerspruch zur wissenschaftlichen Forderung nach philologischer Akribie, die jedes Kunstwerk in das ihm gemäße Milieu hineinzustellen und aus ihm zu erklären sucht. Vertritt man die – vom Standpunkt des gebildeten Durchschnittslesers zweifellos berechtigte – Auffassung, jedes Zeitalter benötige seinen eigenen Goethe, Schiller oder Kleist, so muß man das Heimatland eines großen Dichters schon deswegen beklagen, weil ihm derartige Offenbarungen verschlossen bleiben. Nur bei radikaler Änderung einer noch in der Entwicklung befindlichen Sprache ergibt sich später die Notwendigkeit einer Übertragung, so in der englischen Literatur beim *Beowulf* und (eventuell) bei Chaucer, während Shakespeares Dramen durch Anmerkungen dem gebildeten Engländer nach wie vor in der Urfassung zugänglich gemacht werden können.

In Deutschland liest man heute z. B. »zweisprachige« Ausgaben des *Nibelungenliedes* (Sammlung Dieterich) und der Gedichte Walthers von der Vogelweide (Exempla Classica des S. Fischer-Verlages); und selbst der Urtext des *Simplicius Simplicissimus* – wie in Frankreich der von *Gargantua* und *Pantagruel* – mußte für den »common reader« unserer Tage zurechtgestutzt werden (Winkler-Klassiker). Ähnlich geht es uns mit Ernst Elias Niebergalls klassischem Dialektlustspiel *Der Datterich* und Carl Zuckmayers rheinischem Fastnachtsspaß *Der fröhliche Weinberg*.

Zwar mögen diese volkssprachlich abgefaßten Werke im wörtlichen Sinne übersetzbar sein; doch geht bei der Übersetzung in die Hochsprache ein wichtiges, ja man möchte sagen: entscheidendes, Element verloren, das man Milieu-Echtheit, Atmosphäre oder *ambiance* nennen könnte. Darüber hinaus gibt es aber Werke, die schlechthin unübersetzbar sind, weil sie ihrer Sprachgestalt nach so sehr mit ihrem Nährboden verwachsen sind, daß eine Verpflanzung in fremde Erde tödlich wäre. Wir denken an James Joyce, dessen *Ulysses* vielleicht ein Grenzfall ist, während *Finnegans Wake* schon im Original eine fremde Sprache spricht.[12] *Mutatis mutandis* trifft dies auch auf die deutsche expressionistische Dichtung in ihren radikalsten Ausprägungen zu: auf August Stramms Wortkunst, Johannes R. Bechers futuristische Wortkaskaden und Gottfried Benns syntaktische Akrobatik *(Karyatide)*. Selbst der syntaktisch orthodoxe Georg Trakl entzieht sich der Übersetzung, etwa in der englischen Fassung des Gedichtes *Trompeten* durch Robert Bly und Jerome Wright, wo der mögliche Sinn des Verses »Fahnen von Scharlach stürzen durch des Ahorns Trauer« durch den wirklichen Unsinn seiner Entsprechung »Banners of scarlet rattle through a sadness of maple trees« ersetzt wird.[13]

Dient einerseits das periodisch auftretende Bedürfnis nach der Neuübersetzung von Klassikern des Auslands als Wertmaßstab ihrer Produkte – scheiden doch in jeder Runde schwächere Teilnehmer am Rennen um den Unsterblichkeitspreis aus –, so gibt es andrerseits klassisch gewordene Übersetzungen wie den unersetzlichen Shakespeare Schlegel-Tiecks, der sich trotz Flatter, Gundolf, Rothe etc. unverminderter Beliebtheit erfreut, die Proust-Übersetzung C. K. Scott-Moncrieffs und der französische *Faust* Gérard de Nervals. Je umfangreicher das in einer Fremdsprache wiederzugebende Werk, desto schwerer fällt es natürlich, eine schon vorliegende Fassung zu verdrängen – so etwa beim Voss'schen und Drydenschen Homer, denen erst in Rudolf Alexander Schröder bzw. den Amerikanern Robert Fitzgerald *(Odyssee)* und Richmond Lattimore *(Ilias* und *Odyssee)* eine ernsthafte Konkurrenz erwuchs. Schließlich mag das Fehlen übersetzerischer Meisterleistungen in manchen Fällen dafür verantwortlich sein, daß dem Klassiker einer Nationalliteratur kein Weltruhm und keine Dauer beschieden ist. (Dieses Schicksal erleiden besonders häufig die Produkte der kleineren Literaturen.) Nur so erklärt sich wohl die kritische Fehlleistung eines T. S. Eliot gegenüber Goethe und die deutsche Gleichgültigkeit gegenüber Chaucer und Milton.

Auch Übersetzungen unterliegen oft der Trivialisierung, auf die wir am Beispiel der Entschärfung von *Gulliver's Travels* und *Robinson Crusoe* hingewiesen haben. Das geschieht unweigerlich, wenn der Übersetzer als Bearbeiter auftritt, der das Motto »Omnia recipiuntur secundum recipientem« auf seine Fahnen schreibt.[14] Dabei mag er der Mode als Zeiterscheinung oder dem Nationalcharakter Rechnung tragen. Zum Glück sind Verfälschungen wie Maurice Valencys Bühnenfassung von Dürrenmatts Tragikomödie seltener als bloße Kürzungen, etwa die Auslassung der Walfangkapitel in *Moby Dick* oder die Ausmerzung ganzer Abschnitte von Max Frischs Roman *Stiller* in der autorisierten Übersetzung Michael Bullocks, die übrigens vom Autor gutgeheißen wurde – was um so unverständlicher ist, als es sich dabei vielfach um symbolisch überhöhte, allegorisierende Erzählungen handelt oder um Varianten und Wiederholungen, deren Beseitigung schon deshalb Anstoß erregen muß, weil die Wiederholung eine dem Roman werkimmanente Kategorie ist.[15] Zusammenfassend ließe sich zu diesem Thema sagen, daß ein Buch solange unsterblich ist, als es noch mißverstanden werden kann. Klaus Lubbers spricht durchaus im Sinne Robert Escarpits, wenn er feststellt, das Kennzeichen großer Literatur sei die Fähigkeit, immer wieder »verraten«, d. h. neu interpretiert werden zu können.

Der begrenzte Umfang unserer Einführung erlaubt es uns nicht, neben der *doxologie* (der Lehre von den Geschicken der Bücher) auch die *mésologie* ausführlich zu behandeln. Ihre Aufgabe wird von Paul Van Tieghem wie folgt umrissen:

Parmi les modalités des échanges littéraires entre deux nations, il faut faire une place, et une place importante, aux *intermédiaires* qui ont facilité la diffusion dans un pays, et l'adoption par une littérature, d'ouvrages, d'idées et de formes appartenant à une littérature étrangère (S. 152).

Wir müssen es uns also versagen, die Bedeutung des Mittlers, d. h. des beruflichen Übersetzers, näher ins Auge zu fassen. Doch sei daran erinnert, daß die Kenntnis einer Nationalliteratur im Ausland von vielen nichtliterarischen Faktoren abhängt: den größtenteils kommerziellen Auswahlprinzipien der Lektorate, der politischen Lage (siehe die Geschichte der literarischen Beziehungen zwischen Deutschland und Frankreich nach den Kriegen von 1870 bis 1871, 1914 bis 1918 und 1939 bis 1945), der Rolle der Massenmedien (Rundfunk, Fernsehen, Film) usw. Auch die wirtschaftliche Lage des Übersetzers spielt im internationalen Literaturbetrieb eine nicht zu unterschätzende Rolle; denn während in Deutschland die Vertreter dieses Standes einen guten Ruf genießen und anständig verdienen, werden sie in Amerika im allgemeinen schlecht bezahlt und müssen im Akkord arbeiten. So erklärt sich wohl die geringe Qualität der autorisierten englischen Fassungen von wichtigen Romanen André Gides, Hermann Hesses und Alain Robbe-Grillets, während Edwin und Willa Muirs fehlgeschlagener Versuch, Kafkas *Prozeß* zu übersetzen, eher auf mangelnder Kenntnis des Deutschen beruht. Den krassesten Fall einer Koppelung von Ignorantentum und Kommerzialisierung stellt die von Wirt Williams hergestellte englische »Neufassung« von

Heinrich Manns Roman *Professor Unrat* dar, die zudem eine frühere, bessere Fassung schamlos plagiiert.[16]

Eine leidige Rolle spielt bei der Auswahl der Übersetzer das internationale *copyright*, das in vielen Fällen von den Rechtsträgern (Autoren oder Verlagen) monopolistisch gehandhabt wird, so daß mancher Übersetzer auf lange Zeit hin – vielleicht sogar bis zum Erlöschen der Autorenrechte – ein ausschließliches Privileg besitzt, dessen er aufgrund seiner Qualifikation und Leistung nicht würdig ist. So ist das große Publikum auf Gedeih und Verderb auf Übersetzungen angewiesen, deren Wert es nicht ermessen kann und die ihm oft ein falsches Bild von den Absichten des ausländischen Dichters vermitteln. Dies war – wenigstens bis vor kurzem – das bedauernswerte Schicksal Bertold Brechts; und auch heute noch gibt es von den Werken dieses Dichters autorisierte englische Fassungen, die sie verballhornen.

Daß Geschmack und Mode, schöpferischer Verrat und jede Art von Konzessionen keineswegs auf die *distribution* oder *consommation* der von Escarpit postulierten literarsoziologischen Trias beschränkt sind,[17] beweist u. a. der Umstand, daß im Stadium des Patronats-Systems – also vor der Emanzipierung des Künstlers aus der wirtschaftlichen Abhängigkeit von begüterten Individuen – so mancher Dichter Werke schuf, die dem Geschmack seines Gönners entgegenkamen (darunter die *Aeneis*), oder daß er sich nach der Emanzipation dem Druck des Massenpatronats, d. h. des Zeitgeschmacks, der Sensationslust usw. beugt und Bücher schreibt, die gut verkäuflich sind. Warum solche Krimi- oder Sex-Bestseller (im besten Fall kitschige und sentimentale Dutzendware) sich über die Landesgrenzen hinaus verbreiten und den Weltmarkt überschwemmen, ist ein den Soziologen unter den vergleichenden Literaturwissenschaftlern angehendes Problem.

Auf die literarische Rezeptionsforschung im engeren Sinn zurückkommend, wollen wir kurz einiger Fälle Erwähnung tun, in denen der rezipierte Dichter auf den rezipierenden Autor durch Vermittlung eines Übersetzers wirkte. So urteilt Alois Hofman in seinem Buch *Thomas Mann und die Welt der russischen Literatur:*

> Th. Mann entbehrte des Vorteils, Russland aus eigener Erfahrung kennenzulernen. Ungünstige Umstände vereitelten den Plan einer Vortragsreise in russische Städte, verhinderten eine Begegnung mit Tolstoi. Die sinnliche Welt der Russen blieb ihm verschlossen, und auch ihre Sprache blieb ihm fremd. Deshalb war er auf indirekte Informationen und Einsichten durch Vermittler und Dolmetscher angewiesen. Sie waren oft unverlässliche Medien, auch das der Übersetzung, wenn wir bedenken, daß in ihr die nationale Eigenart, Farbe und Schattierung häufig verwischt sind (S. 75).

Hofmann führt weiter aus, daß Thomas Manns Rußlandbild und seine Auffassung der russischen Literatur (insbesondere Dostojewskis) von den Ansichten Dimitri Mereschkowskis abhängig gewesen sei. Da aber diese Ansichten subjektiv gefärbt gewesen seien, beruhe der sogenannte Einfluß Dostojewskijs auf Mann vielfach auf Irrtümern. Doch widerspricht sich der tschechische Gelehrte selbst, wenn er an anderer Stelle sagt, Thomas Mann könne als Beispiel dafür gelten, »daß Entfernung und Sprachschranken im Verfahren der literarischen Rezeption keine wesentlichen Hindernisse bilden« (S. 344, Anm. 1). Dieser Widerspruch enthüllt blitzartig die Schwächen der von Hofmann angewandten literarhistorischen und -kritischen Methode. – Ein folgenreiches Beispiel unbewußten schöpferischen Verrats erwähnt Anna Balakian in ihrem Buch *Literary Origins of Surrealism.*[18] Es handelt sich um eine Stelle aus Achim von Arnims Erzählung *Die Majoratsherren*, die vom französischen Übersetzer Théodore Gautier fils mißverstanden und dem Sinne nach in ihr Gegenteil verkehrt wurde. Gerade diese Fehlleistung aber wirkte so stark auf André Breton und seine surrealistischen Freunde, daß sie Arnim zum Vorläufer des literarischen Surrealismus erhoben.

Daß auch berufsmäßige Rezensenten und Theaterkritiker nicht über alles Lob erhaben sind, läßt sich anhand der Geschichte der Rezeption von Brechts Dramen in den Vereinigten Staaten schlagend beweisen.[19] So standen sensible und literarische gebildete Kritiker wie John Gassner und Stark Young dem Stück *Die Mutter* bei seiner New Yorker Aufführung im Jahre 1935 deshalb hilflos gegenüber, weil ihnen Brechts Theorie ein Buch mit sieben Siegeln war. Und als die Anmerkungen zum *Aufstieg und Fall der Stadt Mahagonny* zum ersten Mal fragmentarisch ins Englische übersetzt und dem amerikanischen Publikum zugänglich gemacht wurden, tat man sie entrüstet oder kopfschüttelnd ab.

Der fleißige Literaturhistoriker kann die Beobachtung machen, daß viele gängige Rezeptions-Studien ausschließlich auf das Echo der öffentlichen Kritik hören und damit die soziologische Vielschichtigkeit des Begriffs der Rezeption *impliciter* verleugnen. Als einschlägige Beispiele nennen wir Bernard Weinbergs Studie über die Aufnahme des französischen Realismus im Lande seiner Herkunft und Winthrop H. Roots Analyse der deutschen Zola-Kritik im letzten Viertel des 19. Jahrhunderts.[20] Root gibt offen zu:

> The investigation has limited itself further to a study of the criticism which we may call the public criticism of Zola. It has attempted to find the majority opinion at any given time as it was expressed in the leading journals, the popular literary histories and essays, and in the monographs which, as manifestos of the opposing schools of criticism, had a wide hearing (S. XII).

Besonders in den Vereinigten Staaten begeht die Literaturkritik (ihre akademischen Vertreter eingeschlossen) bis in die jüngste Zeit die Todsünde der Sprachunkenntnis; welche Folgen diese Unterlassung haben kann, zeigt ein Beispiel aus der Sekundärliteratur über Kafka. Im Kapitel »Weg nach Ramses« des Romans *Amerika* findet sich bekanntlich der Satz: »Dann nahm [Rossmann] die Photographie der Eltern zur Hand, auf welcher der kleine Vater hochaufgerichtet stand, während die Mutter in dem Fauteuil vor ihm, ein wenig eingesunken, dasaß.«[21] Mit Hilfe dieser Beschreibung unterrichtet der Dichter den Leser über die dominierende Haltung von Karls Vater und die weiblich-resignierende der Mutter, die willens ist, ihrem Sprößling seinen »Fehltritt« zu vergeben.

Ziehen wir nun Mark Spilkas Aufsatz »America. Its Genesis« zu Rate, so stoßen wir auf folgende Interpretation der obigen Stelle: »The photograph shows [Karl's] father standing ›very erect‹ behind his mother. ... What these images suggest is borne out in the novel: his repulsion for sex is rooted in his love for his mother; his insecurity in his father's sharp disapproval and his phallic power«.[22] Das Wesen dieses »schöpferischen« Verrats besteht ganz offensichtlich darin, daß eine psycho-analytisch verfahrende Methode der Literaturkritik, die gewisse Komplexe und Repressionen im Unterbewußtsein der Charaktere und ihrer Schöpfer aufzuspüren sucht, eine wörtliche Übersetzung (aufrecht = *erect*) beim Worte nimmt, dabei aber vergißt, daß dieses Wort im Englischen einen Beigeschmack hat, der ihm im Deutschen fehlt. Der Übersetzer hat also, ohne es zu wollen, dem ahnungslosen, weil der Fremdsprache nicht mächtigen Kritiker eine Falle gestellt, die ihm zum Verhängnis wurde.

Um das laufende Kapitel, das nicht als Einführung in die Literatursoziologie gedacht ist, abzukürzen, wollen wir im Nachtrag einige Hinweise auf einen, heute vielfach als veraltet und methodologisch fragwürdig bezeichneten Zweig der französischen Komparatistik à la Carré und Guyard geben: das Studium der sogenannten *images* oder *mirages* (Bilder oder Zerrbilder), die als völkische Entsprechung zu den auf einzelne Dichter bezogenen Mythen und Legenden gelten dürfen.

Diese Sonderdisziplin war Van Tieghem noch unbekannt, während Guyard (der Gefolgsmann und Schüler Carrés) ihr ein eigenes Kapitel widmet, aber in der Neuauflage von *La Littérature comparée* (1961) zugeben muß, daß die neueste Entwicklung diese Art von Studien wieder in den Hintergrund treten lasse. Immerhin widmen auch Pichois und Rousseau dem Problem einen fünf Seiten langen, »Images et psychologie des peuples« betitelten Abschnitt (S. 88–92), in dem sie, ohne sich der vernichtenden Kritik René Welleks anzuschließen, mit vornehmer Zurückhaltung die Ansicht äußern: »Nous sommes ici au carrefour de la littérature, de la sociologie, de l'histoire politique et de l'anthropologie ethnique« (S. 90). Wir selbst haben in unserer Rezension eines Buchs von Simon Jeune gezeigt, wie leicht image-mirage-Studien ins Außerliterarische abgleiten.[23] Wir ließen dabei den Verfasser selbst wie folgt zu Worte kommen: »Le type littéraire a favorisé l'évolution du type humain. L'art a rejoint la vie« und »[Thérèse Bentzons] étuce des lettres américaines ne la conduit pas encore aux mœurs«.[24]

Den Versuch, dieses Grenzgebiet der vergleichenden Literaturwissenschaft wenigstens teilweise zu legitimieren, hat der holländische Forscher Hugo Dyserinck kürzlich unternommen. Er geht von der Beobachtung aus, daß literarisch gesehen das Bild oder Zerrbild fremder Völker oft »eine derart werkimmanente Rolle spielt, daß man auch bei einer eindeutigen Beschränkung auf sogenannte innerliterarische Forschung gezwungen ist, sich mit ihm zu befassen, wenn man das betreffende Werk in seiner Bedeutung vollständig erfassen und es entsprechend in den größeren Zusammenhang der Literaturgeschichte einordnen will«.[25]

Im spezifischen Teil seiner Darstellung hält sich Dyserinck an das Beispiel des Romans *Journal d'un Curé de Campagne* von Georges Bernanos, in dem ein völlig einseitiges, klischeehaftes Bild des flämischen Volkscharakters entworfen wird. In ähnlicher Weise ließen sich Themen wie »Brechts Amerikabild und sein literarischer Niederschlag« unter Heranziehung von Stücken wie *Im Dickicht der Städte*, *Mahagonny*, *Die heilige Johanna der Schlachthöfe* und *Der aufhaltsame Aufstieg des Arturo Ui* behandeln. Dabei wäre zu untersuchen, in welchem Maße die Vorstellung, die sich der Dichter von Chicago machte, literarischen Ursprungs war (Upton Sinclairs *The Jungle* und Johannes V. Jensens *Das Rad*) und inwieweit sie einer nichtliterarischen »Mythe« entsprach.

Mit diesen Anmerkungen über die literarische Komponente der Rezeptionsforschung verlassen wir ein Grenzgebiet der vergleichenden Literaturwissenschaft. Erst in dem als Exkurs gedachten achten Kapitel unserer Übersicht wollen wir uns erneut in ein grenzunbewußtes Reich begeben. Im vierten bis siebenten Kapitel hingegen befassen wir uns mit einigen auch für die Komparatistik entscheidenden Problemen der Literaturkritik-, -geschichte und -theorie. Unsere diesbezüglichen Ausführungen werden dabei der Reihe nach um die Begriffe *Epoche*, *Periode*, *Generation*, *Bewegung*, *Gattung*, *Stoff*, *Thema* und *Motiv* kreisen.

Fünftes Kapitel

# »Epoche«, »Periode«, »Generation« und »Bewegung«

Insofern die Komparatistik ein Zweig der Literaturgeschichte ist, sieht sie sich, wie alle historisch ausgerichteten Wissenschaften, vor die undankbare Aufgabe gestellt, Ordnung in das Chaos des pausenlos abrollenden Geschehens (des »directionless flux«, wie Wellek es nennt[1]) zu bringen. Nur wer wie Croce und seine Brüder im Geist Kunstwerke als geschichts-, d. h. voraussetzungslos ansieht und sie willkürlich aus ihrem organischen Zusammenhang reißt, wird blind dafür sein, daß die Entwicklung kontinuierlich ist und daß, um ihre Eigenart zu erkennen, ein Ordnungsschema gefunden werden muß, das es gestattet, bestimmte Stufen oder Phasen auszusondern und miteinander harmonisch in Beziehung zu bringen.[2] Als besten, in einem solchen Ordnungsschema gültigen Maßstab möchten wir, R. M. Meyer und anderen Forschern folgend, den unter den Begriff »Periode« subsumierten bezeichnen. Wie Meyer in seinem immer noch lesenswerten Aufsatz ausführt, entspricht die *Periode* als Einteilungsprinzip innerhalb der Geschichtswissenschaften demjenigen des *Begriffs* in der Philosophie und der *Klasse* in den Naturwissenschaften.[3]

Soweit wir ihr überhaupt Bedeutung beimessen, ist Geschichte keinesfalls nur die Summe des Geschehenen, sondern – historistisch gesehen – das Wissen um das Geschehen als ein irgendwo, irgendwann und irgendwie in Erscheinung Getretenes, zugleich aber der Versuch, dasjenige, was geschehen konnte oder mußte, in seiner historischen Bedingtheit zu erklären oder nachzuvollziehen. Erst das im Hellenismus erwachte abendländische Geschichtsbewußtsein machte eine – zunächst wesentlich teleologisch-apokalyptische – Gesamtgliederung der verschiedenen Weltaltern zugehörigen Ereignisse nötig.[4] Diese beschränkte sich anfangs auf eine grobe Unterteilung in Epochen, wozu eigentlich erst im 19. Jahrhundert – man denke an Wölfflins kunsthistorische Unterscheidung von Renaissance und Barock – eine systematische Gliederung nach Perioden trat.

Von den prophetischen Büchern des Alten Testamentes führt eine direkte Linie zur Apokalypse des Johannes und weiter zu den Kirchenvätern. »Die Gliederung nach Perioden«, sagt Meyer, »gilt wohl erst im großen, seit die Weltgeschichtsschreibung mit Augustinus die Weltreiche des Propheten Daniel zum Leitfaden der Menschheitsentwicklung gemacht hat« (S. 8). Er bezieht sich hierbei auf den bekannten Traum Nebukadnezars, den der biblische Prophet im zweiten Kapitel des nach ihm benannten Buches auslegt. Das Haupt des dem König im Traum erschienenen Standbildes »war von gediegenem Golde, seine Brust und seine Arme von Silber, sein Bauch und seine Lenden von Erz, seine Schenkel von Eisen, seine Füße teils von Eisen, teils von Ton«. Daniel legt diese Erscheinung wie folgt aus: »Du bist das goldene Haupt. Nach dir aber wird ein anderes Reich, das geringer ist als das deinige, entstehen und nach ihm ein anderes, drittes Reich«. Das letztere ist, wie die teils aus Ton und teils aus Eisen gemachten Füße der Statue andeuten, kein zusammenhängendes ungeteiltes Reich mehr.[5] In säkularisierter Form begegnen wir einer ähnlichen Einteilung im Topos von der goldenen Zeit, von der Goethes Tasso sagt, er wisse nicht, wohin sie entflohen sei, oder – bei Umkehrung der Perspektive – im Begriff der Utopie.

Was Meyer als *Periode* bezeichnet, sollte eigentlich *Epoche* heißen. Letztere stellt nämlich die größere Einheit dar und erstere die kleinere, wobei zu beachten ist, daß der Begriff der Periode dem des Zeitalters (*age*) ungefähr entspricht – mit dem Unterschied, daß dem Sprachgebrauch zufolge das Wesen des Zeitalters oft von einem einzelnen, großen Individuum geprägt wird: so beim Zeitalter Shakespeares, Goethes oder Napoleons. Leider unterscheiden selbst so verdiente Forscher wie Benno von Wiese durchaus nicht immer die auf zwei verschiedene Größenordnungen hinweisenden Kategorien.[6] Am klarsten äußerst sich H. P. H. Teesing in seinem Buch *Das Problem der Perioden in der Literaturgeschichte:* »Die Bezeichnung *Epoche* wäre vorzuziehen, wenn sie nicht eine etwas schwerere Bedeutung hätte und sich eigentlich nur für größere Zeiträume verwenden ließe« (S. 9).

Bedauerlich ist auch, daß der Begriff der Periode etymologisch in gefährliche Nähe zur Periodizität, d. h. dessen was periodisch wiederkehrt, gerückt wird, ein Anklang, den die echte Geschichtswissenschaft, die davon ausgeht, daß Geschichte ein einmaliges, unwiederholbares Geschehen darstellt, und deshalb allem zyklischen Denken feind ist, gern vermeiden möchte. Die »periodische Periode«, wie sie Meyer nennt, ist in der Tat eine gedankliche, die historischen Tatsachen in einen Pokrustesbett zwingende Konstruktion.

Obwohl für die Komparatistik der Begriff der Epoche weniger ergiebig ist als derjenige der Periode oder Bewegung, weil direkte Einflüsse in dieser Größenordnung eine geringere Rolle spielen, wollen wir dennoch kurz bei ihm verweilen. Dabei können wir, indem wir die Periode mit Wellek »a time section dominated by a system of norms, whose introduction, spread and diversification, integration and disappearance can be traced«[7] definieren, die gleichen Kriterien auch auf die Epoche anwenden, wobei zu bedenken ist, daß sich ein festgefügtes, auf ein System von Normen reduzierbares Geflecht von Einzelzügen nur selten über einen so ausgedehnten Zeitraum unverändert erhalten wird.

Denken wir an die abendländische Kultur, so schwebt uns sogleich die Trias Altertum-Mittelalter-Neuzeit vor Augen. Diese Dreiteilung ist aber ein Produkt der Renaissance, für die das Mittelalter wirklich die dunkle Zeit *(the dark ages)* war, über die hinweg und durch die hindurch ein Rückgriff auf das Altertum – seine Erneuerung also – bewußt erfolgen sollte. Auf die meisten außereuropäischen Kulturen läßt sich diese Differenzierung jedenfalls nur analogisch anwenden, wie es in der unmittelbaren Vergangenheit von Gelehrten wie Earl Miner in Amerika und René Etiemble in Frankreich entweder versucht oder gefordert worden ist, besonders in bezug auf das westliche und fernöstliche »Mittelalter«.[8]

Die erwähnte Dreiteilung ist auch heute noch populär, obwohl sich vor die Neuzeit inzwischen die neuere Zeit geschoben hat und vor diese die neueste Zeit. Beginnt die Neuzeit mit der Renaissance, so die neuere Zeit mit der französischen Revolution und die neueste Zeit um die Jahrhundertwende. Was danach kommt, ist eigentlich schon Gegenwart, nämlich das, was zu unseren Lebzeiten geschieht. Unsere Lebzeit endet aber, wenn wir sterben; so wird durch unseren Tod die Gegenwart zur Vergangenheit.

Wir verzichten gerne darauf, den Begriff der Moderne (oder des Modernen) in diesem Zusammenhang näher zu erläutern, möchten aber darauf aufmerksam machen, daß das Moderne stets als Gegensatz zum Alten, Gewohnten oder Klassischen verstanden wird. Ernst Robert Curtius hat die Vorgeschichte dieses Begriffs von ihren Anfängen bei den alexandrinischen *neoteroi* über die *poetae novi* des Cicero zu den *moderni* des Cassiodorus, das *seculum modernum* Karls des Großen bis zum zwölften Jahrhundert nachgezeichnet.[9] Sie setzt sich folgerichtig über die *Querelle des anciens et modernes* des späten 17. und frühen 18. Jahrhunderts bis zum Zwist zwischen Klassik und Romantik und der eigentlichen »Moderne« des fin-de-siècle fort.[10]

Vorausgeschickt sei die Bemerkung, daß, obwohl eine Epoche unter anderem dadurch gekennzeichnet sein sollte. daß man sie in kleinere Einheiten zerlegen, also periodisieren kann, dies auf dem Gebiet der Literatur sowohl beim Altertum als auch beim Mittelalter nur sehr begrenzt möglich ist. Mit Beginn der Neuzeit setzt dann – wenigstens im Rückblick der neueren Forschung – eine immer diffizilere Abgrenzung ein, von der noch kein Ende abzusehen ist. Je näher wir bei der Periodisierung der Gegenwart kommen, desto kürzer werden, wie Teesing feststellt, die Zeitspannen[11], und seit 1870 werden die Perioden gänzlich durch immer kurzlebigere *Be-*

*wegungen* ersetzt, bis sich die Wellen in der Zeit vor dem Ersten Weltkrieg so überschlagen, daß ein für die wissenschaftliche Periodisierung fast undurchdringliches Gestrüpp von Programmen und Manifesten entsteht.[12]

Auch wir halten die fortschreitende Reduktion des Umfanges der literarhistorischen Einheiten für keine optische Täuschung, sondern glauben sie wenigsten zum Teil damit erklären zu können, daß seit der Romantik die Kunst sich ihrer selbst in immer zunehmenderem Maße bewußt wird und daß, als Folge davon, der moderne Künstler immer verzweifelter nach neuen, unerhörten Lösungen suchen muß. Eduard Wechssler bekräftigt Teesings Angabe, indem er darauf hinweist, daß sich auch der Abstand zwischen den geistesgeschichtlich erfaßbaren Generationen ständig verringert, mit dem Ergebnis, daß in den zwanziger Jahren unseres Jahrhunderts gleich zwei verschiedene Generationen zum Zuge kamen.[13]

Beim Studium der Epochen – wie aller aus dem *flux* zeitlichen Geschehens abstrahierter Wesenheiten – sieht sich der Forscher vor die Notwendigkeit gestellt, diese gegeneinander abzugrenzen und die Übergänge möglichst genau festzulegen. Dabei können wir beim Studium der Literatur von der Vor- und Frühgeschichte der Menschheit absehen, die erst in neuerer Zeit ins Blickfeld des kulturhistorischen Betrachters getreten ist. Der Archäologe und Anthropologe kann freilich nicht umhin, auch diese primitiven Phasen periodisch zu gliedern. Im allgemeinen hat es aber bei der Periodisierung die Kunstgeschichte immer leichter gehabt als die Literaturgeschichte, so etwa bei der Behandlung des griechischen Altertums, dessen Ablauf sich anhand der als geometrischer, archaischer, klassischer und hellenistischer Stil bekannten Tendenzen im Umriß darstellen läßt. Die von manchen Kulturhistorikern des positivistischen Jahrhunderts als unabdinglich postulierte Folge von Epik, Lyrik und Dramatik hingegen ist nur eine bequeme Verlegenheitslösung; und innerhalb der einzelnen Genres bietet sich höchstens die Entwicklung der alten zur neuen Komödie oder, im zeitlich beschränkten Rahmen, die Geschichte der Tragödie von Äschylus über Sophokles bis zu Euripides zum Vergleich an.

Für den Renaissancemenschen war die Frage nach dem Beginn des Altertums verhältnismäßig leicht zu beantworten, da mit etwaiger Ausnahme der ägyptischen Hieroglyphik nur die griechisch-römische Kultur bekannt war und der Nahe Osten als Quelle und Vorbild der angestrebten Erneuerung deshalb nicht in Betracht kam. Die Literaturgeschichte beginnt eigentlich auch für uns nicht mit dem Gilgamesch-Epos und den ägyptischen Totenbüchern, sondern mit der *Ilias* und der *Odyssee*.

Auch die Frage nach dem Ende des Altertums bereitet anscheinend nicht viel Kopfzerbrechen; was freilich nicht heißen soll, daß der

Beginn des Mittelalters leicht zu finden ist. Jeder Versuch einer Periodisierung wird nämlich dadurch erschwert, daß die Perioden keinen Rest übriglassen dürfen und daß ihre Summe, wie Meyer sagt, »sich mit dem Inhalt des Gesamtverlaufs decken muß. Sonst ginge ja der ganze Zweck der Aufteilung verloren« (S. 19).

Das Altertum endet – so möchte man annehmen – nicht schon mit dem Auftreten des Christentums, sondern erst mit dem Fall Roms, der Gründung Konstantinopels oder spätestens mit Boethius und Augustinus. Doch lebt es fort in der statisch-hieratischen Kultur von Byzanz, diesem »artifice of eternity«, in dem sich im Laufe eines Jahrtausends weder in der Literatur noch in der bildenden Kunst entscheidende Übergänge von einem Epochenstil zum anderen finden lassen. In einem Teil Europas ist das Altertum also noch nicht tot, während anderswo das Mittelalter schon lebendig ist.

Es erhebt sich ferner die Frage, ob kulturhistorisch gesehen das Mittelalter überhaupt dem Begriff der Epoche entspricht, d. h. in klar profilierte Perioden teilbar ist. Dabei ist zu beachten, daß von einem Gleichlauf der Künste durchaus nicht immer die Rede ist und daß deshalb im einen Bereich die Periodisierung leichter fällt als im anderen. (Der von manchen Gelehrten postulierte geistesgeschichtliche Vorrang gewisser Künste – ob relativ oder absolut – soll hier gänzlich außer Betracht bleiben). Vermerkt sei immerhin, daß in der mittelalterlichen Kunstgeschichte die Abfolge von Stilen genau festgelegt ist, und zwar durch die Reihe *fränkisch*, *karolingisch*, *ottonisch*, *romanisch*, *gotisch*. An einer ähnlichen stilgeschichtlichen Durchdringung dieser Epoche mangelt es bisher leider in der Literatur. Daran ist gewiß u. a. die zwischen den einzelnen Volkssprachen und der lateinischen *koine* bestehende, das ganze Mittelalter durchziehende Spannung schuld.

In seinem Buch bemängelt Teesing, daß die mittelalterliche Literatur immer noch vorwiegend nach soziologischen oder philologischen Gesichtspunkten eingeteilt wird, geistes- und stilgeschichtliche Kriterien aber nur zögernd angewandt werden:

> Nun drängt sich aber eine Frage auf, die wir ausdrücklich nur als Frage stellen wollen: ist es vielleicht nicht weniger das Material als vielmehr die Behandlung des Materials in unserer Wissenschaft, welche eine solche Periodisierung der mittelalterlichen Literatur verhindert? Die mittelalterliche und neuzeitliche Literatur werden bekanntlich methodisch verschieden bearbeitet: bei der Bearbeitung der mittelalterlichen Dichtung liegt das Schwergewicht auf dem philologischen Verfahren, bei der neuzeitlichen Literatur auf der geistes- und stilgeschichtlichen Forschungsweise (Teesing, S. 120).

Die 1928 gegründete *Deutsche Vierteljahrsschrift für Literaturgeschichte und Geisteswissenschaft* setzte es sich unter anderem zum Ziel, diesem Übelstand abzuhelfen.

Muß der Meyerschen Forderung nach das Ende des Mittelalters mit dem Beginn der Neuzeit zusammenfallen, so ließe sich die Frage nach dem genauen Zeitpunkt des Überganges dadurch beantworten, daß man den Anfang der Renaissance bestimmt. Wie sieht es aber mit diesem Anfang aus? Daß hierbei, vom gesamteuropäischen – d. h. komparatistischen – Standpunkt aus gesehen, ein einzelnes Datum nichts bedeutet, erweist die Diskrepanz in der Festlegung dieses Angelpunktes in den verschiedenen National- und Weltliteraturgeschichten.

Machen wir einmal die Probe aufs Exempel. Dabei sehen wir aus methodologischen Gründen davon ab, Erwin Panofskys überzeugend verfochtene These, Renaissancen habe es auch im Mittelalter wiederholt gegeben, unter die Lupe zu nehmen.[14] Panofskys Aufsatz hätte, nach dem Muster einer berühmten Abhandlung von A. O. Lovejoy *(On the Discrimination of Romanticisms) On the Discrimination of Renaisceances* heißen können, obwohl es sich bei den von ihm beschriebenen Phänomenen nicht um Simultan-Erscheinungen handelt. Panofsky erinnert seine Leser daran, daß manche dieser Reformbestrebungen zögernde und weitgehend inkonsequente Versuche waren, das (wie Jean Seznec in seinem Buch *The Survival of the Pagan Gods*[15] nachweist) nie ganz verschollene Erbe der Alten wieder zu Ehren zu bringen. An echten Renaissancen, d. h. systematischen Wiederbelebungen antiken Geistesguts, nennt er nur die karolingische des 9. Jahrhunderts.

Vergleichen wir die Behandlung des Periodisierungsproblems in drei verschiedenen Literaturgeschichten – Buckner B. Trawicks *World Literature*, Philippe Van Tieghems *Histoire de la littérature française* und Fritz Martinis *Geschichte der deutschen Literatur*[16] – so ergibt sich folgendes Bild: Trawick setzt den Beginn der italienischen Renaissance mit 1321, dem Todesjahr Dantes, an, teilt also diesen Autor dem Mittelalter zu, während Boccaccio und Petrarca schon der Neuzeit angehören. Wirklich läßt sich der Verfasser der *Göttlichen Komödie* nicht gut in die Renaissance einstufen, wenn man bedenkt, daß er zwar auf das Altertum zurückgreift (wobei die *Aeneis* das Modell abgibt), aber sein Gedicht als symbolische Umschreibung der christlichen Heilslehre verstanden wissen will.

Betrachten wir Dantes Stil, so zeigt sich, daß sein vielgerühmter Realismus – wie Erich Auerbach nachgewiesen hat – allegorisch von der *figura* her verstanden werden muß. Scheinbar wahrheitsgetreue Wiedergabe ist also nur die Oberfläche einer symbolisch auszulotenden Tiefe. Allzu leicht vergißt der Leser, daß es die körperhaften Seelen, nicht aber die wirklichen Körper der Sünder sind, die in der Hölle braten. Auch in Boccaccios *Decamerone* und z. T. in Chaucers *Canterbury Tales* ist der Realismus trügerisch und die gründliche Lektüre beider Werke führt zur Einsicht, daß in ihnen die Wirklichkeit vielfach stilisiert oder symbolisch überhöht ist. Dabei spielt das Toposhafte der Schilderung (etwa der Gärten und Parks im *Decamerone*) eine nicht zu unterschätzende Rolle.

Vergessen wir auch nicht, daß Dante (in seinem berühmten Brief an Can Grande della Scala von Verona) und Boccaccio (in der Einleitung zur vierten Dekade) es für notwendig hielten, den Gebrauch der Muttersprache in ihren Hauptwerken zu begründen oder zu verteidigen. Selbst Chaucer, der als Pilger in eigener Person auftritt, entschuldigt den Realismus im Aufbau und in der Sprache seiner *Canterbury Tales* im Prolog mit dem Hinweis darauf, daß es ihm an Bildung mangle und er deshalb nicht imstande sei, den Ansprüchen der höheren Literatur zu genügen. Es wäre also durchaus vertretbar, Boccaccio noch zum Mittelalter zu rechnen und die Renaissance erst mit Petrarca, der Griechisch lernte, um die Klassiker im Urtext lesen zu können, einsetzen zu lassen.

Auch in Frankreich, dem – nach Italien und Spanien – dritten Land, in dem die Renaissance ihren Einzug hielt, ist die Lage durchaus nicht so eindeutig wie dies für den Literaturhistoriker wünschenswert wäre. Trawick z. B., der die spanische Renaissance mit der Heirat Ferdinands von Aragonien mit Isabella von Kastilien im Jahre 1469 beginnen läßt (ihre erste literarische Höchstleistung war die *Celestina* des Fernando de Rojas), bezeichnet 1494 – das Jahr der Geburt François Rabelais' und der Invasion Italiens durch König Karl den Achten – als *terminus post quem*, während Van Tieghem Villon und Rabelais noch zum Mittelalter (1050–1550) zählt und erst Montaigne und die Dichter der Pleiade für die Renaissance in Anspruch nimmt, der er eine Zeitspanne von ganzen vierzig (!!) Jahren, 1550–1590, zuerkennt.

Fritz Martini vermeidet klüglich den Gebrauch des im deutschen Sprachbereich schlecht auf die *belles lettres* anwendbaren Begriffs der Renaissance und begnügt sich bei der Etikettierung der entsprechenden Periode mit den außerliterarischen Bezeichnungen *Humanismus* und *Reformation.* Wie Trawick setzt er für sie kurzerhand das 16. Jahrhundert an. – In England schließlich vollzog sich der Übergang vom Mittelalter zur Renaissance erst nach 1500 bei Dichtern wie Spenser, Wyatt und Sir Philip Sidney, während Shakespeare – wie Cervantes in Spanien – schon in eine neue Periode (das Barock) hineinwächst.

Man sieht also: bei der Betrachtung der Literatur vom übernationalen Standpunkt ergeben sich Schwierigkeiten bei der Koordinierung der Epochen und beim Versuch, Einteilungsprinzipien zum Zweck der universellen Periodisierung zu finden. Die für die Renaissance geltenden Normen prägen sich nämlich in den einzelnen Ländern zu verschiedenen Zeiten und oft mit so großer Verspätung aus, daß man, komparatistisch gesehen, stets »mit Sonderentwicklungen und zeitlichen Verschiebungen« rechnen muß.[17] Als Ganzes gesehen dauert die Renaissance vom 14. bis weit ins 16. Jahrhundert, ohne daß sie je gleichzeitig in allen Ländern in voller Blüte stände. Das *medium aevum* stirbt eben, wie der holländische Historiker Jan Huizinga in seinem Buch *Der Herbst des Mittelalters* zu beweisen sucht, nur langsam. Bei einer Gesamtdarstellung der Renaissance wird also die vergleichende Literaturwissenschaft bei aller Vorliebe für die synchronische Betrachtungsweise im wesentlichen diachronisch verfahren müssen.

Wir wenden uns jetzt der Betrachtung der literaturgeschichtlichen Perioden im engeren Sinne zu, d. h. zeitlich begrenzteren und organischer gestalteten Hauptabschnitten der kulturellen Entwicklung des Abendlandes seit der Renaissance. Perioden sind, Teesing zufolge, Zeiträume von unbestimmter Dauer, »die in sich relativ einheitlich sind und sich in charakteristischer Weise von anderen unterscheiden« (Teesing, S. 8). Er fragt sich also, welche Kräfte bei der Profilierung am Werke sind.

Von vornherein als verwerflich anzusehen sind alle Einteilungsprinzipien, die sich auf die Meinung stützen, eine unabänderliche Gesetzmäßigkeit walte im Ablauf der Geschichte. Von Wiese und Teesing warnen davor, die polaren, phasischen oder zyklischen (d.h. eben »periodischen«) Konstruktionen eines Vico, Spengler oder Cazamian ernstzunehmen. Diese schließen nämlich offen oder stillschweigend teleologisch-prophetische Ansprüche mit ein. Mit zwei anderen Arten der Periodenbildung befaßt sich von Wiese in seinem eindrucksvollen Aufsatz: Er verwahrt sich zunächst einmal gegen den Versuch einer Metastasierung des Begriffs, d. h. seiner Ausweitung ins Metaphysische, und zwar unter Hinweis auf die von Herbert Cysarz vertretene Ansicht, die Periode sei Wesens- statt Ordnungsform.

Dieser ahistorische Dogmatismus verleite Cysarz und andere Forscher dazu, die Existenz eines gotischen Menschen oder eines Renaissancemenschen, der alle typischen Merkmale des Epochenstils in sich vereint, zu postulieren. Auch wir beklagen mit Werner Milch diesen kropfartigen Auswuchs der Geistesgeschichte.

Durch Manipulationen der Art, wie sie Cysarz vornimmt, wird der Periodenbegriff so verabsolutiert, daß die entstehenden Gebilde starr und unbeugsam werden. Die geistesgeschichtlichen Perioden folgen einander aber nicht »im ausrechenbaren Gänsemarsch, sondern befinden sich in einer stets sich umformenden Durchdringung, wobei jede regulativ bestimmbare Einheit eine ganze Fülle von anderen Einheiten noch in sich enthält« (von Wiese, S. 144). Den Beweis erbringen die Werke des sogenannten romantischen Realismus – nicht nur in Deutschland (Keller, Storm usw.), sondern auch in Frankreich

(Hugos Vorwort zu *Cromwell*, Flauberts *Madame Bovary*) und England (Wordsworth' Vorwort zur zweiten Auflage der *Lyrical Ballads*). Was für die Perioden gilt, gilt *mutatis mutandis* auch für die Epochen. So hat der englische Gelehrte Tillyard in seinem Buch *The Elizabethan World Picture* anschaulich gemacht, wieviel mittelalterliches Gedankengut in den Werken Shakespeares und der anderen Elisabethaner verborgen liegt.

War die Verabsolutierung der Periodenbegriffe die Scylla dieses Zweiges der Literaturgeschichte, so ist die Herausbildung von Idealtypen seine Charybdis. Näher besehen ist das idealtypische Einteilungs-Schema eine Abart des zyklischen oder phasischen, obwohl diese Verwandtschaft nicht immer offen in Erscheinung tritt. Es stützt sich nämlich auf die Annahme, gewisse Normen-Systeme seien charakteristisch nicht nur für einmalig-unwiederholbare Zeitabschnitte, sondern für zeitlich nicht verbundene, durch andere Perioden (vielleicht sogar in anderen Kulturkreisen) voneinander getrennte Einheiten. Sie könnten also nicht nur abstrahiert, sondern auch übertragen werden, mit anderen Worten: Es gäbe ein griechisches Rokoko (den hellenistischen Tanagra-Stil) oder ein mittelalterliches Barock. Auf die Methodenlehre bezogen ist dieser übertragene Sprachgebrauch ein sicheres Zeichen dafür, daß das Netz der vom Historiker gewählten Normen zu weitmaschig geworden ist, um seinem Zweck zu dienen. Daß es eine Neoklassik und eine Neuromantik gibt, gilt nicht als Gegenbeweis, da es sich hierbei um Nachahmung und Neubelebung historischer Tendenzen handelt, der Wagen also chronologisch nicht vor das Pferd gespannt wird.

Auch vom rein nominalistischen Verständnis der Periode können wir bei unserem Versuch, diesen Begriff in der vergleichenden Literaturwissenschaft einzubürgern, absehen. Diese Auffassung entspricht der von Huizinga und anderen Historikern vertretenen Ansicht, Perioden seien Hilfskonstruktionen von äußerst bedingter Geltung. Da die Periodisierung zwar unentbehrlich, zugleich aber ihrem Wesen nach stets willkürlich sei, seien »farblose Epochenbezeichnungen mit zufälligen Zäsuren vorzuziehen« (zitiert nach Huizinga bei Teesing, S. 42). Dieser Ansatz ist indiskutabel; denn wenn der Periodenbegriff seine Pflicht erfüllen soll, muß er ein in sich selbst gefestigtes System von Koordinaten beinhalten. Wie könnte man sonst ein Kunstwerk datieren und stilistisch einreihen?

Bei der Bestimmung einzelner Perioden darf man sich nicht vom Zwang zu Zirkelschlüssen entmutigen lassen, dem alle Geisteswissenschaften unterworfen sind. »There is«, sagt Wellek, »a logical circle in the fact that the historical process has to be judged by values, while the scale of values is itself derived from history« (Wellek, S. 89). Das heißt in unserem Fall: die Normen, die als Wegweiser bei der Identifizierung der Perioden dienen, sind in Wirklichkeit vom Betrachter selbst aus dem geschichtlichen Prozeß abstrahiert worden. Wie von Wiese weiß,

> muß ... grundsätzlich an der erkenntnistheoretischen Einsicht festgehalten werden, daß solche Epochenbegriffe geschichtliche Kategorien, nicht aber geschichtliche Substanzen sind, begriffliche Schemata, die dem Verstehen und Gliedern des geschichtlichen Stromes dienen sollen, nicht aber wirkliche Einheiten, die das Genie des Forschers in einer besonders originellen »Schau« endgültig entdeckt und fixiert hat (von Wiese, S. 137).

Wir wollen uns auf logische Spielereien hier nicht einlassen, sondern uns damit abfinden, daß die Periodenbegriffe, mit Teesings Worten »conceptus cum fundamento in re« (*Reallexikon*, S. 77) sind, also vom Subjekt erkannte Erscheinungen am historischen Objekt. Dieser Umstand erklärt, warum es nie zu abschließenden, endgültigen oder unumstößlichen Definitionen kommen kann. Es werden nämlich nicht nur ständig neue Tatsachen entdeckt und unbekannte Aspekte der Vergangenheit enthüllt (das *fundamentum in re)*, sondern, beginnend mit der Selbstinterpretation von Perioden wie der Renaissance oder der Romantik, ändert sich der Standpunkt des Betrachters (der *conceptus*) zusehends von Generation zu Generation. So muß jede Periode – wie jedes Kunstwerk – aus immer neuer Sicht auf immer neue Weise interpretiert werden, da jede Generation ihren eigenen Goethe und ihr eigenes Barock fordert. Wir werden also selbst bei Anhäufung von Spezialuntersuchungen und monographischen Darstellungen die Romantik oder den Manierismus niemals ganz ausschöpfen.

Von der Theorie zur literaturgeschichtlichen Praxis der Periodenbildung ist es nur ein Sprung, wenn auch zuweilen ein sehr gewagter. So wie wir an den Anfang unserer Betrachtungen über den Epochenbegriff einen Hinweis auf die traditionelle Dreiteilung der abendländischen Kultur stellten, wollen wir jetzt ganz einfach fragen, in wieviele Perioden sich die Neuzeit aufgliedert. Natürlich fallen uns sofort ein paar der bekanntesten Namen (Barock, Rokoko, (Neo-) Klassik, Romantik, Realismus) ein; aber wenn wir als Komparatisten versuchen, ganz Europa zu erfassen, stoßen wir auf ungeahnte Schwierigkeiten.

Zunächst muß auffallen, daß es Perioden – d. h. gesamteuropäische Normensysteme von der Mindestdauer einer Generation – eigentlich nur bis zum 19. Jahrhundert gegeben hat; sie werden seit dem Naturalismus von immer schneller rotierenden Bewegungen und Splitterbewegungen abgelöst. Blicken wir andrerseits von der Romantik rückwärts oder von der Renaissance vorwärts, so fällt uns auf, daß zwar eine beträchtliche Anzahl von Periodenbegriffen zur Hand ist, nur wenige von ihnen aber ohne Einschränkung auf gleichzeitige Entwicklungen in den verschiedenen Nationalliteraturen anwendbar sind. Der Begriff des Barocks z. B., der sich erst dank der Bemühungen der Literarhistoriker unter den Wölfflin-Schülern in der Literaturgeschichte einbürgerte und zeitweilig zur Kennzeichnung der gesamten Produktion des 17. Jahrhunderts diente, erhielt inzwischen im Manierismus einen, ebenfalls in der Kunstgeschichte beheimateten Nebenbuhler, der ihn allerdings bisher nicht verdrängt hat, obwohl ein Gelehrter vom Range Ernst Robert Curtius' diese Substituierung für notwendig hielt und sein Schüler Gustav René Hocke sie uns in zwei umfangreichen Studien vorexerzierte.[18]

Besonders in der französischen Literaturgeschichte streiten sich noch heute die Geister, ob Barock oder Manierismus als Bezeichnungen für Periodenstile in der Literatur überhaupt zulässig seien. Beide sind allerdings im Begriff sich durchzusetzen. Noch Philippe Van Tieghem überschrieb das den Zeitraum von 1590 bis 1656 behandelnde Kapitel seines Buches »De Malherbe aux *Provinciales*« und fügte den Untertitel »Style Précieux (Baroque)« hinzu. Der folgende Abschnitt seiner *Histoire de la littérature française* behandelt das Zeitalter des Sonnenkönigs und der »Grands Classiques« Pascal, Molière, Racine und Boileau, von denen zumindest Racine heute in Frankreich weitgehend als barock bezeichnet wird.

Mit der Klassik (*Neo-Classicism*, Klassizismus) als Periodenbezeichnung hat es ebenfalls seinen Haken, verläuft doch das Zeitalter der französischen Grands Classiques keineswegs synchron mit dem englischen *Neo-Classicism* (von Dryden bis Pope) und der deutschen Klassik im letzten Drittel des 18. Jahrhunderts. Auch bei der Aufklärung (einem vorwiegend geistesgeschichtlichen Begriff) kommt es zu Überschneidungen mit dem Rokoko und der sogenannten Vorromantik *(préromantisme)*. Wollte man die Pedanterie in der Methodenlehre auf die Spitze treiben, so könnte man sogar behaupten, es gäbe gar keine Literatur der Aufklärung, da, was an den *belles lettres* der ersten Hälfte des 18. Jahrhunderts aufklärerisch sei, eben die Grenzen des Literarischen überschreite und zur »history of ideas« gehöre. Wie schwer es ist, besonders die sich vielfach widersprechenden und durchkreuzenden Tendenzen des 18. Jahrhunderts unter einen Hut zu bringen, beweist die proteische Gestalt Denis Diderots, der aufgeklärt und empfindsam war, beweist aber auch Lessing, der in seiner *Hamburgischen Dramaturgie* Shakespeare mit Hilfe des Aristoteles zu vindizieren suchte.

Selbst für den versierten Kenner der europäischen Kulturgeschichte ist es fast unmöglich, sich im Gewirr der Periodenbegriffe zurechtzufinden. Hinzu kommt der erschwerende Umstand, daß sich deren Summe nie gleich bleibt, sondern durch Versuche, kleinere Zeitabschnitte in die Größenordnung der Periode aufsteigen zu lassen oder die vorhandenen Perioden umzugruppieren, vergrößert wird. Viele der neupropagierten Begriffe stammen aus der Kunstgeschichte.

Beim Barock gelang, wie wir sahen, das Manöver, während der Manierismus und das Rokoko noch immer kein Heimatrecht in der Literatur erworben haben. Beim Biedermeier, um das sich in den dreißiger Jahren in der *Deutschen Vierteljahrsschrift* eine heftige Fehde entspann, ist der Versuch trotz Jost Hermands gehaltvoller Monographie[19] wohl endgültig mißlungen. Von den in allerneuester Zeit anfallenden Beispielen sei der Versuch Norbert Fuersts erwähnt, den Begriff des Viktorianismus – von dem bereits Wellek im Hinblick auf die englische Literatur sagt, er besäße ein Eigenleben und bezöge sich nicht mehr auf alle zu Lebzeiten der Queen geschaffenen Werke (S. 79) – auch in die deutsche Literaturgeschichte einzuführen:

The term ›Victorianism‹ needs all the indulgence of the reader. It is not much more than a chronological and ideological approximation. What little more it contains is a reminder that in the main the waves of 19th century German literature did not flow with the revolutionary current of French (and in part even Russian) literature; that its artistic tides and its moral ground swell were more with English and American literature.[20]

Als Verlegenheitslösungen grundsätzlich abzulehnen sind bei der Periodisierung verschwommene Begriffe wie Vorromantik und Nachimpressionismus *(Post-Impressionism)*. Bei der Vorromantik handelt es sich um den, von Van Tieghem im großen Stil unternommenen Versuch, irrationalistische Unterströmungen im Zeitalter der Aufklärung zusammenzufassen, d. h. Rousseau, Richardson, Sterne, Goldsmith und die deutschen Stürmer und Dränger als Vorläufer der eigentlichen Romantik zu kennzeichnen, in deren Werken schon das System von Normen sichtbar wird, welches diese charakterisiert. Mit einem echten Periodenbegriff haben wir es hierbei nicht zu tun, sondern nur mit zukunftsträchtigen Tendenzen *(currents, courants)*. Genauso gut hätte z. B. Panofsky die mittelalterlichen Renaissancen unter dem Begriff Vorrenaissance und Auerbach gewisse Stilzüge der antiken und mittelalterlichen Dichtung unter dem des Vorrealismus subsumieren können.

Der Nachimpressionismus bietet ein besonders abschreckendes Beispiel, das allerdings auf die bildende Kunst beschränkt bleibt, da der Impressionismus literarhistorisch unerschlossen ist und seine Grenzen zum Symbolismus noch nicht abgesteckt worden sind.[21] Das Präfix »nach« ist in diesem Falle schon deshalb irreführend, weil es nicht etwa bedeutet, daß auch nach dem Tod des Impressionismus als Bewegung seine stilistischen Eigenheiten von einer Gruppe von Malern bewahrt wurden, sondern im Gegenteil gerade, daß die großen Vier (Seurat, Cézanne, van Gogh und Gauguin) trotz mehr oder minder starker Beeinflussung durch Monet, Renoir, Pisarro, Sisley etc. zu einer neuen Kunst in Richtung des 20. Jahrhunderts aufbrachen: Cézanne zum Kubismus, van Gogh zum Expressionismus und Gauguin zur *art nouveau* und dem schnell versandenden malerischen Symbolismus, wobei der Pointillismus des früh verstorbenen Seurat als Übergangsstil zu werten ist. Der Nachimpressionismus ist also weder Noch-Impressionismus noch Wieder-Impressionismus, sondern eigentlich schon Gegen-Impressionismus. Diese wenigen Beispiele lassen sich aus der Geschichte der Musik, Dichtung und Malerei beliebig vermehren; man denke nur an den Proto-Expressionismus eines Stadler, Heym und Trakl, der in vielen neueren Literaturgeschichten spukt.

Ehe wir uns dem Problem der Entstehung literarhistorischer Perioden und der Bestimmung ihrer Dauer zuwenden, wollen wir im Anschluß an René Wellek einige Bemerkungen über die Etikettierung solcher Zeitabschnitte machen. Wellek beklagt sich in seinem Aufsatz »Periods and Movements in Literary History« mit Recht darüber, daß sowohl bei der nationalen als auch bei der internationalen Periodisierung außerliterarische Gesichtspunkte berücksichtigt werden. Er sieht zwar ein, daß man diese *faits accomplis* heute nicht mehr aus der Welt schaffen kann, gibt aber der Hoffnung Ausdruck, man möchte in Zukunft die Normen aus der Literatur selbst beziehen:

> We must try to derive our system of norms, our ›regulative ideas‹, from the art of literature, not merely from the norms of some related activity. Only then can we have a series of periods which would divide the stream of literary development by literary categories. Thus a series of literary periods can alone make up, as parts of a whole, the continuous process of literature, which is, after all, the central topic in the study of literary history (S. 93).

Es bleibt allerdings fraglich, ob sich rein literarische Normen in jedem einzelnen Fall finden lassen. Würfe man z. B. in puristischem Übereifer Bezeichnungen wie Barock und Manierismus über Bord, so wäre man gezwungen, einen Ersatz-Sammelbegriff für die auf die verschiedenen Nationalliteraturen verteilten Phänomene des Gongorismus, Euphuismus, Marinismus, Konzeptismus, der metaphysischen Dichtung, der Schwulstdichtung etc. zu finden, was unmöglich sein dürfte.

Kann man also – besonders in der vergleichenden Literaturwissenschaft – den Oberbegriff nicht unbedingt dem jeweiligen Gegenstand anpassen, so sollte man doch versuchen, einen gangbaren Mittelweg einzuschlagen, indem man darauf besteht, daß die Bezeichnung einer kulturgeschichtlichen Periode zugleich auch den jeweiligen Führungsanspruch eines Sondergebietes geltend macht. So weisen die Etiketten Reformation, Humanismus und Aufklärung darauf hin, daß die durch sie bezeichnete Literatur nicht primär ästhetischer Art ist.

Wo der Periodenbegriff oder der Name einer literarischen Bewegung von einer anderen Kunst entlehnt ist, sollte man mit der Kritik zurückhalten, wenn eine künstlerische Schwerpunktbildung erfolgt; so muß man beim Barock die Tatsache berücksichtigen, daß im genannten Zeitraum die Architektur und die Malerei entweder Größeres leisteten als die Literatur oder als repräsentativer galten. Der Vorrang der Kunstgeschichte bei der Bildung von Periodenbegriffen wird vielleicht auch dadurch legitimiert, daß die Sprache der Kunst – wie der erst später in die Spitzenstellung aufrückenden und Führungsanspruch erhebenden Musik – universaler ist und keiner Übersetzung in fremde Sprachen und Idiome bedarf. So könnte wenigstens der mit der wechselseitigen Erhellung der Künste befaßte Forscher argumentieren.

Von den wichtigsten literarischen Bewegungen des 19. Jahrhunderts bezogen nur wenige ihren Namen direkt aus der Literatur, so der Naturalismus (dem in der Musik und Malerei kein Glück beschieden war), der Symbolismus und der Surrealismus. Beim Realismus kann ungefähre Gleichzeitigkeit der Entstehung angenommen werden, obwohl es Gustave Courbets Ausstellung *Le Réalisme* war, die den Stein ins Rollen brachte. Andererseits steht beim Expressionismus und beim Impressionismus die Priorität der bildenden Künste außer Frage. Es wäre demnach methodologisch verfehlt, bei der Analyse der literarischen Ableger dieser Stile von der Literatur auszugehen oder sich ausschließlich auf sie zu berufen.

Von den möglichen Arten der Periodisierung am schroffsten abzulehnen ist neben der sprachgeschichtlichen (die nur innerhalb der einzelnen Nationalliteraturen anhängig ist und schon deshalb dem vergleichenden Literaturwissenschaftler suspekt sein muß) vor allem die annalistische. Leider kann man sich von ihr nicht ohne weiteres dispensieren, weil sie den Philologen zur zweiten Natur geworden ist. Nur in ihren Auswüchsen, d. h. da, wo Daten rein mechanisch aneinandergereiht werden, läßt sie sich erfolgreich bekämpfen. Doch handelt es sich bei den von Paul Van Tieghem und Adolf Spemann sowie im neunten Band von Bompianis *Dizionario letterario* vorgelegten synoptischen Zeittafeln eher um einen Versuch, simultane Geschehnisse in der europäischen Literaturgeschichte kenntlich zu machen als dieselbe zu gliedern oder zu periodisieren.[22]

Von der Einteilung nach Generationen – eine Art Grenzfall der biologisch verstandenen literarhistorischen Annalistik – wird noch die Rede sein. Daß auch rein arithmetisch berechnete Zeitspannen einer literarhistorischen Gliederung zugrundeliegen können, beweist R. M. Meyer, der gesteht, er sei durch die Kritik an seiner nach Dezennien geordneten Darstellung der deutschen Literatur des 19. Jahrhunderts überhaupt erst zum Nachdenken über die Methodik der Periodisierung angeregt worden. Nur wenig über das Niveau der Annalistik erhebt sich Eugene F. Timpe in seinem Buch über die Rezeption der amerikanischen Literatur in Deutschland von 1861 bis 1872.[23] Obwohl der Verfasser behauptet, daß »the dates designating this period are of some significance because they encompass the most important years of an interval of American poetry sandwiched between two eras of prose [sic]« (S. 2), lag wohl der wahre Grund für die Wahl der Zeitspanne im Vorhandensein einer chronologischen Lücke zwischen den schon von zwei anderen Gelehrten unter dem gleichen Gesichtspunkt behandelten Abschnitten.[24] Mit mehr historischem Fingerspitzengefühl wählte der schon erwähnte Simon Jeune einen Zeitraum (1861–1917), der als geschlossene Phase in den politischen Beziehungen Frankreichs zu Amerika gelten darf, da er sich vom Beginn des amerikanischen Bürgerkrieges bis zum Eintritt Amerikas in den Ersten Weltkrieg erstreckt.

Die beliebteste Art annalistischer Periodisierung ist auch heute noch die Einteilung nach Jahrhunderten. In den Vorlesungsverzeichnissen unserer Hochschulen wimmelt es förmlich von Bezeichnungen wie »Deutsche Literatur des 19. Jahrhunderts« und »English Seventeenth Century Literature«. Daß dabei das Gefäß und sein Inhalt oft verschieden sind, kommt nur selten zu Bewußtsein. Und doch denken wir Komparatisten bei der Erwähnung des 19. Jahrhunderts kaum an die Jahre 1801–1899, sondern eher an das *Victorian Age* oder die etwa mit Goethes Tod einsetzende und mit dem öffentlichen Protest von fünf »Schülern« Zolas endende realistisch-naturalistische Periode.

Die partielle Abstraktion von der Chronologie unter Beibehaltung des chronologischen Gerüsts findet sich nicht nur bei der Periodisierung nach Jahrhunderten (nicht jedes tintenklecksende Säkulum wird auch durch ein säkulares Ereignis eingeleitet), sondern auch bei der differenzierteren Ausrichtung nach rein historischen Gesichtspunkten wie der Regierungszeit eines Herrschers und der Dauer eines Krieges oder einer politischen Allianz. Im pragmatischen England ist diese Einteilung auch heute noch gang und gäbe, obgleich sie keineswegs konsequent erfolgt; es gibt nämlich keine dem elisabethanischen oder viktorianischen Zeitalter entsprechende Periode Heinrich des Achten oder Georg des Fünften. Zu erklären ist dies wohl so, daß die zuerst genannten Monarchen einen stärkeren Einfluß auf die Kultur und die Literatur ihrer Zeit ausübten oder daß in ihrer Regierungszeit wichtige Veränderungen im geistigen und sozialen Leben ihres Landes eintraten.

Auch hier muß aber zwischen nationalen und internationalen Gesichtspunkten unterschieden werden, da die englische Forschung den Begriff des *Jacobean Drama* kennt, die Dramen-Produktion dieses Abschnitts in der gesamteuropäischen Sicht aber noch in die elisabethanische Zeit fällt. Auch sei nicht vergessen, daß Shakespeare nach dem Tode Elisabeths weiter Dramen schrieb (z. B. *The Tempest*), diese aber kaum zur Einheit *Jacobean Drama* zählen. Nicht die ganze

Regierungszeit eines Monarchen muß als Maßstab für die Periodisierung dienen: das beweist der neuerdings von Jost Hermand zur Diskussion gestellte Stilbegriff der Gründerzeit.

Bei der Bestimmung der Länge von literarhistorischen Perioden geht man am besten von dem antithetischen Begriffspaar Generation-Periode aus. Nimmt man der Einfachheit halber an, daß diese beiden Begriffe verschiedene Größenordnungen bezeichnen, so kann man von der Vermutung ausgehen, die Generation währe ungefähr dreißig Jahre (ein drittel Jahrhundert) und stelle sozusagen den unteren Grenzwert der Periode dar. Die meisten literarhistorischen Perioden – mit Ausnahme der längeren Renaissance – dauern in der Tat, komparatistisch gesehen, etwa zwei (Romantik, Realismus) bis drei (Barock) Generationen. Auf die deutsche Klassik ließe sich der Periodenbegriff schon deshalb nicht anwenden, weil sie diese quantitativ-chronologische Minimalforderung nicht erfüllt.

Grundsätzlich ist die Gleichung Periode – Generation auch deshalb abzulehnen, weil sie biologische mit historischen und stilistischen Faktoren verknüpft. Stilphysiognomien sind aber, Wilhelm Pinder zufolge, »über mehrere Menschenalter hinwegreichende, nicht an die Dauer physischer Einzelexistenz gebundene formale Grundeinheiten.«[25] Die Periodisierung nach Generationen ist auch deshalb von Übel, da ein Menschenleben im Durchschnitt sechzig bis achtzig Jahre umfaßt, der einzelne Dichter also, selbst wenn man seine Kindheit und Jugend abrechnet, schöpferisch mindestens zwei Generationen durchläuft. Es empfiehlt sich auch deshalb nicht, nach Generationen zu periodisieren, »weil ihre Vertreter oft eine weitere Entwicklung durchmachen, die sie von ihrem Ausgangspunkt entfernt«.[26]

Goethes literarische Laufbahn erbringt den Beweis dafür, daß die Generation »kein regelmäßiges Zeitmaß« ist, »das in durchschnittlicher Wirkungsdauer des Einzelnen gegeben ist«.[27] Zur »Generation« des Sturm und Drang gehörend und in seiner Jugend stilistisch noch unter dem Einfluß des Rokoko stehend, wird der Weimarer Dichterfürst in seinem vierten Jahrzehnt zum Klassiker, setzt sich im zweiten Teil des *Faust* mit der Romantik auseinander und berührt sich am Ende seiner Laufbahn – wenn auch nur flüchtig – mit dem Realismus. Ein einzelner Dichter kann also mehreren literarischen Perioden angehören und seine Dichtungen mehreren Periodenstilen. Daß diese Stile sich nicht unbedingt im chronologischen Gänsemarsch folgen müssen, sondern Überschneidungen oder rhythmische Wechsel möglich sind, zeigt das Beispiel Gerhart Hauptmanns, dessen plötzlicher Umschlag vom Naturalisten *(Die Weber)* zum Neuromantiker *(Hanneles Himmelfahrt)* sich kaum als organische Entwicklung erklären läßt, sondern höchstens damit, daß dieser Dichter – in dessen Brust ohnehin zwei Seelen wohnten – in einer stilistischen Übergangszeit aufwuchs; denn als er *Vor Sonnenaufgang*, das – gesamteuropäisch gesehen – naturalistischste deutsche Drama, schrieb, war der Naturalismus in Frankreich und Skandinavien schon im Abklingen und kaum zwei Jahre sollten vergehen, bis Hermann Bahr, ein menschliches Barometer des künstlerischen Stimmungswechsels, auch den Deutschen *Das Ende des Naturalismus* verkündete – was freilich Hauptmann nicht davon abhielt, nach wie vor auf diesen Stil zurückzugreifen.

Im Bereich der englischen Literatur häufen sich, Wylie Sypher zufolge, ähnliche Vorkommnisse, sucht doch der amerikanische Forscher in seinem Buch *Four Stages of Renaissance Style* zu beweisen, daß die vier von ihm behandelten Stile (Renaissance, Mannerism, Baroque und High Baroque) sich zeitlich überschneiden, und sich sogar im Gesamtwerk eines großen Dichters wie Shakespeare ein Stelldichein geben:

Especially in any period as fertile as the Renaissance two or more different styles can be current at not only the same moment in different artists but even in the same artist; for in certain phases Caravaggio utilizes simultaneously mannerist and baroque techniques, and Shakespeare within the same year (c. 1604–5) wrote both *Measure for Measure* and *Othello*, the first mannerist, the second baroque, in style. Shakespeare's course is so alternating, various, and questing that any effort to contain his art within the category of a single style is self-defeating; like Milton, he demonstrates the coexistence of unlike styles and the intricacy of their relations.[28]

Auch ein einzelnes Werk kann durch die Dauer seines Wachstums oder seine verspätete Reife mehrere Periodenstile in sich vereinen, wie die Entwicklung des *Faust* von der sturm-und-drängerischen Urgestalt über den klassizistischen Helena-Akt bis zur mystisch-barocken Apotheose beweist.

Besonders aufschlußreich ist das Schicksal der expressionistischen Dichter, die, in der Mehrzahl Mitte oder Ende der achtziger Jahre geboren, nach 1920 entweder völlig verstummten oder in konservativere Bahnen einlenkten. Die Kunst der zwanziger Jahre (insbesondere die Neue Sachlichkeit) ist demnach nicht mehr eine Kunst der expressionistischen Generation, also einer Altersgemeinschaft, deren *elan vital* vor oder mit ihrem dreißigsten Lebensjahr verpuffte.

Beachtenswerter als die chronologische Periodisierung nach Generationen findet Teesing die Auffassung der Generation als eines »Stoßtrupps der Periode« (Teesing, S. 73), d. h. einer Schar von Neuerern, denen es gelingt, die Kunstanschauung ihrer Väter über den Haufen zu werfen.[28a] Sind diese Neuerer menschlich und künstlerisch verbunden und haben sie ein Programm entwickelt, so bilden sie eine literarische *Bewegung*. Diese besteht gewöhnlich aus einem Nukleus von Gleichaltrigen, dem sich je nach den Umständen Vertreter der älteren Generation anschließen.

Verliert eine Bewegung – wie das häufig in kurzer Zeit der Fall ist – ihre Schwungkraft, so wird sie entweder durch eine neue Welle ersetzt oder erhält, wie der Surrealismus, neuen Auftrieb durch die Einbeziehung anderer Gesichtspunkte oder Künste. Da die Bewegung eine »frische Jugendgruppe« (Petersen) darstellt, erreicht sie verhältnismäßig selten die Dauer einer Generation. Bleibt ihr aber der Kampf mit einer Gegenbewegung erspart, so überträgt sich unter Umständen das von ihr aufgestellte System von Normen auf die folgende und nachfolgende Generation, d. h. sie wächst sich zur Periode aus.

Bei Vertretern einer Generation denkt man unwillkürlich an Individuen, die innerhalb eines Zeitraums von fünf bis zehn Jahren geboren sind, also an eine Altersgemeinschaft, nicht an eine Erlebnisgemeinschaft. Überspitzt wurde diese Auffassung von Wilhelm Pinder, der hartnäckig die »Priorität des Wachstums vor den Erfahrungen« behauptete und die Hypothese aufstellte, »daß das kunstgeschichtliche Leben aus dem Zusammenwirken primär bestimmender Entelechien entsteht, die in geheimnisvollem Naturvorgang geboren werden« (Pinder, S. 151).

Für den vergleichenden Literaturwissenschaftler ist Pinders Auffassung von Interesse, weil sie rassische, politische, religiöse und soziale Unterschiede zu nivellieren trachtet und alle Zeitgenossen ohne Rücksicht auf ihre Herkunft und Landsmannschaft unter dem gleichen Sternzeichen aufwachsen und schaffen läßt. Der Versuch einer Weltliteraturgeschichtsschreibung nach Zeitgenossen statt nach Nationen, Perioden oder Bewegungen stieße aber sowohl bei konservativen als auch bei progressiven Verfechtern der Komparatistik auf Widerstand. Denn abgesehen davon, daß *rapports de fait* in diesem Zusammenhang ihre Bedeutung einbüßen, wird auch die ungleiche (frühe, regelmäßige oder späte) Entwicklung der einzelnen Künstler im Verhältnis zueinander und zu ihrer Umwelt zwangsläufig außer Acht gelassen – eben jene »Ungleichzeitigkeit der Gleichzeitigen«, die Teesing Pinders differenzierendem Begriff der »Gleichzeitigkeit der Ungleichzeitigen« entgegenhält.

Das Verhältnis von Gleichaltrigen (biologische Altersgemeinschaft) und Gleichzeitigen (soziologische Altersgemeinschaft) wurde von Eduard Wechssler untersucht, der letzterem Faktor mehr Beachtung schenkte, als ersterem. Unter »Altersgenossenschaft« oder genauer »Gemeinschaft von Altersgenossen« versteht Wechssler aber

> eine Gruppe von Jahrgängen einer Nation, die infolge ihrer annähernd gleichzeitigen Geburt und ähnlicher Kindheits- und Jugendeindrücke unter dem Druck einer bestimmten geistig-sittlichen Lage und staatlich-gesellschaftlicher Verhältnisse sich zu annähernd gemeinsamen Wünschen und Bemühungen verbinden (Wechssler, S. 6).

Die Vorzugsstellung der Gleichzeitigkeit begründet er wie folgt:

Mehr als das Jahr der Geburt entscheidet über das Schicksal eines Menschen das Jahr seiner Jugend. Wir verstehen darunter den Erlebnispunkt ... um welchen die neue Jugendreihe sich im gesamten Leben ihres Volkes hervorwagt, kundtut und zum Worte meldet (Ebd., S. 25).

Auf den ersten Blick scheint es solche Erlebnispunkte nur im begrenzten Raume der Nation zu geben. Auch hier trennen sich also Pinders und Wechsslers Wege, zumal Pinder mit seinem wissenschaftlich schlecht bemäntelten Glauben an stoßhafte Generationswürfe der Natur in einen Irrationalismus verfällt, der dem ernsthaften Forscher schlecht ansteht. Daß Wechsslers Auffassung von manchen Literaturgeschichtsschreibern geteilt wird, beweisen Bücher wie Henri Peyres *Les Générations Littéraires*.[29] Wir wollen uns nicht verhehlen, daß der Begriff der Erlebnisgemeinschaft auch für die vergleichende Literaturwissenschaft fruchtbar gemacht werden kann, nämlich dort, wo es sich um Erlebnisse handelt, die mehreren Ländern oder gar Kontinenten gemeinsam sind, wie die großen militärischen Auseinandersetzungen vom Dreißigjährigen Krieg bis zum Zweiten Weltkrieg oder die Bedrohung durch Atom-, Wasserstoff- und Kobaltbombe. Als Beispiel einer internationalen Bewegung, in der die Generation als Erlebnisgemeinschaft künstlerisch zutage tritt, nennen wir den Dadaismus, der als Reaktion auf den falsch verstandenen Nationalismus und Hurrapatriotismus der ersten Kriegsjahre sowie als anarchistischer Protest gegen die Verderbtheit einer Zivilisation, die sich selbst ihr Grab gräbt, zu verstehen ist. Bei Betonung der Erlebnisgemeinschaft als Generationsgrundlage wird die Forschung allerdings in die stoff- und motivgeschichtliche Fragestellung gedrängt, die uns im siebten Kapitel beschäftigen wird.

Wir werfen abschließend einen Blick auf Ferdinand Brunetières Auffassung vom Wesen und von der Einteilung literarischer Perioden, d. h. seine wiederholt mit Nachdruck vertretene Meinung, man solle bei der Periodisierung vom Datum des Erscheinens wichtiger Werke ausgehen, wobei natürlich das Schwergewicht von den Personen und ihren Werken auf die Wirkung der letzteren verlagert wird:

Au vrai dire, les époques littéraires ne doivent être datées de ce que l'on appelle des événements littéraires – l'apparition des *Lettres provinciales* ou la publication du *Génie du Christianisme* ... et non seulement cela est conforme à la réalité, mais c'est encore le seul moyen qu'il y ait d'imprimer à l'histoire d'une littérature cette continuité de mouvements et de vie, sans laquelle, à mon sens, il n'y a pas d'histoire.[30]

Eine Periodisierung im Sinne eines national oder international gültigen Systems von Normen ließe sich auf die von Brunetière bezeichnete Art allerdings kaum durchführen, da von verschiedenen Werken zu verschiedenen Zeiten auch verschiedene Wirkungen ausgehen. Werke sind keinesfalls, wie Brunetière vorauszusetzen scheint, mit der von ihnen ausgeübten Wirkung identisch, da diese von Fall zu Fall verschieden sind, ständig wechseln und oft vom Zufall abhängen. Welche Periode begönne z. B. im Jahre 1857, in dem sowohl Baudelaires proto-symbolistische Gedichtsammlung *Les Fleurs du Mal* als auch Flauberts Roman *Madame Bovary*, in dem die Romantik als ironisch gebrochen und von der rauhen Wirklichkeit ihres schönen Scheins beraubt dargestellt wird, und Champfleurys Essay-Sammlung *Le Réalisme* erschienen? Flaubert selbst wurde ja – wie im vierten Kapitel dargelegt – in Deutschland abwechselnd als Romantiker, Symbolist oder Realist bezeichnet.

Wir haben uns so ausführlich mit dem Problem der Periodisierung aus komparatistischer Sicht beschäftigt, weil wir zeigen wollten, daß hier in der vergleichenden Literaturwissenschaft noch viel zu tun bleibt. Auch sollte unsere Übersicht ein Gegengewicht bilden zu der vorherrschenden, noch von Pichois-Rousseau vertretenen Meinung, man solle Strömungen *(courants)* statt Perioden oder Bewegungen studieren:

Devra-t-on, par conséquent, renoncer à toute périodisation par époques? Oui, si l'on veut découper l'évolution en minces tranches et placer entre elles des murailles infranchissables. Oui, si l'on néglige au profit de cet aspect statique l'élément dynamique, ces courants que ne saurait arrêter aucune étanchéité (*P/R*, S. 111).

Auch wir sind der Meinung, man solle diese Warnung nicht in den Wind werfen. Zugleich aber halten wir daran fest, daß Studien wie die von René Wellek in seinem Essayband *Concepts of Criticism*[31] vorgelegten komparatistisch mindestens ebenso aufschlußreich sind wie die geistesgeschichtlichen Synthesen Paul Hazards *(La Crise de la conscience européenne, La Pensée européenne de Montesquieu à Lessing)* und Paul Van Tieghems *(Le Préromantisme)*. Die internationalen literarischen Bewegungen sind leider bisher nur ganz vereinzelt ihrem ganzen Umfang nach dargestellt worden, so etwa der Symbolismus von Anna Balakian, die die gesamteuropäische Entwicklung aber nicht mit der gleichen Souveränität behandelt wie die französische. Zur universalen Darstellung des Naturalismus und des Surrealismus gibt es hingegen bis heute höchstens bibliographische Ansätze und höchst fragmentarische Vorstudien.[32]

Der theoretische Ansatzpunkt beim vergleichenden Studium literarischer Bewegungen liegt, wie schon angedeutet, in der Dialektik von Bewegung und Periode.

Unter Bewegung *(movement, mouvement)* versteht man – wir wiederholen es – den bewußten und meist theoretisch untermauerten Versuch einer Gruppe von Gleichgesinnten, eine neue Kunstauffassung durchzusetzen. Von der *Schule* unterscheidet sich die Bewegung besonders dadurch, daß sie gewöhnlich von gleichaltrigen

Zeitgenossen gebildet wird, ihr also kein autoritatives Lehrer-Schüler-Verhältnis zugrundeliegt. Die Bewegung hat wohl ihren (oder ihre) Führer – Zola, Marinetti, Breton – aber keinen Meister. Die Führer sind nämlich an das von ihnen entworfene Programm genauso gebunden wie ihre Mitstreiter, während das Wort des Meisters Gesetzeskraft hat. Auch weist der Begriff *Schule* auf eine längere Dauer hin, da die Jünger im allgemeinen die nächstfolgende Generation repräsentieren und es als ihre Mission ansehen, das Evangelium des Meisters zu predigen.

Vom *Cénacle* unterscheidet sich die *Bewegung* dadurch, daß sie kein bloßer Literatenklub ist, der regelmäßig im Stammcafé tagt, aber – im Gegensatz zur *Künstlergemeinschaft* mit einer echten künstlerischen Zusammenarbeit, deren Wirkung durch das kommunale Zusammenleben erhöht wird (die Brücke in Dresden und, als Mischform von Schule und Künstlergemeinschaft, das Weimarer Bauhaus) – keine künstlerisch geschlossene Einheit zu bilden braucht. Der *Salon*, der sich äußerlich vom *Cénacle* dadurch unterscheidet, daß ihm eine gesellschaftlich hochgestellte, geistig regsame Dame vorsteht, verfolgt nur selten rein künstlerische Zwecke und erzielt Einhelligkeit oft nur im politisch-ideologischen Bereich.

Die Differenzierung literaturgeschichtlicher Begriffe kommt uns bei dem Versuch, zwitterhafte Gebilde wie die Romantik und den Expressionismus in ihrem Wesen zu erkennen und nach Gesichtspunkten der Periodisierung in ihre Bestandteile aufzulösen, sehr zustatten. Innerhalb der deutschen Literatur z. B. ist die Romantik eine Bewegung nur insofern, als zu gewissen Zeiten an bestimmten Orten (in Jena, Heidelberg und Berlin) gleichgesinnte Dichter an gemeinsamen Unternehmen beteiligt waren, etwa die Schlegels und Novalis beim *Athenäum* oder Arnim und Brentano bei *Des Knaben Wunderhorn*. Daneben gab es aber Einzelgänger wie Heinrich von Kleist oder den höchstens an einer Tafelrunde präsidierenden E. T. A. Hoffmann.

Spricht man von einer romantischen Schule – wie dies Heine und nach ihm Rudolf Haym taten – so muß man ihren Meister namhaft machen. Wem aber gebührte bei den divergierenden Tendenzen der Romantik von Tieck bis Uhland und von Zacharias Werner bis Eichendorff diese Ehre? Spricht man von der romantischen Periode, so meint man im Hinblick auf die innerdeutsche Entwicklung den Zeitraum von 1795 (Schillers Essay »Über naive und sentimentalische Dichtung«) bis zu Goethes Tod, schließt aber sowohl Goethe selbst als auch Schiller, Wieland und andere Dichter, die wenig oder nichts für die Romantik übrig hatten, aus. Der Nachteil einer solchen Periodisierung erhellt, komparatistisch gesehen, aus der in Frankreich und den angelsächsischen Ländern üblichen Behandlung von Goethe und Schiller als Romantikern.

Betrachtet man die Romantik in den anderen europäischen Ländern, so häufen sich die Schwierigkeiten bei der Koordinierung der Tatsachen. In Frankreich kam es z. B. nach bescheidenen Ansätzen bei Chateaubriand und Bernardin de Saint Pierre zur Konfrontierung mit der deutschen Romantik erst aufgrund der Deutschlandreise Madame de Staëls und deren literarischem Destillat, *De l'Allemagne*. Das Wort *romantisch* kam erst gegen Ende des zweiten und zu Anfang des dritten Jahrzehnts des 19. Jahrhunderts auf; und Stendhal war der erste prominente Schriftsteller, der sich hauptsächlich aus politischen Gründen als Romantiker ausgab.

Zur Bewegung wurde die französische Romantik erst um 1830 durch Victor Hugos Dramen und die aus ihrer Aufführung resultierenden Theaterskandale. Doch erfreute sich die Bewegung ihres Rufs nicht lange. Bald machten sich starke Gegenströmungen bemerkbar, und der von Balzac in mancher Hinsicht vorgeahnte Realismus setzte sich spätestens mit der Revolution von 1848 endgültig durch.

In England (um noch eine dritte Nationalliteratur heranzuziehen) lag die Sache wieder anders. Dort gab es keine romantische Bewegung, da selbst die sogenannte Lake School (die keine Schule im obigen Sinne war) diesen Namen nicht verdient. Doch ist Wordsworth Vorwort zur zweiten Auflage der gemeinsam mit Coleridge verfaßten *Lyrical Ballads* (1800) immerhin ein Programm des poetischen Realismus in seiner britischen Ausprägung. Danach aber gingen Wordsworth und Coleridge ihrer Wege, und schon die *Biographia Litteraria* sind nicht mehr verbindlich.

Daß es eine Lake School gab, wußte Byron, der in der Einleitung zu seinem humoristisch-satirischen Versepos *Don Juan* besonders Robert Southey zur Zielscheibe seines beißenden Spottes macht:

> Bob Southey, you're a poet – poet-laureate
> And representative of all the race;
> Although it's true that you turn'd out a Tory at
> Last– yours has lately been a common case;
> And now, my Epic renegade, what are ye at?
> With all the Lakers in and out of place?
> A nest of tuneful persons to my eye
> Like »four and twenty blackbirds in a pye.«

Daß er selbst, wie Southey, Romantiker sein könne, fiel ihm nicht im Traume ein; und er war sehr überrascht, als er Kenntnis davon erhielt, daß man ihn in Deutschland so beurteilte. Wellek unterstreicht diese Tatsache:

We all know that the Romanticists did not call themselves Romanticists, at least in England. So far as I know, the German scholar Alois Brandl, in his book on Coleridge (1887) first connected Coleridge and Wordsworth definitely with the Romantic movement and grouped them with Shelley, Keats, and Byron. In her

*Literary History of England between the End of the Eighteenth and the Beginning of the Nineteenth Century* (1882), Mrs. Oliphant never uses the term, nor does she conceive of the ›Lake‹ poets, the ›Cockney‹ school and the ›Satanic‹ Byron as one movement (Concepts, S. 79).

Selbst wenn wir die italienische Romantik mit Manzoni und den Mitarbeitern am *Conciliatore*, sowie ihre spanischen, skandinavischen und russischen Entsprechungen außer acht lassen, ergibt sich, daß von der Perspektive des Periodenbegriffes aus betrachtet die europäische Romantik keine Einheit darstellt. Das unterscheidet sie von der klar profilierten und als *test case* gut geeigneten naturalistischen Bewegung.

Abgesehen davon, daß sich fast überall in Europa die Romantik »in einer stets sich umformenden Durchdringung« befindet, wobei »jede regulativ bestimmbare Einheit« (wie von Wiese sagt) zugleich »eine ganze Fülle von anderen Einheiten in sich enthält«, läßt sie sich auf kein für ganz Europa gültiges System von Normen reduzieren. Man könnte auch sagen: der Normen sind zuviel, um ein System zu bilden.

Beim Expressionismus, den wir als zweites Beispiel für die Dialektik von Bewegung und Periode in der Literaturgeschichte betrachten möchten, sind die Verhältnisse anders gelagert. Gegen eine Verwendung als Periodenbezeichnung sprechen hier von vornherein die für die Ausdruckskunst charakteristischen Daten, d. h. im literarischen Bereich die Zeitspanne von 1910 bis 1920 (nach Benn) oder 1925. Die Expressionisten waren, wie schon gesagt, keineswegs Stoßtrupp einer Periode. Ihre Gebrochenheit kommt künstlerisch darin zum Ausdruck, daß sie entweder zu Epigonen ihres eigenen Frühwerks wurden oder ihm, wie Werfels *Spiegelmensch* zeigt, später halb ironisch und halb skeptisch gegenüberstanden.

In der bildenden Kunst konzentrierte sich der deutsche Expressionismus auf zwei im Wesen verschiedene Gruppen, die *Brücke* und den *Blauen Reiter*, die in Dresden bzw. München tätig waren. Als Künstlergemeinschaft besaß *Die Brücke* mehrere Jahre lang die Geschlossenheit einer Bewegung, so daß die Vereinigung auch nach der Übersiedlung nach Berlin ihren Charakter zum Teil bewahrte. Leider kam ihre programmatisch intendierte Chronik aus internen Gründen nie zustande. Wie die *Fauves* in Frankreich entwickelten und pflegten die Mitglieder dieses Bundes einen gemeinsamen, deutlich als solchen erkennbaren Stil.

Der *Blaue Reiter* – aus der *Neuen Münchner Künstlergemeinschaft* hervorgegangen – war hingegen keine Arbeitsgemeinschaft. Seine Exponenten Franz Marc und Wassili Kandinsky waren künstlerisch verschieden geartet und vereinigten ihre Kräfte anfangs nur zur Organisation einer Ausstellung und zur Redaktion des Almanachs, der den Namen der Gruppe trägt. Dieser Almanach war jedoch kein

Manifest, und die einzelnen Beiträge sind nur Ausdruck des Willens, auch die primitive, volkstümliche und außereuropäische Kunst in die malerische Tradition einzubeziehen. Einig waren sich die *Blauen Reiter* wohl nur in ihrem Drang nach Abstraktion, die bei Kandinsky lyrisch-vergeistigt ist, während Marc den wuchtigeren Kubismus zum Ausgangspunkt nahm. Daneben gehörten aber auch Maler wie Paul Klee und Alfred Kubin wenigstens vorübergehend zur Gruppe.

In der Literatur war der Expressionismus als Gesamterscheinung noch viel zerrissener als in der bildenden Kunst. Freilich bildete sich um Herwarth Walden und seine Zeitschrift *Der Sturm* ein Kern von Wort- und Lautkünstlern, die – rein sprachlich gesehen – den radikalen Flügel der sogenannten expressionistischen Dichtung darstellten. Durch die Gründung der Sturmschule und der Sturmbühne befestigte Walden seine Stellung als *arbiter* und Papst einer Bewegung, die er selbst lanciert hatte und der er forcierte Talente wie August Stramm auch gegen ihren Willen einverleibte. Daß er bei seinen kritischen Bemühungen um die Klärung des Begriffs *Expressionismus* nicht zwischen Expressionismus, Futurismus und Kubismus unterschied, ist ihm nicht anzukreiden, galt doch der Expressionismus auch sonst (bei Theodor Däubler und später bei Gottfried Benn, der alles unter dem Aspekt der Wirklichkeitszertrümmerung sah) als Oberbegriff.

Natürlich gab es weitere Gruppenbildungen im Lager der Expressionisten und Aktivisten. So waren *Die Aktion*, *Das Ziel* und auch *Die weißen Blätter* im wesentlichen Organe des politisch links stehenden Flügels, während die Buchreihen *Der jüngste Tag* und *Tribüne der Kunst und Zeit* literarisch blieben. Der Verleger Kurt Wolff behauptete später hartnäckig, daß er mit den Publikationen seines avantgardistischen Hauses keine Bewegung ins Rollen gebracht oder gefördert habe. Noch heute macht es die hektische Tätigkeit der ständig ihre Zusammensetzung wechselnden Gruppen und Grüppchen unmöglich, das Chaos der expressionistischen Stimmen systematisch zu ordnen.

In der vergleichenden Literaturwissenschaft ist der Expressionismus als internationale Erscheinung bisher leider kaum behandelt worden.[33] Vielleicht gewänne man aber gerade durch die Gegenüberstellung typischer Erzeugnisse der deutschen Literatur dieser Zeit mit den ihr verbundenen ausländischen Werken und Strömungen Anhaltspunkte zum Verständnis dieser Richtung. Wir selbst haben bei Gelegenheit zu zeigen versucht, daß der von Wyndham Lewis und Ezra Pound um 1914 in England kreierte Vortizismus seine Theorien auf dem Umweg über T. E. Hulme von Wilhelm Worringer bezog.[34]

Vom Standpunkt der Methodenlehre halten wir die im laufenden Kapitel behandelten literarhistorischen Begriffe für notwendige Hilfsmittel beim Versuch, der vergleichenden Literaturwissenschaft das Rückgrat zu stärken. Wir möchten abschließend erneut betonen, daß es verfehlt wäre, diese Kategorien statisch-mechanisch statt dynamisch-organisch zu verwenden, da alle geschichtlichen Phänomene auch im Rückblick fließend bleiben; daher das lebendige Wechselverhältnis von Literaturwissenschaft und -geschichte.

Sechstes Kapitel

# »Gattung«

Wie die literarischen Perioden und Bewegungen, so bilden auch die Gattungen und Arten ein geeignetes Objekt für das Studium der Literatur vom Standpunkt der vergleichenden Literaturwissenschaft aus. Wir glauben mit Herbert Seidler, daß »die Geschichte der Einteilung [in Gattungen] geistige Wandlungen des Abendlandes spiegelt«.[1] Bei der Beschäftigung mit diesem Sondergebiet der komparatistisch ausgerichteten Literatur-Theorie obliegt es dem Forscher, historisch-kritisch zu verfahren, und zwar in der Weise, daß sich eine Systematik der Einteilungsprinzipien ergibt. Dabei ist darauf zu achten, daß deskriptiv statt präskriptiv vorgegangen wird. Daß das Ideal einer eindeutigen und widerspruchslosen Abgrenzung der literarischen Gattungen gegeneinander der Relativität alles Historischen wegen unerreichbar bleibt, muß in Kauf genommen werden. Und doch ist in der Vergangenheit immer wieder mit Nachdruck gefordert worden, man solle eine solche Abgrenzung vornehmen.

Schon Cicero bestand auf der unverwechselbaren Eigenart der Gattungen, so in der Schrift *De optimo genere oratorum:* »Suum cuiusque est, diversum a reliquis«.[2] Ihm folgte Quintilian mit dem Ausspruch »Sua cuique proposita lex suus cuique decor est«[3]; und Horazens berühmter Brief an die Pisonen gibt u. a. die Anweisungen: »Denique sit quodvis, simplex dumtaxat et unum« (Erschaffe, was du willst; nur sei es einartig und aus einem Guß) und »Singula quaeque locum teneant sortita decentem« (Rein für sich soll jede Dichtungsart den Platz behaupten).[4] Die Forderung nach artmäßiger Reinheit ist überhaupt typisch für die neoklassische und klassizistische Denkungsart, welche der Tradition verhaftet ist und das künstlerische Erbe auch formal unverändert zu bewahren sucht. So schreibt Schiller unter Hinweis auf den gemeinsamen Versuch, die Eigengesetzlichkeit der Epik und Dramatik nachzuweisen, an Goethe:

> Ihr jetziges Geschäft, die beiden Gattungen zu sondern und zu reinigen, ist freilich von der höchsten Bedeutung, aber Sie werden mit mir überzeugt sein, daß, um von einem Kunstwerk alles auszuschließen, was seiner Gattung fremd ist, man auch notwendig alles darin müsse einschließen können, was der Gattung gebührt. Und eben daran fehlt es jetzt. Weil wir einmal die Bedingungen nicht zusammenbringen können, unter welchen eine jede der beiden Gattungen steht, so sind wir genötigt, sie zu vermischen.[5]

Diese Vermischung, die Schiller als ein notwendiges Übel ansah, wird in traditionsfeindlichen Epochen geradezu gefordert.

Leider ist die aus dem eingangs Gesagten hervorgehende Bedeutung der Gattungslehre von der Komparatistik bisher nicht erkannt worden, denn nach Brunetières fehlgeschlagenem Versuch, bindende Regeln für die Evolution der Gattungen aufzustellen, wagte sich eine Generation lang kaum jemand an diese Aufgabe.[5a] Auch der Umstand, daß der dritte internationale literaturwissenschaftliche Kongreß in Lyon (1939) das Problem der Gattungen zum Thema erkoren hatte, änderte wenig an diesem Umstand, da es zu keiner Einigung über die anzuwendenden Methoden kam.[6]

Von den jetzt erscheinenden Fachorganen hat nur *Comparative Literature* das Studium der Gattungen in ihr Programm aufgenommen, bisher aber nur ganz vereinzelt Aufsätze auf diesem Gebiet veröffentlicht. Weder *Comparative Literature Studies* noch die *Revue de littérature comparée* oder *Arcadia* betonen die *génologie*, und auch bei den Tagungen der AILC/ICLA herrschte bisher großer Mangel an einschlägigen Referaten. Desto begrüßenswerter ist die Gründung der Zeitschrift *Genre* (herausgegeben von Professoren der University of Illinois in Chicago), der ein Symposium über Gattungsfragen bei der Tagung der amerikanischen Modern Language Association im Dezember 1967 vorausging. Die bei dieser Veranstaltung verlesenen Referate der Professoren Germaine Brée, Sheldon Sacks und Eliseo Vivas wurden in der Aprilnummer des laufenden Jahrgangs im Wortlaut abgedruckt.[7] Wie groß auch heute noch (oder wieder?) die begriffliche Verwirrung bei Gattungsfragen ist, geht daraus hervor, daß nur Eliseo Vivas imstande war, wissenschaftlich haltbare Unterscheidungen zu treffen, während Germaine Brée z. B. gattungsgeschichtliche Fragen mit stoff- und motivgeschichtlichen in einen Topf warf. So heißt es in ihrem Referat:

> The great voyagers of past literature, from Ulysses to Gulliver and Candide, have a place apart in our memory; and the greater among the myriad of diverse imaginary voyages have at least two common characteristics, resiliency and resistance to categorization. They are recognizably modes of a recognizable *genre*, yet each, in itself, is unique. Rich in potentialities the voyage *motif* informs the narrative only in a very general manner (Unterstreichungen vom Verfasser U. W.).

Auch in den verfügbaren Handbüchern und Gesamtdarstellungen wird die Gattungspoetik oft vernachlässigt, oberflächlich behandelt oder in einseitig verzerrender Weise dargestellt. Eine rühmliche Ausnahme machen Wellek und Warren im 17. Kapitel ihrer *Theory of Literature*, während – wie noch zu zeigen sein wird – weder Julius Petersen noch Emil Ermatinger, Emil Staiger oder Wolfgang Kayser dem Gegenstand Gerechtigkeit widerfahren lassen.[8] Die extremste Position nimmt wieder Croce ein, der die gattungsmäßige Einteilung von Dichtungen von vornherein als verlorne Liebesmüh' bezeichnet.[9]

Die französischen Komparatisten der alten Schule – mit Van Tieghem an der Spitze – konnten der *génologie* schon deswegen nicht die gebührende Aufmerksamkeit schenken, weil sie von ihnen ohne zwingenden Grund im doppelten Rahmen der *littérature comparée* und der *littérature générale* behandelt wird. In den Aufgabenbereich der letzteren verweist Van Tieghem unter anderem das Studium des Sonetts, der klassischen Tragödie, des romantischen Dramas und des Bauernromans (Van Tieghem, S. 176) und, an anderer Stelle, die Pastoraldichtung und den empfindsamen Roman.[10] Andererseits handelt das zweite Kapitel des zweiten Teils seiner Übersicht von den *genres et styles*, wobei die Gattungen in der mechanischen Reihenfolge »Genres en prose«, »Genres poétiques« und »Le Théâtre« besprochen werden. Van Tieghem sparte sich schon deshalb viel Mühe, weil für ihn als Professor der vergleichenden Literaturwissenschaft an der Sorbonne die Komparatistik auf die Literatur der Neuzeit beschränkt war, so daß die eigentliche Problematik der Gattungspoetik nicht in Erscheinung trat. – Guyard widmet dem Thema nur fünf Seiten im vierten, »Genres, Thèmes, Mythes« überschriebenen Kapitel seines Buches (S. 44–48) und behandelt wie sein Lehrer der Reihe nach, wenn auch in umgekehrter Reihenfolge, »Théâtre«, »Poésie« und »Romans et nouvelles«. Bei Pichois-Rousseau stehen den literarischen Gattungen sogar nur drei Seiten zu, auf denen der Unterschied zwischen *monogénèse* und *polygénèse* erklärt wird (S. 96–99).

Im Hinblick auf diese Sachlage braucht kaum betont zu werden, wieviel Bedeutung wir dem laufenden Kapitel beimessen, zumal das Studium der Gattungen für den Komparatisten schon deshalb unentbehrlich ist, weil hier – mehr noch als beim Studium der Stoffe oder der Perioden – eine ständige Konfrontation von Literaturgeschichte und -theorie auf breiter, internationaler Basis erfolgt. Absehen können wir in diesem Zusammenhang von den dichterischen Formen, die sich innerhalb einer Nationalliteratur entwickelt haben und nicht über deren Grenzen hinausgedrungen sind, wie die komplizierten Gebilde der provenzalischen Dichtung, dem deutschen Schnadahüpfl und – trotz mancher gelungener Nachahmungsversuche – dem englischen Limerick.[11] Die in philologischen Kreisen zu Recht oder Unrecht beliebten historischen Überblicke über die Entwicklung einer universellen Gattung innerhalb einer Literatur (Günther Müllers *Geschichte des deutschen Lieds*, Karl Viëtors *Geschichte der deutschen Ode*, Wolfgang Kaysers *Geschichte der deutschen Ballade* und Benno von Wieses *Geschichte des deutschen Dramas von Lessing bis Hebbel*) sind andererseits ihrem Wesen nach fragmentarisch und für unsere Fragestellung unergiebig. An umfassenden komparatistischen Monographien über einzelne Gattungen in der Vielfalt ihrer Erscheinungen fehlt es aber, von einigen rühmenswerten Ausnahmen abgesehen, völlig.

Freilich ist auch bei der Ausklammerung örtlich oder zeitlich begrenzter Gattungen Vorsicht am Platze. Man ginge z. B. fehl in der Annahme, daß, weil viele in der griechischen Literatur gepflegte Gattungen entweder gänzlich verschollen sind oder nicht auf die römische Literatur übertragen und von dieser im Durchgang durch das Mittelalter in die Neuzeit gelangten, man dieselben in der vergleichenden Gattungsgeschichte nicht berücksichtigen müsse. Dafür lassen sich gewichtige Gründe anführen.

Zunächst sei an die, vielfach realisierte Möglichkeit gedacht, daß eine antikische Gattung zwar ausgestorben ist, ihr Name aber fortlebt und zur Bezeichnung einer neuzeitlichen Gattung dient. Es wäre dann Aufgabe des vergleichenden Literaturwissenschaftlers, diesen Unterschied auszuloten und die historischen Umstände, die für die Namensgleichheit verantwortlich sind, ausfindig zu machen. Es kommt auch vor, daß eine Gattung fortlebt und von einer Nationalliteratur auf die andere überspringt, dabei aber ihren Namen ändert. Das ist häufig der Fall, wenn solche Bezeichnungen aus einer Sprache in die andere übersetzt werden müssen, wobei gewöhnlich ein, oft sprachgeschichtlich bedingter, Bedeutungswandel eintritt. Man denke an die Entwicklung des *topos* zum *locus communis*, *commonplace* und Gemeinplatz oder vergleiche Boileaus *Art Poétique* mit der von Sir William Soame und John Dryden hergestellten englischen Fassung, *The Art of Poetry*, in der *rondeau* als *round*, *ballade* als *ballad* und *vaudeville* als *lampoon* erscheinen.

Auch die Möglichkeit der Kontamination ist zu erwägen, d. h. eines Zustandes, in dem wegen des Gleichklangs oder der Ähnlichkeit im Schriftbild zweier Gattungsbezeichnungen die gattungspoetische Trennung zweier Dichtungsarten aufgehoben wird. Das klassische Beispiel bietet die im Mittelalter übliche Verwechslung von Satire und Satyr-Drama. Schon in der Horaz-Überlieferung zeigt sich eine gewisse Unsicherheit der Schreibung im Schwanken zwischen *satura* und *satira*. Daß – im Gegensatz zu der nur im hellenischen Kulturbereich denkbaren und sinnvollen theatralischen Form des Satyrspiels (das die Griechen selbst wohl kaum als Gattung bezeichnet hätten) – die Satire als römische Erfindung galt, ergibt sich aus Quintilians Feststellung »Satira quidem tota nostra est«.

Wie in vielen ähnlich gearteten Fällen, ist auch hier der Brockhaus des 6. Jahrhunderts, Isidor von Sevilla, für die erst nach vielen Jahrhunderten beseitigte Verwirrung verantwortlich. Er und seine Abschreiber bezeichneten nämlich die Meister der römischen Verssatire – Horaz, Persius und Juvenal – kurzerhand als Lustspieldichter. Dazu bemerkt Irene Behrens: »Wir haben hier ein praktisches Beispiel für die Verwechslung von Satyrspiel und Satire. . . . Wenn Horaz selbst (Sat. I, 4, 2; 10, 16) als Vorbild der Satire die alte Komödie nennt, dann verleitet er eben leicht zu der Annahme, die Satire sei eine Form der Komödie« (S. 35).

Während dieser, für die mittelalterliche Poetik (soweit man von einer solchen überhaupt sprechen kann) folgenschwere Irrtum auf sprachlicher Kontamination beruht, ist die Verwechslung der sogenannten Hauptgattungen *(types, kinds)* auf andere Ursachen zurückzuführen. Bekannt ist die in Dantes Brief an Can Grande della Scala dargelegte Auffassung der Tragödie und Komödie als nichtdramatischer Formen der Dichtkunst, die wohl so zu erklären ist, daß man im ausgehenden Mittelalter unter Drama nicht mehr ein Bühnenkunstwerk verstand, sondern eine zum mündlichen Vortrag bestimmte Dichtung. (Schon Seneca soll seine Tragödien als Lesedramen bezeichnet haben.) Dante nannte sein Epos eine Komödie, weil sie (im *Inferno*) traurig beginnt und (im *Paradiso*) heiter endet. Die Gründe dafür, daß die hellenistischen Romane im Mittelalter als Dramen bezeichnet wurden, erläutert Erwin Rohde in seiner Studie über diese Gattung (zitiert bei Behrens, S. 34).

Auf eine weitere gattungsgeschichtliche und -poetische Besonderheit sei schon an dieser Stelle hingewiesen. Es heißt nämlich in der *Theory of Literature:*

Genre in the nineteenth century and in our own time suffers from the same difficulty as ›period‹: we are conscious of the quick changes in literary fashion – a new literary generation every ten years, rather than every fifty: in American poetry, the age of *vers libre*, the age of Eliot, the age of Auden (*W/W*, S. 242).

Guyard macht – unserer Meinung nach – plausibel, daß dieser Zustand nicht auf eine raschere Wachablösung der Gattungen, sondern auf die Perfektionierung neuer Darstellungsweisen *(techniques)* zurückzuführen ist:

Le roman français de 1950 n'a pas une formule aussi rigide qu'une tragédie classique; mais, à défaut de genres, nos romanciers n'emploient-ils pas certains procédés, ne suivent-ils pas des modes? Simultanéisme, monologue intérieur, symbolique des rêves, autant de recettes dont un comparatiste à venir pourra chercher les origines étrangères. La notion de genre, autrefois si importante, s'efface devant celle de *technique*. Romancier, poète ou dramaturge, l'écrivain ne se soucie plus tellement d'être fidèle aux conventions d'une forme bien définie, que de prendre un certain point de vue sur les événements. Que ce point de vue soit celui de la durée ou de la psychanalyse, il faut pour le garder s'astreindre à certaines règles et l'on découvre que le problème des genres est transposé, non aboli (Guyard, S. 18f.).[12]

Daß auch in der Vergangenheit Gattung und Darstellungsweise semantisch miteinander kollidierten, beweist die Geschichte des Begriffs *Satire*, der heute – trotz wissenschaftlicher Ehrenrettungsversuche[13] – kaum noch im Sinne von Horaz oder Quintilian auf eine bestimmte Gattung hinweist, sondern als Nutzanwendung der Didaktik gilt, die überall zuhause ist. Ähnliches gilt für die Parodie, die

Travestie, *die* Burleske und *die* Groteske – welch letztere, historisch gesehen, von *dem* Burlesken und *dem* Grotesken abzugrenzen sind. Unser eigener Versuch einer Begriffsbestimmung der Parodie, der Travestie und des Burlesken begann mit der Überlegung:

It hardly surprises to find that Parody, Travesty, and Burlesque have meant different things to different people in different ages and places. More interesting is the fact that these terms have sometimes been applied to specific genres (such as parody in its original Greek meaning, *travesti* in French theatrical language, and burlesque on the modern American stage), while elsewhere, commonly in their verbal or adverbial guise, they merely denote techniques or styles. The French language, for example, has no noun equivalent to the English »travesty« and »burlesque«. It substitutes »le burlesque« for »la burlesque«, just as Scarron's mock version of the *Aeneid* is called *Le Virgile travesty* rather than *Une travestie de Virgile* (*Proceedings IV*, Bd. II, S. 803).

Daß es hier für den vergleichenden Literaturwissenschaftler noch viel lohnende Arbeit gibt, steht außer Frage. Es ist zu hoffen, daß das in Arbeit befindliche internationale Wörterbuch der AILC/ICLA uns die in so vielen Fällen dringend benötigte Aufklärung verschaffen wird, damit sich in Zukunft die Forscher aller Länder über die Sprachgrenzen miteinander verständigen können. Die Frage, ob man das Studium der Gattungsgeschichte und -poetik – wie das Studium literarischer Perioden und Bewegungen – auch über die Grenzen des einzelnen Kulturkreises hinaus betreiben könne oder solle, sei kurz angeschnitten. René Etiemble sucht es jedenfalls im Abschnitt ». . . de la structure« seines Buches schmackhaft zu machen. Im bezug auf *rapports de fait* wäre dabei zu sagen, daß besonders seit der Mitte des 19. Jahrhunderts westliche Dichter und Maler in zunehmendem Maße von exotischen Vorbildern beeindruckt und beeinflußt wurden. So regte die poetische Kurzform des japanischen Haiku die Imagisten, Paul Claudel und neuerdings die jüngeren amerikanischen Dichter zur schöpferischen Nachahmung an, und die äußere Form (seltener der Inhalt) des No-Dramas diente als Muster manch eines Stückes von Brecht, Claudel und Yeats – ganz zu schweigen von den verkitschten Imitationen des *Kreidekreises* à la Klabund. Nun erhebt sich die von Etiemble im vollen Bewußtsein um die Komplexität dieses Verhältnisses aufgeworfene Frage, ob die ernsthaft versuchte Nachbildung in jedem Fall gattungspoetisch adäquate Ergebnisse zeitigte und inwieweit der Druck der westlichen Tradition zur Verzerrung östlicher Vorlagen führte:

Claudel publia de prétendus *dodoitsu*, et les *haïkaï* foisonnèrent en Europe. Savoir si les poèmes publiés ici sous ce nomme-là méritent encore une *appelation* que les marchands de fromage ou de vin diraient *contrôlée*, une *marque* que les fabricants de chaussettes ou de soutien-gorge diraient *déposée*. Lisent-ils ceux de nos prétendus *haïkaïs* qui s'efforcent à la concision de l'original, les Japonais de ma connaissance n'y retrouvent rien des leurs. Cette déception dépend-elle des conditions économiques ou politiques? Des superstructures philosophiques ou religieuses? Des images traditionelles? De la phonétique, de la grammaire des langues? (Etiemble, S. 97f.).

Etiemble beantwortet die Frage nicht, läßt aber durchblicken, daß es unmöglich sei, eine festgefügte und historisch-geographisch verankerte Gattung aus einem Kulturkreis in einen anderen zu verpflanzen. Andererseits kann das Studium solcher mißglückten Versuche dazu dienen, die unüberbrückbaren Unterschiede zwischen Orient und Okzident aufzuzeigen und ihrem Wesen nach zu erklären. Dem gleichen Zweck können auch reine Analogiestudien nutzbar gemacht werden. Daß solche Vergleiche bisher kaum angestellt wurden, erklärt sich wohl daraus, daß in den fernöstlichen Ländern eine systematische Einteilung der Literatur nach Gattungen verpönt war und der gattungsgeschichtliche Zweig der Literaturwissenschaft daniederlag.

In seiner Petersburger Antrittsvorlesung bezog sich Alexander Wesselowsky wiederholt auf die von ihm verfochtene These von der gestaffelten Abfolge der drei literarischen Hauptgattungen. Seiner Ansicht nach entsprach nämlich die für die griechische Literatur charakteristische Stufung von Epik (Homer), Lyrik (Pindar) und Dramatik (Äschylus) einem entwicklungsgeschichtlich notwendigen Fortschreiten vom Objektiven zum Subjektiven und von diesem zu einer Verquickung, die man als Reflexion bezeichnen könnte: »What we might call the epic, lyric and dramatic world view actually had to occur in the particular succession indicated, determined by the ever greater development of individualism« (*YCGL* 16 [1967], S. 39).

Ziehen wir die Griechen selbst zu Rate, so zeigt sich, daß bei ihnen eine Dreiteilung der Hauptgattungen prinzipiell im Bereich der Möglichkeit lag, praktisch aber nicht durchführbar war. Noch für Aristoteles waren Epos und Drama die einzigen »major kinds«, während der unter diesem Namen unbekannten Lyrik eine viel geringere und sehr zwiespältige Rolle in seiner einseitigen Gattungspoetik zufiel. Wenn in der *Poetik* die Frage auftaucht, welcher Gattung die Palme gebühre, so handelt es sich nur darum, ob die Epik der Dramatik vorzuziehen sei oder umgekehrt. Die Entscheidung fiel, wie bekannt, zugunsten der Dramatik aus.

Für uns Heutige ist der Begriff der Epik deshalb verblaßt, weil das *poème héroique* als Gattung so gut wie ausgestorben ist, genau wie die zur Epik gehörende, aber begrifflich von ihr abzugrenzende Unterart der *Romance*. Bedauerlicherweise gibt es bis jetzt keinen allgemein verbindlichen Namen für die Hauptgattung, die sowohl die Versepik als auch die erzählende Prosa umfaßt; denn selbst das englische *fiction* umfaßt nur die Prosaformen des Romans, der Novelle, der Kurzgeschichte etc. (Von einer Zweiteilung der Literatur in Poesie und Prosa kann heute natürlich nicht mehr die Rede sein, da es Zwischenformen wie den Versroman und das *poème en prose* gibt, dazu Gebilde wie Dantes *Vita Nuova*, den *Decamerone*, den Prosa-Einschub der *Canterbury Tales* und den poetischen Rahmen in Strindbergs *Traumspiel*).

Auch eine Vierteilung der Literatur in Epik, Lyrik, Dramatik und Didaktik ist mitunter versucht worden, hat sich aber nie durchsetzen können, zum Teil wohl deshalb, weil das Didaktische eine inhaltliche und keine formale Kategorie ist und sich in fast alle Gattungen einschmuggeln läßt. Dagegen gehören Lehrgedichte wie die naturwissenschaftlichen Schriften des Empedokles, der poetische Traktat *De rerum natura* des Lukrez und die von Brecht geplante Versifizierung des kommunistischen Manifests höchstens ihrer metrischen Einkleidung wegen in die schöne Literatur *(belles lettres)*. Aristoteles wendet sich ganz entschieden gegen die schon zu seiner Zeit verbreitete *ars metrica*, nach der das bloße Versmaß bei der Klassifizierung von Dichtungen den Ausschlag gibt. Im ersten Kapitel der Poetik heißt es diesbezüglich:

> Die Leute haben es sich nur angewöhnt, mit dem Versmaß das Dichten zu verbinden, und sprechen daher von Elegien-Dichtern und Heldensängern, womit sie nicht die Darstellung sondern ganz allgemein nur das Versmaß kennzeichnen. Ja selbst wenn jemand ein heilkundliches oder musikalisches Lehrbuch darin abfaßt, pflegt man ihn noch so zu bezeichnen. Aber Homer und Empedokles haben weiter nichts gemein als das Versmaß, und deshalb soll man den einen als Dichter bezeichnen, den anderen aber eher als Naturforscher denn als Dichter.[14]

Von den geläufigen poetisch-didaktischen Mischformen erwähnen wir nur die (Vers-)Satire, die Fabel, die Parabel und die dramatische *morality* vom Typ des *Jedermann*, zu denen sich eventuell noch die Legende und das Märchen gesellen.

Im übrigen muß sich die Gattungsforschung auch mit literarischen Randformen befassen, die nicht ins Didaktische ausweichen, sondern aus anderen Gründen aus dem Bereich der *belles lettres* verstoßen werden, so die erst jetzt Beachtung findenden Formen des Essays und der Autobiographie, sowie der Maxime, des Aperçus, des Aphorismus und des Charakters *(caractère)*.[15] Über die Literatur als sprachliche Ausdrucksform hinaus ragen auch die von Baldensperger-Friederich als halb-literarisch bezeichneten Gattungen des Librettos, des Filmszenarios (Max Frischs *Zürich Transit*) und des Emblems.[16] Auch hier kann der vergleichende Literaturwissenschaftler dazu beitragen, durch seinen umfassenderen Gesichtskreis Ordnung in das scheinbare Chaos zu bringen und der Zersplitterung Einhalt zu gebieten.

Ein für uns besonders im Hinblick auf die wechselseitige Erhellung der Künste wichtiges gattungshaftes Einteilungsprinzip ist die im ersten Kapitel der *Poetik* getroffene Unterscheidung nach den

Mitteln der Darstellung oder Nachahmung. Aristoteles betrachtet die Dichtung im Zusammenhang mit den anderen Künsten, mit denen sie einige ihrer Ausdrucksmittel teilt.[17] Vor allem das Reich der Töne – also die Musik – muß in unsere Darstellung einbezogen werden, und zwar nicht nur deshalb, weil auch die Sprache mit Hilfe von Lauten erzeugt wird, sondern auch weil die Musik ursprünglich von der Dichtung nicht getrennt war.

Die Behauptung, die Literatur sei eng mit der Musik verbunden gewesen, ist wohl fundiert. Zwar begleitete (um ein nicht auf Griechenland beschränktes Phänomen zu nennen) auch der Barde seinen epischen Vortrag mit dem Instrument, doch war dieser Umstand in der Antike nur für die Aufführungspraxis bedeutsam, galt aber nicht als Kompositionsprinzip, da, soweit wir wissen, die epischen Dichter keine auf ihr Werk abgestimmte Partituren schrieben. Deshalb galt das Epos schon früh als ausgesprochen literarische Gattung: »Der Heldengesang kennt nur das bloße Wort oder die Versmaße, die er entweder miteinander mischt, oder deren eines er herausgreift oder verwendet bis auf den heutigen Tag« (*Poetik*, 1447b).

Erstaunlich und in ihrer Bedeutung für die Gattungspoetik nicht zu unterschätzen ist übrigens, wie Hardison ausdrücklich betont, die Tatsache, daß der Stagirit keine Kollektivbezeichnung für die von der Musik losgelöste Dichtung, d. h. eben für die Literatur zu kennen schien und von ihr als einer namenlosen Kunst spricht, welche sowohl die Epen Homers wie die Platonischen Dialoge und die Mimen des Sophron und Xenarchos umfaßt (*Poetik*, 1447a). Unter den literarischen Künsten, die mehr als ein Ausdrucksmittel verwenden, nennt Aristoteles zwei Arten: jene, bei der zwei oder mehr Mittel gleichzeitig eingesetzt werden (Dithyrambos und Nome), und jene, bei der sie abwechselnd in Erscheinung treten (Tragödie und Komödie). Leider sind wir uns heute – *horribile dictu* – kaum noch bewußt, daß die griechische Tragödie ein Gesamtkunstwerk darstellte, innerhalb dessen der uns überlieferte Text nur ein Libretto höchster Potenz war. Gattungsgeschichtlich wäre also aus komparatistischer Sicht die moderne Oper in ihrer ersten Gestalt (dem *stile rappresentativo* der Florentiner *camerata*) eher mit dem antiken Trauerspiel als mit den Produkten Glucks, Mozarts, Verdis oder Wagners vergleichbar.

Am unübersichtlichsten ist die Lage bei der Lyrik, die wir gedankenlos als literarische Hauptgattung behandeln. Dabei liegt ihre Verbundenheit mit der Musik schon im Namen (lyra = Leier) auf der Hand, desgleichen bei der Ode (= Gesang), dem Lied *(chanson, song)* und dem Sonett. Daß der antiken Kritik – wenigstens in klassischer und nachklassischer Zeit – eine derartige Sammelbezeichnung unbekannt war, bezeugt der folgende, G. L. gezeichnete Eintrag im *Lexikon der alten Welt:*

Was wir heute im Gegensatz zu Epos und Drama als Lyrik bezeichnen, wurde in der Antike nicht einheitlich gefaßt. Einmal enthält auch das antike Drama lyrische Partien, dann trennt die antike Theorie beispielsweise auch Lyrik und Elegie. Das liegt zum Teil an der engeren Verbindung zwischen Wort, Musik und Tanz in der Antike. Ursprünglich ist lyrisch nur was zur Begleitung der Lyra vorgetragen wird. Wir dürfen wohl den Begriff etwas weiter fassen, indem wir ihn gegen die hexametrische Fassung (Epos) einerseits und rein jambische Stücke andrerseits (Sprechpartien im Drama) abgrenzen.[18]

Die Griechen selbst unterschieden, je nach der Vortragsart, zwischen chorischer und monodischer Poesie, die den Namen *Melik* führte. Erst in der alexandrinischen Zeit wurde eine pedantische, aber reinliche Scheidung vorgenommen (sie besaß noch bis weit ins Mittelalter hinein Gültigkeit), und zwar mit Hilfe eines Kanons von neun Klassikern (Alkaios, Alkman, Anakreon, Bakchylides, Ibykos, Pindar, Sappho, Simonides und Stesichoros), denen der Ehrentitel *Lyriker* zustand. Seither galt die Melik als Bezeichnung für die außerkanonische Dichtung. Der Versuch, den Kreis der *novem lyrici* zu erweitern, gelang nur hier und da, wenn sich ein spätantiker Dichter der von den Klassikern überlieferten Formen bediente. Die Lyrik erscheint, wie Irene Behrens (S. 17) nachweist, zuerst in der *Techne grammatike* des Dionysius Thrax (ca. 170–90 vor unserer Zeitrechnung) als Name für eine der drei Hauptgattungen.[19]

Selbst bei Horaz sind die Schwierigkeiten nicht beseitigt; denn der römische Dichter nennt sich abwechselnd Lyriker *(lyricus)* und *fidicen* (abgeleitet von *fides* = Saitenspiel). Ja bis ins 18. (Deutschland) und 19. Jahrhundert (Frankreich) hinein steht der Begriff *Ode* oft stellvertretend für *Lyrik*, mit dem Unterschied freilich, daß er nur die Kunstdichtung bezeichnet, das volksliedhafte Element aber ausschließt. Noch Herder schwankte im Wortgebrauch und nannte die Ode die »Ader des Dramas und der Epopöe, der drei einzigen Arten der eigentlichen Dichtkunst« (zitiert bei Behrens, S. 185). Erst bei den Romantikern – Novalis, den Brüdern Schlegel und Schelling – setzte sich die für uns verbindliche, aber deswegen noch lange nicht unumstößliche Dreiteilung der Hauptgattungen endgültig durch, nachdem ihr durch die theoretischen Schriften eines Sulzer und J. J. Engel im letzten Drittel des 18. Jahrhunderts ästhetisch vorgearbeitet worden war.

Wegen ihrer seit Goethe wachsenden Beliebtheit im deutschsprachigen Raum nicht schweigend übergangen werden darf die im Prinzip verderbliche Verwendung der Bezeichnungen für die drei Hauptgattungen in ihrer adjektivischen Form. Sie soll verdeutlichen, daß es sich hier durchaus nicht um literarische Gebilde, sondern um Grundarten menschlichen Verhaltens, d.h. um Stimmungen oder Zustände handelt. Aus dem Reservoir von Croces Argumenten gespeist, widersetzt sich diese Theorie der gattungsgeschichtlichen Betrachtungsweise und muß schon aus diesem Grunde aus dem Zeughaus komparatistischer Werkzeuge verbannt werden, denn das Epische, Lyrische und Dramatische sind – wie das Romantische im Gegensatz zur Romantik – universell-zeitlose Gegebenheiten. Gattungspoetik wird also durch abstrahierende Typologie ersetzt.

In den »Noten und Anmerkungen zum *West-Östlichen Divan*« stößt sich Goethe daran, daß es zu viele Gesichtspunkte gäbe, unter denen man die Dichtarten einteilen könne. Die von ihm angestrebte Lösung beruht auf der Annahme, es existierten drei Naturformen der Dichtung, nämlich »die klar erzählende, die enthusiastisch aufgeregte und die persönlich handelnde: Epos, Lyrik und Drama«.[20] Goethe behauptet ferner, daß »diese drei Dichtweisen zusammen oder abgesondert wirken können« und daß man sie »in dem kleinsten Gedichte oft beisammen« finde. Besonders die Ballade scheint er als eine Art Urzelle der Dichtung, in der alle drei Naturformen keimartig enthalten sind, anzusehen.

Um Ordnung unter den Individual-Gattungen zu schaffen und diese ins rechte Verhältnis zu den Urformen zu setzen, schlug Goethe vor, man solle die drei Hauptelemente in einem Kreis einander gegenüberstellen und die möglichen Zwischenstufen und Kombinationen konzentrisch um sie herum lagern. Es waren Musterstücke zu suchen und Beispiele zu sammeln, »bis endlich die Vereinigung von allen dreien erscheint und somit der ganze Kreis in sich geschlossen ist.«[21]

Die Probe auf Goethes Exempel machte Julius Petersen in seinem Buch *Die Wissenschaft von der Dichtung*. Vom »monologischen Bericht einer Handlung« (= Epos), der »monologischen Darstellung eines Zustandes« (= Lyrik) und der »dialogischen Darstellung einer Handlung« (= Drama) ausgehend, stieß dieser Gelehrte kühn zu den Formen des »monologischen Berichts eines Zustands«, des »dialogischen Berichts einer Handlung« und der »dialogischen Darstellung von Zuständen« vor (S. 124ff.). Mit einer derartig schematischen, den historischen Umständen keine Rechnung tragenden Einteilung ist der Komparatistik aber weder als vergleichender Literaturgeschichte noch als vergleichender Literaturkritik oder -theorie gedient.

Am nachhaltigsten vertreten wurde die Meinung, die Epitheta *lyrisch*, *episch* und *dramatisch* seien literarkritisch fruchtbarer als die Gattungsbezeichnungen *Lyrik*, *Epik* und *Dramatik* in jüngerer Zeit von Emil Staiger, der, wie Goethe, der Meinung ist, »daß jede echte Dichtung an allen Gattungsideen in verschiedenen Graden und Weisen beteiligt ist und daß die Verschiedenheit des Anteils die unübersehbare Fülle der historisch gewordenen Arten begründet«.[22] Staiger bleibt uns freilich den Beweis für die Stichhaltigkeit seiner These schuldig, den er nur vermittels eines Goethe-Petersenschen Schemas hätte erbringen können. In Ermangelung eines solchen fragt man sich vergebens, wie denn die lyrischen, epischen und dramatischen Ingredienzien in der Kurzgeschichte, der Fabel oder dem Sonett gemischt seien.

Staiger begründet seine Ablehnung der traditionellen Gattungspoetik mit dem Hinweis, in der Neuzeit hätte sich die Zahl der verfügbaren gehaltlich-gestaltlichen Konfigurationen so rapide vermehrt, daß sie unübersehbar geworden seien. Gattungspoetik habe aber nur dann einen Sinn, wenn für jede Gattung ein allgemein anerkanntes Muster bestehe, zu dem man aufblicken könne:

> Die neueren Schriften, welche unter dem Namen Poetik gehen, gleichen den älteren immerhin darin, daß sie das Wesen des Epischen, Lyrischen und Dramatischen in bestimmten Mustern von Gedichten, Epen und Dramen vollkommen realisiert sehen. Diese Art der Behandlung stellt sich dar als Erbe der Antike. In der Antike nämlich war jede poetische Gattung erst in einer beschränkten Anzahl von Mustern vertreten.... Seit der Antike haben sich aber die Muster unübersehbar vermehrt. ... Wenn die Poetik weiterhin allen Einzelbeispielen gerecht werden will,... [muß sie], um bei der Lyrik zu bleiben ... Balladen, Lieder, Hymnen, Oden, Sonette, Epigramme miteinander vergleichen, jede dieser Arten durch ein bis zwei Jahrtausende verfolgen und etwas Gemeinsames als den Gattungsbegriff der Lyrik ausfindig machen. Das aber, was dann für alles gilt, kann immer nur etwas Gleichgültiges sein. Außerdem verliert es seine Geltung in dem Augenblick, da ein neuer Lyriker auftritt und ein noch unbekanntes Muster vorlegt.[23]

Staiger bekräftigt also scheinbar unsere Meinung, die von René Etiemble in seinem Buch *Comparaison n'est pas raison* (S. 99) vertretene Ansicht sei naiv. Vergessen wir aber nicht, daß sich die Kritik des Schweizer Gelehrten auch auf die Gattungspoetik innerhalb der westlichen Kultur bezieht, also selbst das Studium von *rapports de fait* und geschichtlich bedingten Entwicklungen einbezieht. Hier können wir Staigers Appell allerdings nicht Folge leisten.

Daß Staigers Ansicht durchaus nicht vereinzelt dasteht, deuteten wir schon an. Sie wird geteilt von Wolfgang Kayser, der im zehnten Kapitel seines weitverbreiteten und einflußreichen Handbuchs *Das literarische Kunstwerk* das »Gefüge der Gattung« untersucht. Bei der Lektüre dieses Kapitels stellt man mit einigem Erstaunen fest, daß die Individual-Gattungen ausgeklammert sind mit der Begründung, daß »was an einem Werk dadurch bestimmt wird, in früheren Kapiteln, vor allem in dem über die Darbietungsweisen, besprochen worden ist«.[24] Wendet man sich diesen Kapiteln zu, so zeigt sich, daß in ihnen die Gattungen äußerst knapp und unsystematisch auf ungefähr fünfundzwanzig Seiten (von denen nur vier der Lyrik und fünf dem Drama zugestanden werden) zur Darstellung kommen, während das zehnte Kapitel etwa sechzig Seiten umfaßt.

In seinen Ausführungen über das Gefüge der Gattungen bedient sich Kayser im wesentlichen der Staigerschen Kategorien, wenn er von lyrischen, epischen und dramatischen Grundhaltungen spricht (Staiger hatte diese als »fundamentale Möglichkeiten des menschlichen Daseins überhaupt« bezeichnet) und betont, es handle sich bei diesen »inneren Gattungen« »auf der Seite des Gegenständlichen, das die Grundhaltungen zu verkörpern scheint, wohl um ein von Innen her Geformt-Sein, aber nicht um Formen im Sinne geschlossener Gefüge« (S. 334). Nicht ganz so radikal verfährt Herbert Seidler, der den vierten, der »Entfaltung der dichterischen Möglichkeiten« gewidmeten Teil seines Buchs *Die Dichtung: Wesen, Form, Dasein* mit einer Darstellung von fünf Einteilungs-Arten eröffnet, wobei die »inneren menschlichen Haltungen« den ersten Platz behaupten, die »Ausbildung geschichtlicher Gattungen und Arten« aber nur den vierten Platz einnimmt (S. 344ff.).

Abzugrenzen gegen die von uns im Hinblick auf die Möglichkeiten vergleichender Literaturwissenschaft vertretene historisch-kritische Spielart der Gattungspoetik wäre auch das von André Jolles gelieferte Muster der »einfachen Formen«, die, nach Meinung dieses Gelehrten, den Individual-Gattungen zugrunde liegen und vorangehen. Diese »einfachen Formen« sind anzusehen als »spezifische Geistesbeschäftigungen, die durch die wechselnden Einstellungen, welche der in der Sprache Form schaffende Mensch seinen Gegenständen entgegenbringt«,[25] zustandekommen oder (wie Wolfgang Kayser sagt) »um die Sprache selbst, die hier, gelenkt von einer ›Geistesbeschäftigung‹, ein Stück Welt ergreift und in einer Form bündig macht« (*Kunstwerk*, S. 352).

Jolles erkannte neun solcher Grundformen, die als Bausteine anspruchsvollerer literarischer Gebilde gelten dürfen: Legende, Sage, Mythe, Rätsel, Spruch, Kasus, Memorabile, Märchen und Witz.[26] Er wollte freilich diese Reihe nicht als exklusiv verstanden wissen, sondern erwog u. a. die Einbeziehung der Fabel. Wir dürfen zu den Gliedern der Reihe bemerken, daß der gemeinsame Nenner in ihrem vor- oder außerliterarischen Charakter zu bestehen scheint; denn Kasus und Rätsel werden erst literaturfähig durch ihre Einbettung in erzählerische oder dramatische Gebilde, das Memorabile durch seine Einfügung ins Tagebuch oder die Autobiographie, die Mythe durch ihre Umformung zum Mythos in der aristotelisch verstandenen Fabel, dem fest umrissenen dramatischen *plot*.

Inhaltlich haben die einfachen Formen nur wenig miteinander gemeinsam; auch strukturell sind sie ja mehr oder minder komplex, denn die Kleinstformen des Witzes (und seines literarischen Zwillings, der Anekdote), des Spruchs (und seiner Entsprechung im Epigramm, Aphorismus und Aperçu) und des Rätsels sind einfacher und bündiger als die volkskundlichen Gattungen der Sage, des Märchens und der Legende.

Wir wenden uns abschließend den eigentlichen literarischen Gattungen *(genres)* und den ihnen gemäßen Arten der Einteilung zu; denn mit einer katalogartigen Aufzählung ist nichts gewonnen, das leuchtet ohne weiteres ein. Ein Vergleich der von Kayser aufgestellten Liste mit der von Goethe dem Abschnitt »Dichtarten« der »Noten und Anmerkungen zum *West-Östlichen Divan*« beigegebenen bestätigt diesen Verdacht. Goethe nennt scheinbar wahllos Allegorie, Ballade, Cantate, Drama, Elegie, Epigramm, Epistel, Epopöe, Erzählung, Fabel, Heroide, Idylle, Lehrgedicht, Ode, Parodie, Roman, Romanze und Satire; Kayser Roman, Briefroman, Dialogroman, pikarischer Roman, historischer Roman; Ode, Elegie, Sonett, Tagelied, Auto, Vaudeville, Tragödie, Komödie, griechische Tragödie und Melodrama. Während Goethe lediglich verschiedenen Klassen und Größenordnungen angehörige Gebilde in alphabetischer Reihenfolge aufzählt, orientiert sich Kayser offensichtlich an den drei Hauptgattungen. Dabei nennt er nicht etwa Roman, Novelle, Kurzgeschichte, Epos, Romanze etc., sondern den Roman und seine Unterarten, bewegt sich also in einer anderen Größenordnung.

Goethe kommentierte seine Aufzählung wie folgt:

Wenn nun vorgemeldete Dichtarten, die wir alphabetisch zusammengestellt und noch mehrere dergleichen methodisch zu ordnen versuchen wollten, so würde man auf große, nicht leicht zu beseitigende Schwierigkeiten stoßen. Betrachten wir nun obige Rubrik genauer, so findet man, daß sie bald nach äußeren Kennzeichen, bald nach dem Inhalt, wenige aber nach einer wesentlichen Form benannt sind. Man bemerkt schnell, daß einige sich nebeneinanderstellen, andere sich anderen unterordnen lassen. Zu Vergnügen und Genuß möchte jede wohl für sich bestehen und wirken, wenn man aber zu didaktischen oder historischen Zwecken einer rationelleren Anordnung bedürfte, so ist es wohl der Mühe wert, sich nach einer solchen umzusehen (S. 480).

Diese »rationellere« Anordnung wird im folgenden, von uns bereits erwähnten Abschnitt »Naturformen der Dichtung« mit zweifelhaften Resultaten angestrebt. Daß die Verschiedenheit der bei der Benennung von Individual-Gattungen benutzten Kriterien nicht durchwegs der Experimentierfreudigkeit der Neuzeit zuzuschreiben ist, wie Staiger behauptet, erhellt aus E.-M. Voigts Bemerkungen über die griechische Lyrik in seinem Beitrag zum *Lexikon der alten Welt:*

Die Termini selbst bezeichnen die Gedichte nach unterschiedlichen Gesichtspunkten, nach dem Refrain (Päan, Hymenaios), der Handlung, die sie begleiten (Hyporchema, Prosodion), dem Inhalt oder Anlaß (Enkomion, Epinikion), dem Chor (Partheneion), dem Metrum (Iambus) oder einfach als Gesang (Hymnos, Melos). (Sp. 1797).

Wir wollen im folgenden die möglichen Einteilungsprinzipien der Reihe nach durchgehen und auf ihren Wert hin untersuchen. Dabei müssen wir uns bewußt sein, daß eine restlos zufriedenstellende Lösung schon deshalb nicht zu erwarten ist, weil die Anzahl der toten und lebenden Gattungen in der Weltliteratur und den einzelnen Nationalliteraturen zu groß ist, um jemals restlos erfaßt zu werden. Was einen Aristoteles, Horaz oder Boileau dazu veranlaßte, sich in ihren Poetiken auf eine verhältnismäßig geringe Anzahl der ihnen bekannten Gattungen zu beschränken, kann nur der mit den historischen Bedingungen ihrer Entstehung vertraute Forscher erklären. Weshalb sie eine Auswahl treffen mußten, ist aber ohne weiteres ersichtlich.

Objektiver Forschung am wenigsten zugänglich sind wohl die auf psychologischen Kriterien beruhenden Einteilungsprinzipien, ganz gleich ob es sich dabei um die Psychologie des Dichters oder seines Publikums (Leser, Zuschauer oder Zuhörer) handelt. In diese Klasse fällt z. B. der von Schiller erläuterte Unterschied zwischen naiver und sentimentalischer Dichtung, samt der diesen Kategorien entsprechenden Gattungen. Das Naive ist nach Schiller »nichts anderes als das freiwillige Dasein, das Bestehen der Dinge durch sich selbst, die Existenz nach eigenen und unabänderlichen Gesetzen«[27], während das Sentimentalische daraus zu erklären ist, daß »die Natur bei uns aus der Menschheit verschwunden ist und wir sie nur außerhalb dieser, in der unbeseelten Welt, in ihrer Wahrheit wieder antreffen«.[28] Je weiter die Menschheit sich also vom naiven Urzustand entfernt – und sie tut dies mit wachsender Geschwindigkeit – desto größer wird das Übergewicht der sentimentalischen über die naiven Gattungen. Schon aus diesem Grunde wäre eine moderne Gattungspoetik, die sich auf diesen Gegensatz stützen wollte, von vornherein zum Scheitern verurteilt.

Bekannter noch und schwerwiegender in ihren Folgen ist die aristotelische Bestimmung der Tragödie als einer edlen, in sich abgeschlossenen Handlung, die »durch Mitleid und Furcht die Bereinigung solcher Gefühle zu bewirken sucht«. Dabei ist zweierlei zu beachten. Erstens mißt der Philosoph den durch das Kunstwerk hervorgebrachten Wirkungen offenbar nicht die gleiche ästhetische Bedeutung zu wie den Mitteln, Gegenständen und Darstellungsweisen. Das geht rein äußerlich aus der Tatsache hervor, daß Furcht und Mitleid erst im sechsten Kapitel der *Poetik* zur Sprache kommen, die anderen *Modi* aber schon in den ersten drei Kapiteln.

Ferner ist zu beachten, daß Furcht und Mitleid – praktisch gesehen – Gefühle sind, die das Anschauen und Anhören der Dichtung erweckt. (Die Forderung des Aristoteles, die gleiche Wirkung müsse sich auch bei der Lektüre einstellen, mag zwar ernst gemeint sein, ist aber müßig). Heute ist es nur noch dem Dramatiker vergönnt, gleichartige seelische Wirkungen bei einer heterogenen Masse von Zuschauern unmittelbar hervorzubringen, während sich der lyrische Dichter und der Romancier an ein anonymes Publikum wenden und kaum imstande sind, die Wirkung ihrer Produkte vorauszuberechnen. So erklärt sich, daß Bühnenwerke die Bezeichnung Lustspiel, Trauerspiel, Rührstück etc. führen (warum nicht auch Lach- oder Weinstück?), während sich beim Roman derartige gefühlsverhaftete Gattungsbezeichnungen nur vereinzelt finden (etwa bei der *sentimental novel* oder dem Schauerroman).

Wie unergiebig diese Fragestellung für die vergleichende Literaturwissenschaft ist, beweist die dem modernen Menschen geläufige Tatsache, daß in verschiedenen Kulturkreisen und innerhalb eines Kulturkreises zu verschiedenen Zeiten sogar in verschiedenen Ländern Ereignisse anders beurteilt werden und die gleichen Handlungen oft entgegengesetzte Wirkungen hervorrufen. Was der Chinese schön nennt, findet der Mestize häßlich, und die Heldentat des Maori erscheint dem Holländer feige. Dies bestätigt James Joyce in der Erstfassung seines Romans *A Portrait of the Artist as a Young Man:*

> No esthetic theory ... is of any value which investigates with the aid of the lantern of tradition. What we symbolise in black the Chinaman may symbolise in yellow; each has his own tradition. Greek beauty laughs at Coptic beauty and the American Indian derides them both. It is almost impossible to reconcile all tradition ...[29].

Die literarhistorisch älteste Art der generischen Unterteilung findet sich in Platos *Staat* (392b–394d), allerdings nur unter Berücksichtigung der Hauptgattungen. Sein Hauptaugenmerk wendet der Philosoph dabei auf die Art der Aussage, d. h. also auf das, was wir heute *point of view* nennen:

> Alles, was uns Erzähler und Dichter berichten, legt Vergangenes, Gegenwärtiges oder Zukünftiges dar. ... Sie erreichen dies in mittelbarer oder unmittelbarer Wiedergabe oder bedienen sich beider Formen. ... Die eine Art der Erzählung und Dichtung beruht zur Gänze auf unmittelbarer Wiedergabe; das ist, wie du schon sagtest, die Tragödie und Komödie. Die andere beruht auf dem Bericht des Dichters selbst; du kannst sie am besten in den Dithyramben finden. Die dritte Art, die beide Arten vereint, findest du in der Dichtung der Epen und auch sonst vielfach, wenn du mich verstanden hast.[30]

Der Wert der platonischen Theorie wird allerdings durch die ihr zugrundeliegenden didaktischen Absichten vermindert, sieht doch Plato in der Mimesis die größte Gefahr für das Bestehen des Staates, da in den mimetischen Gattungen der Dichter sich anmaßt, durch den Mund der von ihm geschaffenen Charaktere seine eigene Meinung kundzutun und so unter dem Schleier der Wahrheit das Volk zu verführen. Dies ist aber Verstellung und Betrug. Tragödie und Komödie sind also politisch anrüchiger als das Epos (bei dem der Rhapsode als Mittler wirkt) oder die Dithyramben – wobei Plato wohl an Chorlieder mit mythologischem Inhalt denkt, nicht aber an die halbdramatische Gattung, der Aristoteles diesen Namen gibt.

Läßt man die didaktische Absicht beiseite, so zeigt sich, daß Platos Unterscheidung eine rein technische, auf die Darstellungsweise bezogene ist, die zwar der Stagirit in leicht veränderter Form übernimmt (*Poetik*, 1448a), die aber erst im 19. Jahrhundert durch Flaubert und Henry James in ihrer vollen Bedeutung erkannt wurde. Ein Plato unserer Tage müßte alle inzwischen erfundenen Verfeinerungen dieses »point of view« berücksichtigen und Stilzüge wie *stream of consciousness*[31], den *style indirect libre*[32] (Erlebte Rede) usw. einbeziehen.

Zu den am häufigsten praktizierten Einteilungsarten gehören selbstverständlich die formalen oder inhaltlichen. Daß sie nicht immer eindeutig gegeneinander abzugrenzen sind, zeigt das Beispiel der Elegie. Das in der *Theory of Literature* ausgestellte Rezept stützt sich auf diese Erkenntnis. Es lautet:

> Genre should be conceived ... as a grouping of literary works based, theoretically, upon both outer form (specific meter or structure) and also upon inner form (attitude, tone, purpose – more crudely, subject and audience). The ostensible basis may be one or the other (e. g., ›pastoral‹ or ›satire‹ for the inner form; dipodic verse and Pindaric ode for the outer); but the critical problem will then be to find the other dimension, to complete the diagram (*W/W*, S. 241).

Man vergleiche hierzu Horazens Brief an die Pisonen, wo bei der Lyrik und beim Epos der Inhalt genannt, aber die Gattung gemeint ist. Statt Epos sagt der römische Dichter nämlich »res gestae regumque ducumque et tristia bella« (Vers 73) und statt Lyrik »Musa dedit fidibus divos puerosque deorum et pugilem victorem et equum certamine primum et iuvenum curas et libera vina referre« (Vers 83f.).

Ein für den vergleichenden Literaturwissenschaftler besonders instruktives Beispiel der Verquickung von formalen und inhaltlichen Gesichtspunkten bieten Elegie und Iambus, zwei »Gattungen«, die – wie schon angedeutet – von den Peripatetikern neben die eigentliche Lyrik gestellt wurden, weil sie des musikalischen Elements entbehren. Der Iambus war, wie im vierten Buch der *Poetik* zu lesen steht, ursprünglich das geeignete Metrum für die Satire, verlor aber später als das der gesprochenen Sprache am nächsten kommende Versmaß mit seiner Verwendung in den Dialog-Partien des Dramas seine Geltung als Gattungsbezeichnung. Schon im Mittelalter war diese Atrophie vollendet; und heute führt der Iambus als Metrum unter Metren ein Schattendasein.

Im Rahmen seiner Polemik gegen die *ars metrica* sagt Aristoteles, die Leute hätten es sich angewöhnt, »mit dem Versmaß das Dichten zu verbinden, und [sprächen] daher von Elegiendichtern ... womit sie nicht die Darstellung, sondern ganz allgemein nur das Versmaß kennzeichnen wollen« (*Poetik*, 1447b). Formal gesehen ist die Elegie ein aus Verspaaren (Distichen) ungleichen Maßes – einem Hexameter und einem Pentameter – bestehendes Gedicht. Inhaltlich galt sie zunächst als Ausdruck der Trauer über den Verlust eines geliebten Menschen, dann auch als Ausdruck von Dankgefühlen eines Beglückten im allgemeinen und von Liebesbeglückung – meist unter Berufung auf Ovids *Amores* – im besonderen.[33] Eine Mischung dieser Gefühle wird in der *Poetria* des Johannes von Garlandia vorausgesetzt, wo Liebe und Trauer als Ingredienzien der Elegie bezeichnet werden: »Elegiacum id est miserabile carmen, quod continet et recitat dolores amantium«.[34] Diese Verknüpfung ging nachmals in die Tradition ein und kennzeichnet etwa Rilkes *Duineser Elegien.* Aber inzwischen war der Gattung als solcher die formale Eigenschaft, Distichen-Poesie zu sein, verlorengegangen. So durchlief sie in England eine von Wellek und Warren wie folgt umschriebene Entwicklung:

Sometimes an instructive shift occurs: ›elegy‹ starts out, in English as well as in the archetypal Greek and Roman poetry, with the elegiac couplet or distich; yet the ancient elegiac writers did not restrict themselves to lament for the dead, nor did Hammond and Shenstone, Gray's predecessors. But Gray's *Elegy on a Country Churchyard* written in the heroic quatrain, not in couplets, effectually destroys any continuation in English of elegy as any tender personal poem written in end-stopped couplets (*W/W*, S. 241).

Was die Einteilung der Gattungen nur nach dem Inhalt anbetrifft, so führt die ausschließliche Anwendung dieses Prinzips unweigerlich zu einer uferlosen Vervielfältigung der Unterarten. Wir zitierten Wolfgang Kaysers Katalog, der den Briefroman, den Dialogroman, den pikarischen und den historischen Roman umfaßt, sich aber durch den Bildungsroman, den Dorfroman, den galanten höfischen Roman des Barocks, den utopischen Roman, den Briefroman etc. leicht ergänzen ließe. Es ist zwar selbstverständlich, daß bei einer so umfangreichen Hauptgattung wie dem Roman eine Aufgliederung in kleinere Sachgruppen erfolgen muß, wenn der Gesamtbestand überschaubar gemacht werden soll; doch wie soll man bei dieser Aufgliederung verfahren?

Kaysers Liste beschränkt sich durchaus nicht auf inhaltliche Gesichtspunkte. So handelt es sich beim Brief- und Dialogroman um Arten, die von der Darstellungsweise her bestimmt sind. Auch beim Bildungsroman ist eine gewisse Grundstruktur stillschweigend vorauszusetzen, da der Lebenslauf und die Erziehung des Helden in einer bestimmten Stufenfolge, der biologisch-chronologische, aber auch pädagogische Gegebenheiten zugrundeliegen, darzustellen sind. Der pikareske Roman schließlich weist, wie Claudio Guillen anschaulich darlegt, eine durch Lockerheit des Handlungsgefüges und raschen Wechsel des Schauplatzes und des Personals bestimmte Struktur auf.

Beim Detektivroman sind die strukturellen Gegebenheiten allgemeinerer Art; denn es wird ein Verbrechen vorausgesetzt, dessen Urheber bestimmt und aufgespürt werden muß. Dadurch ergeben sich zwangsläufig Momente der Spannung, des Geheimnisses und des Rätselhaften. Der Schauerroman (besonders die englische Spezies der *Gothic novel*) ist eine ausgesprochene Sonderart, weil hier die Szenerie und die Requisiten von der Konvention bestimmt sind und ein literarisches Modell – Horace Walpoles *The Castle of Otranto* – vorliegt.

Bildungsroman, pikaresker Roman, Briefroman und *Gothic novel* lassen sich wohl auch deshalb als Gattungen bezeichnen, weil es für sie in der Lyrik, im Drama und sogar in den anderen epischen Formen keine – oder nur sehr ungenaue – Entsprechungen gibt, während dem Detektivroman das Kriminalstück entspricht und dem historischen Roman selbstverständlich das historische Drama.

Beim utopischen Roman und beim Dorfroman befinden wir uns allerdings schon im Bereich dessen, was in der *Theory of Literature* als »purely sociological classification« bezeichnet wird, eine Kategorie, der auch der politische Roman, der Schulroman etc. angehören. In dieser Klasse von Werken spielt das Milieu die entscheidende Rolle, ganz gleich ob historische oder fiktive Begebenheiten behandelt werden. Wellek und Warren wollen freilich beim historischen Roman – dem Georg Lukács eine Monographie widmete – eine Ausnahme machen, »not merely because its subject is less restrictive ... but primarily because of [its] ties to the Romantic movement and to nationalism – because of the new feeling about, attitude toward, the past which it implies« (*W/W*, S. 222). Ihr Plädoyer scheint uns, methodologisch gesehen, verfehlt, weil es sich auf die geschichtlichen Entstehungsbedingungen der Gattung beruft statt ihr Wesen zu erfassen. Ein solches Kriterium verliert aber seine Gültigkeit, sobald sich die Gattung in der Literatur eingebürgert hat.

Man sollte denken, daß die rein formalen Prinzipien der Gattungseinteilung keines Kommentars bedürften, da sie im allgemeinen quantitativer Art sind. So kann man die Hauptgattung Drama in Einakter, Dreiakter, Vierakter, Fünfakter unterteilen, wobei dem griechischen Drama, das bekanntlich pausenlos abrollte, eine Sonderstellung einzuräumen wäre; und die verschiedenen Arten erzählender Prosa werden oft willkürlich nach ihrer Länge unterschieden. So gibt es Kritiker, die behaupten, ein Roman müsse mindestens 50000 Worte umfassen, während die Kurzgeschichte eine willkürliche Grenze von 10000 Worten nicht überschreiten dürfe.

Vergessen wir aber nicht, daß selbst rein quantitative Bezeichnungen – in Analogie zu den annalistischen Perioden - zuweilen inhaltliche Färbung entweder von Anfang an besitzen oder im Laufe der Zeit erwerben. So läßt sich das Wesen des Sonetts kaum mit dem

Attribut Vierzehnzeiler erschöpfen – ganz abgesehen davon, daß das Reimschema wechselt. Denn innerhalb dieser Individual-Gattung gibt es eine eigene Tradition, die des petrarkistischen Sonetts, d. h. einer Art des Liebesgedichts mit eigenem Vokabular, eigener Metaphorik und eigener Stimmung, die während der Renaissance und des Barock in Europa Furore machte.

Rein metrische Kriterien sind heute als Gattungsbezeichnungen unbeliebt, spielten aber, wie wir sahen, im Altertum eine wichtige Rolle. Schule hat diese Art der Einteilung allerdings nie gemacht; und von einer trochäischen, daktylischen oder anapästischen Gattung findet sich in der modernen Literaturgeschichte keine Spur, obwohl andrerseits der Fachmann mit dem Begriff des *endecasillabo*, des Alexandriners, der *terza rima* und des Schüttelreims gewisse gattungsmäßige Vorstellungen verbindet. Man lese nur nach, was Paul Valéry in seinem Vorwort zu Gustave Cohens *Essai d'explication du ›Cimetière marin‹* über die Suggestivkraft des Alexandriners zu sagen hat.[35]

Wenn wir hier einen Schlußstrich unter das sechste Kapitel ziehen, so tun wir dies im Bewußtsein, seine Thematik nicht erschöpft zu haben. Es lag uns aber vor allem daran, glaubhaft zu machen, daß die Gattungspoetik in der vergleichenden Literaturwissenschaft schon aus dem Grunde eine zentrale Stelle einnimmt, weil sich bei ihrer Anwendung auf komparatistische Einzelprobleme Literaturgeschichte und Literaturtheorie die Waage halten. Nach mutwilliger Überschreitung der unserer Disziplin von ihren »klassischen« (d. h. orthodoxen) Vertretern gesetzten Grenzen kehren wir im folgenden Kapitel beruhigt in das Schlaraffenland der Komparatistik zurück, in dem stoff- und motivgeschichtliche Forschungen auf den Bäumen wachsen.

Siebtes Kapitel

# Stoff- und Motivgeschichte

Wie unsere Ausführungen zeigen werden, ist die Stoff- und Motivgeschichte ein in der Methodenlehre stark umstrittenes Sondergebiet der vergleichenden Literaturwissenschaft. Aber auch historisch gesehen ist dieser Zweig der komparatistischen Forschung derartig vorbelastet, daß es schwer fällt, die tief eingewurzelten Vorurteile zu beseitigen. Unter dem Einfluß der Volkskunde sah sich nämlich unsere in der Pubertät befindliche Disziplin am Ende des 19. Jahrhunderts so sehr in die positivistische Richtung gedrängt, daß sie sich nach dem geisteswissenschaftlichen Wettersturz der Jahrhundertwende plötzlich heftigen Angriffen ausgesetzt sah, die erst im letzten Jahrzehnt zum Stillstand gekommen sind. Von Benedetto Croce bis zur deutschen Geistesgeschichte und dem angelsächsischen New Criticism war man sich darüber einig, daß Stoff als bloßes Rohmaterial der Dichtung zu gelten habe, dem künstlerisch erst nach seiner Umformung im einzelnen Drama, Epos, Gedicht oder Roman eine Bedeutung zukomme.

Van Tieghem und die anderen Vertreter der Pariser Schule bewegten sich also, als sie die *littérature comparée* auf ihre Weise theoretisch fundierten, sozusagen in einem ideologischen Brackwasser, während ihre Vorgänger – Max Koch, die Turiner Schule – bei gleicher Auffassung noch mit dem Strom geschwommen waren. Erst auf dem Umweg über die Toposforschung und das wiedererwachende Interesse an Fragen der Tradition, Rezeption und Konvention ist neues Leben in der scheintoten Materie erwacht. Raymond Trousson in Frankreich, Elisabeth Frenzel in Deutschland und Harry Levin in den Vereinigten Staaten haben auf ihre Art das Problem der Stoff- und Motivgeschichte neuerdings aufgegriffen und versucht, wissenschaftlich stichhaltigere Argumente für das Studium dieses enormen Komplexes ins Feld zu führen. Dabei war zunächst einmal die terminologische Unsicherheit zu beseitigen, die daher stammte, daß die in den verschiedenen Nationalliteraturen gebräuchlichen Fachausdrücke in ihrer Bedeutung nicht übereinstimmten; denn was deutsche Gelehrte Stoff- und Motivgeschichte nennen, heißt in Frankreich *thématologie*, während man sich in den angelsächsischen Ländern des Begriffs *Stoffgeschichte* vielfach noch als Fremd- oder Lehnwort bedient,[1] denn das von Harry Levin gebrauchte *nomen*

»thematology« wird von ihm selbst als Neubildung *(neologism)* vorgestellt.[2] Aus dem soeben Gesagten geht hervor, daß bei der kritischen Analyse stoffgeschichtlicher Verfahrensweisen die genaue Abgrenzung von *Stoff* und *Thema* oberstes Gebot ist.

Was man unter *Stoff* ganz allgemein (wenn auch zunächst unverbindlich) zu verstehen hat, zeigt eine von Elisabeth Frenzel herangezogene Maxime Goethes:

> Die Besonnenheit des Dichters bezieht sich eigentlich auf die Form; den Stoff gibt ihm die Welt nur allzu freigebig, der Gehalt entspringt freiwillig aus der Fülle seines Innern, bewußtlos begegnen beide einander, und zuletzt weiß man nicht, wem eigentlich der Reichtum angehöre. Aber die Form, ob sie schon vorzüglich im Genie liegt, will erkannt, will bedacht sein, und hier wird Besonnenheit erfordert, daß Form, Stoff und Gehalt sich ineinander fügen, sich einander durchdringen.[3]

Goethe unterscheidet also zwischen Stoff (= Inhalt), Gehalt und Form und besteht darauf, daß nur die Formgebung ästhetisch wertvoll sei. Daß er der Wahl des Stoffes wenig Bedeutung beimißt, mag verwundern; oder darf man annehmen, daß der deutsche Dichterfürst nicht ahnte, wie sehr die Größe und Geschlossenheit einer Dichtung davon abhängt, daß der Stoff dem Gehalt und der Form angemessen ist? Zu beachten ist auch, daß Goethe den Gehalt als eine psychologische (nicht: morphologische) Kategorie versteht. Darin folgt ihm Ernst Robert Curtius, der diese psychologische Komponente leider als Thema bezeichnete:

> Thema ist alles, was das originäre Verhalten der Person zur Welt betrifft. Die Thematik eines Dichters ist das Register seiner typischen Reaktionen auf bestimmte Lagen, in die ihn das Leben bringt. Das Thema gehört der Subjektseite an. Es ist eine psychologische Konstante. Es ist dem Dichter mitgegeben.[4]

Für Curtius wie für Goethe resultiert also der Gehalt einer Dichtung aus dem Erlebnis, dessen Grundformen bei jedem Dichter eine Art Muster bilden, zu dem er im schöpferischen Prozeß die stofflichen Entsprechungen zu finden sucht.[5] (In der psycho-analytisch orientierten Forschung heißen diese Grundformen *Motive*, was zu weiteren terminologischen Verwechslungen Anlaß gibt. Wir werden im folgenden kurz auf dieses Problem zurückkommen.) Daß dies, Goethe zufolge, »freiwillig« und »bewußtlos« geschieht, ist sehr modern gedacht; denn für die zeitgenössischen Spötter über die stoffgeschichtliche Denkungsweise liegt Kunst eben weder in der Materie noch im Erlebnis, sondern allein in der Formungs- und Bildungskraft des Dichters.

Die Dreiteilung der poetischen Struktur-Elemente, die Goethe vornimmt, hat ihre Gültigkeit bis heute nicht verloren. Allerdings sagt man jetzt oft *Inhalt* statt *Stoff* und *Gestalt* statt *Form*. Unsere dringendste Aufgabe wird es sein, die Sphäre des Stofflichen gegen die des Formalen und Gehaltlichen abzugrenzen. Zum Oberbegriff *Form* oder *Gestalt* gehören sicherlich die Unterbegriffe *Stil* und *Struktur*. Mit Stil, d. h. also mit der Sprachgestalt der Dichtung, haben wir uns in diesem Kapitel nicht zu beschäftigen, um so mehr aber mit dem, was wir andeutungsweise als inhaltliches Korrelat der äußeren Struktur bezeichnen möchten.

Unter äußerer Struktur verstehen wir in diesem Zusammenhang den Aufbau einer epischen, dramatischen oder ausnahmsweise (wie bei der Ballade) einer lyrischen Handlung: die Verknüpfung der Szenen, die Anordnung der Kapitel oder Strophen, die verschiedenen Handlungsstränge, kurz: was man im Drama Fabel oder *plot* zu nennen pflegt. Die Fabel ist das Erzählbare einer Handlung oder, wie Petersen sagt, »eine abstrahierende Zurückführung des Inhalts epischer und dramatischer Dichtung auf die Motivverknüpfung ihres wesentlichen Handlungsgerippes«.[6] Sie verweist demnach auf einen bestimmten Inhalt, doch stets in der Form einer vereinfachenden, knapp gehaltenen Schilderung von Geschehnis-Abläufen. Zum Stofflichen im engeren Sinne stößt man aber erst dann vor, wenn man von der Handlung als einer mehr oder minder regelmäßig fließenden Bewegung absieht und sie, erneut abstrahierend, aus der Vogelperspektive betrachtet. Da wird die Fabel zur Inhaltsangabe *(digest, synopsis, epitome)* reduziert und ihre latente Dynamik in Statik umgesetzt. Diese Zusammenfassung der wichtigsten Komponenten führt zur Freilegung der der Handlung zugrundeliegenden und durch sie verdeutlichten Motive und Themen. Motive und Themen sind aber Modifikationen des *Stoffs* und nicht des *Gehalts*.

Unter Gehalt versteht man, dem Sprachgebrauch nach, diejenigen Bestandteile einer Dichtung, die als Probleme oder Ideen ihr Wesen treiben, also den »philosophisch-weltanschaulichen Generalnenner, den ethischen Grundgedanken« eines Werkes.[7] Die Idee erscheint als Lösung der aufgeworfenen Probleme häufig in der Abbreviatur der sogenannten Moral, wie etwa im Schlußwort der *Braut von Messina*, welches lautet: »Das Leben ist der Güter höchstes nicht,/ Der Übel größtes aber ist die Schuld«.

An Karl Jaspers anknüpfend charakterisiert Julius Petersen in seiner Methodenlehre diese höchste Stufe dichterischer Aussage wie folgt:

Sowohl bei der Fabel als bei den Charakteren und ihrer Psychologie [erweist] sich die Problemstellung als das Verbindungsglied der Kette, in der diese Elemente mit der das Ganze beherrschenden Idee verknüpft sind. Jedes Problem bedeutet eine Fragestellung, die in der Idee ihre Beantwortung finden muß, und eine Idee kann zur dichterischen Gestaltung gelangen nur in der Lösung von Problemen. ... Von den Problemen gilt, was Jaspers als ›antinomische Struktur des Daseins‹ an den sogenannten Grenzsituationen aufzeigt: »In jedem der Fälle: Kampf, Tod, Zufall, Schuld liegt eine Antinomie zugrunde. Kampf und gegenseitige Hilfe, Leben und Tod, Zufall und Sinn, Schuld und Entsündigungsbewußtsein sind aneinander gebunden; das eine existiert nicht ohne das andere.« Immer liegt im Problem ein Entweder-Oder, gleichviel ob es sich um Fragen praktischer Lebensgestaltung oder theoretischer Erkenntnis, um ethische Grundsätze, Menschendeutung, letzte weltanschauliche Entscheidungen oder metaphysische Wahrheiten handelt (*Die Wissenschaft von der Dichtung*, S. 239).

In der gehaltlichen Überhöhung von Problem und Idee geht das stoffliche Element und damit der unmittelbare Zusammenhang mit der Dichtung in der Tat verloren. Wie wir im zweiten Kapitel (Anm. 149) sahen, war dies für Croce der Ausgangspunkt für seine Kritik an der Stoffgeschichte und den komparatistischen Einfluß-Studien, denn er war der Meinung: »Poetry is essentially form, and form alone cannot influence culture. But the material of poetry, detached from its form, may operate as an influence; it is, then, no longer art, but emotion or ideas.« Übrigens scheint Harry Levin anzunehmen, daß die Stoffgeschichte als Vehikel der Geistes- und Ideengeschichte dient, nennt er doch das Thema eine »avenue for a progression of ideas, whose entrance into literature it invites and facilitates«. Anders ausgedrückt: »Themes, like symbols ... are polysemous: that is, they can be endowed with different meanings in the face of differing situations. This is what makes an inquiry into their permutations an adventure in the history of ideas«.[8]

Zum Bereich des Gehalts in der Dichtung gehört auch die tiefere Bedeutung *(meaning)*, d. h. dasjenige Element, das über die wörtlich verstandene Aussage hinausweist. Das Verhältnis von Inhalt und Gehalt spiegelt sich im Verhältnis von Bild und Symbol, wie auch von Motiv und Problem, Thema und Idee. Aus logischen und methodologischen Gründen versagen wir daher der folgenden Meinung Elisabeth Frenzels unsere Zustimmung:

Stoff, Motiv und Symbol gelten als Komponenten des stofflich-inhaltlichen Strukturelements der Dichtung und stellen drei Stufen der Vergeistigung des vom Dichter angetroffenen oder ihm an die Hand gegebenen Materials dar. Der Stoff kann zum Motiv konzentriert, das Motiv zum Symbol überhöht werden.[9]

Auch Harry Levin »take(s) the symbology for granted in this connection, since it involves interpretations of *Stoff* and *Motiv*«. Im Gegensatz hierzu möchten wir die Symbolforschung als zur Kategorie des Gehaltes gehörig aus unserer Darstellung ausklammern und uns auf die echt inhaltlichen Elemente der Dichtung beschränken. Dazu gehören unseres Wissens neben *Stoff* nur *Thema*, *Motiv*, *Situation*, *Bild*, *Zug* und *Topos*.

Es mag schon an dieser Stelle angedeutet werden, daß für die vergleichende Literaturwissenschaft der Stoff, das Thema und der Topos von ungleich größerer Bedeutung sind als das Motiv und die Situation, obwohl – oder weil – diese beiden Komplexe universeller und archetypischer sind als die drei anderen. Das Bild und der Zug sind hingegen als Einheiten fast zu klein, um sinnvoller monographischer Auswertung zugänglich zu sein. Andrerseits ist das Leitmotiv als strukturelle Kategorie dem Motiv als inhaltlicher Kategorie entgegengesetzt und für den Komparatisten uninteressant.

Zum Glück können wir uns beim historischen Abriß der Leiden und Freuden der Stoffgeschichte, der unseren theoretischen Ausführungen vorangehen soll, kurz fassen, da wir schon im ersten und zweiten Kapitel unserer Übersicht entsprechende Hinweise gegeben haben. Doch sei erneut darauf hingewiesen, daß die *thématologie* schon immer als »typisch deutscher Gegenstand« galt, wohl hauptsächlich deshalb, weil sie im 19. Jahrhundert aus der in Deutschland so liebevoll gepflegten Volkskunde gespeist wurde; denn die Volksliteraturforschung, »die, besonders in ihren Anfängen, ihr Hauptaugenmerk der Entstehung und dem Entwicklungsgang des oft bruchstückhaft und entstellt überlieferten Literaturgutes zuwandte, wurde durch das Nebeneinander verschiedener Fassungen des gleichen Stoffes zum Vergleichen und zum Herstellen von Stammbäumen genötigt«.[10]

Tatsächlich drückte die Sagen- und Märchenforschung der noch unmündigen Komparatistik in Deutschland und seinen Randgebieten (dem Elsaß, der Schweiz und Norditalien) ihren Stempel auf und trug wahrscheinlich dazu bei, ihre Entfaltung in den skandinavischen Ländern zu verhindern. Freilich weist die von Van Tieghem 1931 gemachte Aussage (»La thématologie est... assez cultivé en Allemagne. Il l'est surtout dans les pays où la littérature populaire est très importante, où elle est restée très vivante, et où elle influe profondément sur la littérature des lettrés«[11]) auf einen Zustand, den die Geistesgeschichte der zwanziger Jahre längst gründlich bereinigt hatte. Zwar war Paul Merker von 1929 bis 1937 als Herausgeber einer Reihe von Monographien zur Stoff- und Motivgeschichte innerhalb der deutschen Literatur tätig; doch machte sich erst nach dem zweiten Weltkrieg Elisabeth Frenzel daran, das von Goedeke und Petersen wiederholt geforderte, als Grundlage stoffgeschichtlicher Forschung unentbehrliche Lexikon weltliterarisch bedeutsamer Stoffe zusammenzustellen, das als Sammlung »dichtungsgeschichtlicher Längsschnitte« 1962 bei der Deutschen Verlagsanstalt in Stuttgart erschien.[12] Unter Verwendung ihres Beitrages zur *Deutschen Philologie im Aufriß* (1957) veröffentlichte die gleiche Verfasserin im Jahre 1963 ein Realienbuch, dem sie drei Jahre später den Band *Stoff- und Motivgeschichte* (in den sie ihre aus Raymond Troussons inzwischen erschienener Studie gewonnenen Erkenntnisse einarbeitete) folgen ließ.[13] Parallel mit dieser von Elisabeth Frenzel eingeleiteten Entwicklung läuft in Deutschland die Wiederbelebung der auf die Antike zurückgreifenden Rezeptions- und Topos-Forschung durch die um den Herausgeber der *Arcadia* gescharten Vertreter der »Bonner Schule«.

In Frankreich war man seit Baldensperger der Stoffgeschichte ebenso feindlich gesinnt gewesen wie im geistesgeschichtlich orientierten Deutschland – allerdings aus viel pragmatischeren Gründen. Baldensperger suchte, wie schon erwähnt, die wissenschaftliche Haltlosigkeit thematologischer Studien durch den Hinweis darauf zu beweisen, daß es diesen unweigerlich an Vollständigkeit und Kontinuität gebrechen müsse, da niemals alle Glieder der *aura catena* lückenlos rekonstruierbar seien.

Verschärft wurde diese Kritik bekanntlich von Paul Hazard, der die Stoffgeschichte deshalb verwarf, weil sie sich nicht auf die Bestimmung von *rapports de fait* beschränke.[14] Dagegen läßt sich aber einwenden, daß Dichter oft eine bestimmte Fassung eines Stoffes aufgreifen, verändern oder überarbeiten. So beruft sich Kleist auf Molières *Amphitryon* und Brecht auf Shakespeares *Coriolanus*. Hier ist also auch im stoffgeschichtlichen Bereich der Tatbestand des wörtlich verstandenen Einflusses gegeben.

Van Tieghem ist zwar konziliant er als Hazard, stellt aber der Stoffgeschichte die Aufgabe, nicht nur »la dépendance des auteurs plus récents à l'égard de leurs prédécesseurs étrangers« zu bestimmen, sondern auch »la part de leur génie propre, de leur idéal, de leur art, dans les modifications qu'ils ont apportées au thème commun« (Van Tieghem, S. 89). Freilich gehört diese Art komparatistischer Forschung bei ihm zur *littérature générale*. – Guyard seinerseits weist apologetisch darauf hin, daß »malgré Paul Hazard [il faut] tenir compte de ces travaux, dont les auteurs ont sincèrement souhaité faire progresser le comparatisme« (Guyard, S. 49), und konzediert, daß »le domaine ... des thèmes offre encore mainte ressource aux chercheurs«; denn »sans tomber dans le folklore ou dans l'indigeste érudition, la littérature comparée peut y trouver une occasion sûre de contribuer à cette histoire des idées et des sentiments dont les écrivains furent toujours les interprètes les plus écoutés et les plus séduisants« (ebd. S. 57).

Trotz Baldensperger und Hazard lag aber in Frankreich die Stoffgeschichte auch in akademischen Kreisen durchaus nicht brach. Die Anzahl der die offiziöse Doktrin ablehnenden Gelehrten blieb hier – wie übrigens auch in Belgien – stets beträchtlich. An der Sorbonne lehrt heute Charles Dédéyan, der Verfasser einer vierbändigen Monographie über den Fauststoff. Als methodologisches Problem wurde die Stoffgeschichte unter Berücksichtigung ihrer komparatistischen Komponente in der Romania wohl zuerst von Raymond Trousson, einem als »Chargé de recherches du Fonds National de la Recherche Scientifique« tätigen belgischen Gelehrten, aufgegriffen, der vor allem durch sein zweibändiges Werk über das Problem des Prometheusstoffs bekannt geworden war. Sein Essay wird, zusammen mit Elisabeth Frenzels einschlägigen Arbeiten, als Grundlage unserer theoretischen Ausführungen zur Stoff- und Motivgeschichte dienen.

Troussons Buch mag heute noch (wir haben dies selbst gesprächsweise feststellen müssen) bei amerikanischen, deutschen und französischen Literaturwissenschaftlern Kopfschütteln erregen; doch ist es, wenn man den neuesten Entwicklungen Glauben schenken darf, nur noch eine Frage der Zeit, bis man sein Verdienst erkennt. Die Studie ist, wie die Einleitung erkennen läßt, ein Rechenschaftsbericht:

Pourquoi éprouve-t-il [der Mensch] le besoin d'inventorier sans cesse ces ancestrales légendes? C'est qu'étudier leur histoire, se pencher sur le secret de leurs mutations infinies, c'est aussi apprendre à connaître sa propre odyssée, dans ce qu'elle a de plus élevé et souvent de plus tragique. Dans toute conscience éprise de justice il y a une Antigone. ... Ces héros sont en nous et nous sommes en eux; ils vivent de notre vie, nous nous pensons sous leur enveloppe. ... Nos mythes et nos thèmes légendaires sont notre polyvalence, ils sont les exposants de l'humanité, les formes idéales du destin tragique, de la condition humaine.[15]

Gewiß, als vergleichender Literaturwissenschaftler könnte man einwenden, was hier ins Scheinwerferlicht gerückt werde, seien nicht so sehr weltliterarische Gemeinsamkeiten als auf archetypischen Erscheinungen beruhende Formen der Psychologie im Sinne Jungs. Das mag richtig sein, doch diente auch dann noch die Komparatistik als Mittel zum Zweck. Immerhin sei schon hier bemerkt, daß das künstlerische Interesse bei stoffgeschichtlichen Untersuchungen desto geringer ist, je mehr das Schwergewicht von der Handlung auf die Charaktere verlegt wird, wie es z. B. in Käte Hamburgers Buch *Von Sophokles zu Sartre. Griechische Dramenfiguren antik und modern* geschieht.[16] Wenn man mit Aristoteles Drama als Handlung definiert, dann muß das Herausreißen einzelner Figuren aus dem Zusammenhang zwangsläufig zur Auflösung des Nexus führen. Das weiß Käte Hamburger sehr genau. Sie ahnt wohl auch, daß es eben diese Abtrennung des Teils vom Ganzen ist, gegen die von Croce bis zur Gegenwart von Gegnern der stoffgeschichtlichen Betrachtungsweise Sturm gelaufen wurde.[17] Daher ihre Warnung:

Da es uns allein um die Konzeption der Figuren und ihren Wandel geht, richtet sich das Augenmerk nicht auf den Bau der Dramen und folgt die Betrachtung nicht den Einzelheiten der Handlung, ja muß in vielen Fällen auf eine vollständige, jeden Moment und jede Figur der einzelnen antiken und modernen Werke einordnende Analyse verzichten, sowie sie von dem leitenden Gesichtspunkt der vergleichenden Betrachtung abführt (S. 25).

Die Verfasserin hat sich wohl kaum Gedanken darüber gemacht, ob es der Stoffgeschichte zusteht, die Identität der Figuren oder des Themas nachzuweisen. Ihre Behauptung, die Identität der Figuren bei veränderter Problemstellung sei »nur ein Zeichen für die Unveränderlichkeit der Grundsituationen, die durch die Tragiker gegründet worden sind« (S. 24), klingt leicht naiv, wenn man sie im Spiegel von Croces Kritik betrachtet:

Se il personaggio e la favola hanno ricevuto una nuova vita nello spirito del poeta, questa nuova vita è il vero personaggio e la vera favola; se non l'hanno ricevuta, ciò che sempre interessa è il conato, sia pure sterile, di nuova vita; non mai la presunta trattabilità, o il presunto modo ideale in cui il tema dovrebbe essere trattato.[18]

Für Croce gibt es nämlich grundsätzlich keine kontinuierliche Identität literarischer Gestalten in dem von Käte Hamburger postulierten Sinn: »Nella serie delle *Sofonisbe*, che il Ricci studia, non c'è mai Sofonisba; ma c'è Trissino, o Mairet, Corneille, Voltaire o Alfieri: questi personaggi sono i veri protagonisti, e non la figlia di Asdrubale, moglie di Siface e sposa di Massinissa, mero nome o mere vicende estrinseche che il poeta riempie della propria sostanza«.[19] (In der von Ricci untersuchten Reihe von *Sophonisben* gibt es keine Sophonisbe, dafür Trissino, Mairet, Corneille, Voltaire oder Alfieri: Diese Männer sind die wahren Protagonisten, nicht die Tochter von Hasdrubal, Frau des Sifax und Braut des Massinissa, die nur ihren Namen und die äußere Handlung übernimmt; erst der Dichter gibt ihr durch die eigene Substanz eine Gestalt.)

In ihren theoretischen Ausführungen übersieht Käthe Hamburger die Gefahr des Fehlschlusses, die dann entsteht, wenn ein Forscher annimmt, nur weil die Protagonistin zweier Dramen Elektra heiße, müßten beide Elektren ein und dieselbe Person und somit miteinander vergleichbar sein. In Wahrheit läßt sich auf Identität nur aus der Übereinstimmung wesentlicher Charakterzüge und Erlebnisse schließen, nicht schon aus dem bloßen Namen. Wenn diese Züge und Erlebnisse fehlen, dann hört der Charakter auf, er selbst zu sein.

Werfen wir, unsere historische Übersicht abschließend, noch rasch einen Blick auf die Einstellung der amerikanischen Komparatistik zur Stoffgeschichte. Wie gesagt, gibt es in den Vereinigten Staaten keine ausgesprochene Tradition thematologischer Forschung; diese hat denn auch bis heute kaum einem bedeutenden Gelehrten dieses Landes als Grundlage seines literarkritischen oder -historischen Lebenswerkes gedient. Zwar zählten sowohl Woodberry als auch Chandler diesen Zweig zum Aufgabenbereich der vergleichenden Literaturwissenschaft; doch taten sie dies mehr der Vollständigkeit halber. Dank der Bemühungen A. O. Lovejoys setzte sich dann in den zwanziger Jahren die *History of Ideas* durch, eine am Gehalt der Dichtung interessierte Richtung, für die der Stoff im Grunde ebenso beiläufig war wie für den formalistischen New Criticism.

Wie sehr die Stoff- und Motivgeschichte in Amerika noch vor zwanzig Jahren diskreditiert war und wie undiskutabel sie in philologischen Kreisen blieb[20], geht daraus hervor, daß die *Theory of Literature* kein eigenes Kapitel über diese Materie aufweist. Selbst im

Sachregister fehlen die Worte *Stoff* und *Thema*. Diese auffällige Lücke erklärt sich aus dem Aufbau dieses bedeutenden Handbuchs, dessen Verfasser zwischen essentiellen und akzidentellen *(intrinsic* und *extrinsic)* Arten der Literaturkritik unterscheiden. Als »extrinsic« bezeichnen sie das Studium der Literatur in ihrem Verhältnis zu den (anderen) Künsten und Wissenschaften, als *intrinsic* die auf das Literarische abgestimmte Verfahrensweise. Es fragt sich also, ob die Stoffgeschichte zur ersten oder zur zweiten Kategorie gehört. Die Antwort der Verfasser lautet eindeutig: Stoff ist *extrinsic*, solange er nicht vom Dichter assimiliert und verarbeitet worden ist; er wird *intrinsic*, sobald diese Aneignung stattgefunden hat. Diese beiden Zustände trennt aber der im dritten Kapitel im Zusammenhang mit Claudio Guillens Behandlung des Einflusses erwähnte Qualitätssprung. Die Stoffgeschichte fällt also gewissermaßen zwischen zwei Stühle.

Die einzigen Hinweise auf die Stoffgeschichte finden sich im Kapitel »Literary History«, wo es heißt, es sei falsch, von Originalität nur im Hinblick auf die Stoffwahl zu sprechen; denn »in earlier periods, there was a sounder understanding of the nature of literary creation, a recognition that the artistic merit of a merely original plot or subject matter was small« (*W/W*, S. 271). Wahre Originalität läge eher in der Formgebung und der Behandlung des Materials. Schon auf der nächsten Seite wird der Stab über die *thématologie* gebrochen, und zwar so, daß sowohl Croce als auch Baldensperger und Van Tieghem zugestimmt hätten:

With this type of study [the history of poetic diction] one might be expected to class the many historical studies of themes and motifs such as Hamlet or Don Juan or the Wandering Jew; but actually these are different problems. Various versions of a story have no such necessary connection or continuity as have meter and diction. To trace all the differing versions of, say, the tragedy of Mary Queen of Scots throughout literature might well be a problem of interest for the history of political sentiment, and would, of course, incidentally illustrate changes in the history of taste – even changing conceptions of tragedy. But it has itself no real coherence or dialectic. It presents no single problem and certainly no critical problem. *Stoffgeschichte* is the least literary of histories (ebd. S. 272).

Auch die Zeitschrift *Comparative Literature*, der René Wellek als Mitherausgeber angehört, nennt die Stoffgeschichte bezeichnenderweise nicht in ihrem sonst so umfangreichen Programm. Kein Wunder also, daß die 1950 erschienene *Bibliography of Comparative Literature*, in der dieser Sparte breiter Raum gewährt wird, schon deshalb von den amerikanischen Fachleuten skeptisch beurteilt wurde. Doch steht auch in Amerika die Zeit nicht still. Was noch vor zehn, ja fünf Jahren Anathema im philologischen Universitätsbetrieb war, ist heute auf dem besten Wege, Mode zu werden. So läßt ihr Professor Harry Levin, der Inhaber des Irving Babbitt Chair of Comparative Literature an der Harvard University, in seinem Beitrag zur Festschrift für René Wellek, mit folgenden Worten Gerechtigkeit widerfahren:

If a theme itself can be so concretely pinned down, particularized into a local habitation and a name, the speculative area of thematics remains much wider and more flexible. We have seen that it embraces much of what used to be set aside as having to do with externals of literature. We are now willing to admit that a writer's choice of subject is an esthetic decision, that the conceptual outlook is a determining part of the structural pattern, that the message is somehow inherent in the medium.

Der Kreis hat sich also, was die Stoff- und Motivgeschichte anbetrifft, geschlossen, und wir können ohne Furcht vor einem kollegialen Ostrazismus dazu übergehen, einige Hinweise zur Methodenlehre dieser Branche der vergleichenden Literaturwissenschaft zu geben.

Im Mittelpunkt unserer theoretischen Überlegungen zur Stoffgeschichte soll das Wechselverhältnis von Stoff und Motiv stehen, auf das Elisabeth Frenzel im Titel ihres Realienbuchs anspielt. Freilich ist auch beim Stoff noch zwischen der literarisch eingeformten Materie und dem sogenannten *Rohstoff*, dem Ungeformten *(brute matter)*, das erst künstlerisch gestaltet werden muß, zu unterscheiden. Der Rohstoff ist nämlich »zunächst ein außerhalb des Kunstwerks stehendes Element, das erst durch den dichterischen Akt zum Bestandteil der Dichtung wird, und solcher Stoff kann alles sein, was Natur und Geschichte dem Dichter ... liefern« (Frenzel, S. 21).

Selbst im ungeformtesten Zustand ist der dichterische Rohstoff jedoch meist schon in irgendeiner Weise vorgeformt – wenn auch nicht künstlerisch, so doch als »einfache Form«, Zeitungsnotiz oder Augenzeugenbericht. Einen völlig ungeformten Stoff – analog zum unbehauenen Marmorblock oder zur Palette – gibt es wohl im Bereich der Sprache nicht. Oder nimmt das bloße, noch unverarbeitete *Erlebnis* seine Stelle ein? Dies ist ein semantisches Problem, denn man müßte entscheiden, ob ein Erlebnis, ehe es das Subjekt in Gedanken oder Worte kleidet, Stoff ist.

In Betracht zu ziehen ist ferner der Umstand, daß viele Stoffe – die im griechischen Drama behandelten, der des *Nibelungenlieds*, des *Rolandsliedes* und andere mehr – als Rohstoff eigentlich gar nicht vorhanden sind, sondern nur in einer literarischen Vorformung. Hier dient der Stoff als *Quelle*. Unter diesen Umständen beschränkt sich Elisabeth Frenzel darauf, bei ihren Artikeln im Sammelband *Stoffe der Weltliteratur* an dem Punkt einzusetzen, »wo durch eine wirklich existierende Fassung fester Boden gewonnen ist«, und die »in den Bereich der Mythologie gehörenden Vorgeschichten und Bedeutungen einzelner Gestalten« sowie »die mehr oder weniger erschließbaren Ur- und Vorfassungen« nur zu streifen (S. XIV).
»Stoff im engeren Sinn« ist ihrer Ansicht nach

eine schon außerhalb der Dichtung vorgeprägte Fabel, ein ›Plot‹, der als Erlebnis innerer oder äußerer Art, als Bericht über ein zeitgenössisches Ereignis, als historische, mythische oder religiöse Fabel, als ein bereits durch einen anderen Dichter gestaltetes Kunstwerk oder auch als selbsterfundene Handlung dichterisch gestaltet wird (S. 21).

Die Einheit eines Stoffes liegt demnach »im geistigen Nenner aller Fassungen« (S. 25), also in dem, was man englisch den »lowest common denominator «nennt. Wie läßt er sich aber aus den verschiedenen Versionen herauskristallisieren? Die Antwort auf diese Frage lautet: Der gemeinsame Nenner eines Stoffes ist die Kombination derjenigen Motive, die erforderlich sind, um den Stoff als solchen zu charakterisieren.

Beim Don-Juan-Thema z. B. genügt kaum das Motiv der Verführung als Kennmarke. Die Verführung muß vielmehr, hundert- und tausendfach wiederholt, zum einzigen Lebensinhalt des Helden werden. Und auch dann noch bliebe der *plot* fragmentarisch ohne den religiösen Beigeschmack: die Einladung des toten Komturs, die Weigerung zur Reue und die Höllenfahrt des *dissoluto punito*. Trousson kommt zu ähnlichen Ergebnissen anhand des Medea- und Pandora-Stoffes. Es steht also fest, daß die Identifizierung eines Stoffes nur auf dem Umweg über dessen Zerlegung in seine Bestandteile (Motive) erfolgen kann.

Schon wegen der erstrebten terminologischen Einheitlichkeit wäre es wünschenswert, wenn man im Deutschen *Stoff* durch *Thema* ersetzen könnte; denn das englische Wort *theme* und das französische Wort *thème* haben offensichtlich die gleiche Wurzel, während dem deutschen *Stoff* das englische *subject matter* und das französische *matière* entspricht. Aber auch damit hat es seine eigene Bewandtnis, neigt doch die Bezeichnung *Thema* eher zur Problem- als zur Stoffgeschichte und scheint auf eine Abstraktion vom Stofflichen hinzudeuten (wie in der Redewendung »Er äußerte sich zum Thema«). Im Englischen und Französischen hat das Wort außerdem – wie Harry Levin zeigt – einen rhetorisch-pädagogischen Beigeschmack:

Our keyword *theme* may sound somewhat jejune, particularly to those who associate it with required compositions for Freshman English. The original Greco-Latin *thema* simply denoted a rhetorical proposition, the argument of a discourse, what in Jamesian parlance we now like to term the *donnée*. It could be the topic chosen by the orator or assigned to the schoolboy; through the pedagogical influence of the Jesuits the term became equated with an academic exercise; and the French soon specialized it to mean a translation of a given passage into another language (Festschrift Wellek).

Demnach scheint sich das Wort *Thema* für unsere Zwecke aus historischen Gründen schlechter zu eignen als *Stoff*. Zudem stiftet Van Tieghem in seinem Handbuch zusätzliche Verwirrung, indem er als Themen gerade die Phänomene bezeichnet, die für uns als

*Motive* gelten, nämlich »les situations impersonnelles, les motifs traditionnels, les sujets, lieux, cadres, usages, etc.«, als Legenden *(légendes)* aber die »événements ou groupes d'événements qui ont pour acteurs certains héros mythiques, légendaires ou historiques« (Van Tieghem, S. 90).

Zur Verwechslung von *Stoff* und *Thema* mag auch der musikalische Sprachgebrauch Anlaß geben. Da nämlich die sogenannte »absolute« Musik keinen Inhalt hat, muß das thematische Material für die stoffliche Materie herhalten. Das musikalische Thema ist aber als Ausgangspunkt einer Instrumentalkomposition oder als Basis für Variationen ein quantitativ verschiedenes, aber qualitativ gleichwertiges Glied der Reihe, die sich vom einzelnen Ton über das Motiv bis zur Melodie erstreckt. Ein langes Motiv von einem kurzen Thema, und ein langes Thema von einer kurzen Melodie zu unterscheiden ist nicht immer leicht.

Wie verhält sich in der Literatur das Motiv zum Thema? Überlassen wir zunächst Elisabeth Frenzel und Raymond Trousson das Wort. Nach Ansicht der deutschen Forscherin

> bezeichnet das Wort Motiv eine kleinere stoffliche Einheit, die zwar noch nicht einen ganzen Plot, eine Fabel, umfaßt, aber doch bereits ein inhaltliches, situationsmäßiges Element darstellt. Bei Dichtungen, deren Inhalt nicht sehr komplex ist, kann er durch das Kernmotiv in kondensierter Form wiedergegeben werden, im allgemeinen jedoch ergeben bei den pragmatischen Dichtungsgattungen erst mehrere Motive den Inhalt. Für die Lyrik, die keinen eigentlichen Inhalt und daher keinen Stoff in dem hier umrissenen Sinne hat, bedeuten ein oder mehrere Motive die alleinige stoffliche Substanz (Frenzel, S. 26).

Ähnlich äußert sich Trousson:

> Qu'est-ce qu'un motif? Choisissons d'appeler ainsi une toile de fond, un concept large, désignant soit une certaine attitude – par exemple la révolte – soit une situation de base, impersonelle, dont les acteurs n'ont pas encore été individualisés – par exemple les situations de l'homme entre deux femmes, de l'opposition entre deux frères, entre un père et un fils, de la femme abandonnée etc. (Trousson, S. 12).

Es ist auffallend, daß der Franzose, der vom Thema als der »expression particulière d'un motif, son individualisation ou, si l'on veut, le résultat du passage du général au particulier« (Ebd., S. 13) spricht, die literarischen Motive zum Rohstoff *(matière)* zählt. Diese Ansicht steht aber wohl in der Forschung vereinzelt da.

Aus den beiden Definitionen geht hervor, daß Motive im allgemeinen auf Situationen bezogen sind und Themen auf Charaktere.[21] Die Themen werden nämlich durch Charaktere konkretisiert, während umgekehrt die Motive aus Situationen abgezogen sind; denn »wir erfassen sie erst, wenn wir von der jeweiligen individuellen Festlegung abstrahieren«.[22] (Übrigens sind unter *Situationen* Konstellationen menschlicher Anschauungen, Gefühle oder Verhaltensweisen zu verstehen, die zu Handlungen, in die mehrere Individuen verwickelt sind, Anlaß geben oder aus ihnen resultieren.) Allerdings sind Motive niemals so weitgehend entstofflicht wie Probleme oder Ideen, und Trousson irrt sich, wenn er »l'idée de bonheur ou celle de progrès« (S. 13) Motive nennt. Bei klischeehafter, stereotypischer Verknüpfung von Motiven und Situationen spricht man, dem Sprachgebrauch Robert Petschs folgend, auch von *Formeln*. Solche Formeln finden sich natürlich besonders oft in Märchen, Sagen, *folk tales* und Legenden.

Der Gesamtvorrat an Motiven ist verhältnismäßig gering – Paul Merker schätzt ihre Anzahl auf etwa hundert[23] –, der an Themen hingegen unübersehbar. Mathematisch dürfte sich die Gesamtsumme der möglichen thematischen Kombinationen von Motiven untereinander in Gruppen von zweien, dreien, vieren usw. leicht errechnen lassen. Hinzu kommen aber noch die endlosen zeit- und raumbedingten Varianten, das historische, mythologische, legendäre oder phantastische »Kostüm«, in das sich Themen einkleiden lassen. Die Anzahl der verfügbaren Situationen ist freilich noch geringer als die der möglichen Motive, da es nur äußerst wenige prägnante und handlungsträchtige Verhaltensweisen gibt. (Dem Begriff der Situation ist rein semantisch gesehen die Möglichkeit plastisch-theatralischer Gestaltung immanent). So unternahm es Georges Polti, einer Anregung Carlo Gozzis folgend, die *Trentes-six Situations dramatiques* pragmatisch zu bestimmen.[24] Er war der Überzeugung, daß sich deren Summe nicht vermehren lasse.

Die Situationen, die Polti aufzählt – wir werden uns mit ihrer Auswahl und Einteilung zu befassen haben – sind so menschlich-allzumenschlich, daß sie nicht auf einen Kulturkreis oder eine bestimmte Stufe der Zivilisation beschränkt sind. Auf sie trifft genau das zu, was Goethe von den Motiven behauptet, nämlich, daß sie »Phänomene des Menschengeistes [sind], die sich wiederholt haben und wiederholen werden«.[25] Im Gegensatz dazu unterliegt die Universalität der Motive gewissen Einschränkungen, die durch zeitliche und räumliche Verhältnisse und Besonderheiten bedingt sind. Welche Bedeutung hätte etwa die im Palast-Hütte-Motiv ausgedrückte soziale Spannung für den Pygmäen und den australischen Buschmann? Und wie lächerlich müßte sich das Graf-von-Gleichen-Motiv des Mannes zwischen zwei Frauen in den Augen eines Mohammedaners oder Mormonen ausnehmen oder das Motiv des Konflikts zwischen göttlichem und weltlichem Gesetz (*Antigone*, Reinhard Goerings *Seeschlacht*) in den Augen eines Volkes, in dem König und Priester eins sind? Wir möchten aus diesem Grund die Gültigkeit von Troussons Behauptung »En ce qui concerne les thèmes, les relations de fait et l'unité culturelle sont des conditions indispensables« (S. 70) mit Vorbehalt auch auf die Motive ausdehnen.

Daß Themen einen viel engeren Wirkungskreis besitzen, braucht unter vergleichenden Literaturwissenschaftlern kaum betont zu werden. Dies trifft vor allem auf historische Themen zu, deren Bedeutung örtlich begrenzt ist und zu deren Verständnis eine genaue Orts- und Zeitkenntnis erforderlich ist. Nur wo sich die historischen Besonderheiten abgeschleift haben und die allgemein menschlichen Züge hervorgetreten sind, wirken solche Themen auch auf breiterer Basis. So sind die Themen der griechischen Tragödie im Abendland allgemein bekannt, während von den neueren Stoffen nur einige wenige – wie der Don Juan-Stoff und der Fauststoff, bei dem der historische Kern von einer legendären Aura umflossen ist – diesen Anspruch erheben können. Schon der Jeanne d'Arc-Stoff hat einen begrenzten Wirkungsbereich; und beim Napoleon- oder Hitlerstoff ist es vielleicht nur die geschichtliche Perspektive, die uns heute glauben macht, sie seien universell.

Trotz Croces entschiedener Ablehnung von Riccis Versuch, die künstlerische Schwäche aller Sophonisbe-Dramen aus den dem Stoff innewohnenden Mängeln zu erklären, läßt sich nicht leugnen, daß manche Stoffe einen Eigenwert und demnach eine Eigenbewegung haben. Wie Ricci sagt:

Sans doute chaque auteur est responsable des défauts de son oeuvre. Mais lorsqu'il s'agit de Corneille, de Voltaire, d'Alfieri, il serait un peu téméraire de faire retomber sur leur maladresse seule la médiocrité de leur *Sophonisbe*. Il se peut qu'il y ait des raisons d'ordre plus général, tenant à l'essence même du sujet. Les sujets les plus séduisants à première vue ne sont pas toujours les meilleurs, les vraiment tragédiables.[26]

Wir müssen diese Frage hier auf sich beruhen lassen, da wir es, wie Croce spöttisch bemerkt, mit einem *circulus vitiosus* zu tun haben; denn daß ein Stoff *tragédiable* ist, wissen wir nur, weil mehrere Dramatiker ihn aufgegriffen haben. Ein großer Dichter sollte aber imstande sein, auch aus einem an sich ungeeigneten Stoff ein Höchstmaß an theatralischer Wirkung herauszuholen.

Zwischen die Begriffe des Motivs und des Themas schiebt sich bei Trousson derjenige des Typs, worunter die Einkörperung eines Motivs (oder besser: eines Charakterzugs), das nicht zur Individuation gelangt, zu verstehen ist; da die Typen sozusagen Charaktere im Puppenstande sind, kann man sie als Sonderformen des Stofflichen bezeichnen, das noch keine gültige symbolische Ausprägung gefunden hat:

Certains motifs ne se décantent jamais jusqu'à devenir thèmes, s'arrêtant à un stade d'évolution que l'on pourrait nommer celui du type: ainsi le motif de l'avarice conduit au type de l'avare, que l'on peut trouver dans Plaute ou dans Molière, dans Balzac ou dans Ghelderode, mais qui n'a pas fondé de tradition littéraire fixée dans un personnage unique (Trousson, S. 14).

Die Typen sind also universaler als die Themen und deshalb für komparatistische Analogie-Studien besser geeignet.

Um den der Stoffgeschichte von seinen Landsleuten Baldensperger und Van Tieghem gemachten Vorwurf, sie leiste Verzicht auf Kontinuität und damit auf Vollständigkeit, zu entkräften, teilt Trousson die *thématologie* in zwei Disziplinen auf: Die eine befaßt sich mit den sogenannten *thèmes héroiques*, während die andere ihre Aufmerksamkeit den sogenannten *thèmes de situation* zuwendet. Im ersten Fall sei die Untersuchung auf den Charakter des Helden, der dem Thema Würde verleiht, im zweiten auf die Handlung, die aus dem Widerspiel der Figuren entsteht, abzustellen.[27]

Bei den »heroischen« Themen – Prometheus, Orpheus, Herkules (und Faust?) – ist, Trousson zufolge, eine Festlegung auf bestimmte Situationen unwesentlich oder überflüssig: denn die meisten dieser Gestalten wachsen über den Rahmen der ihnen ursprünglich angemessenen Handlung hinaus und besitzen eine Mehrwertigkeit *(polyvalence)*, die darin zum Ausdruck kommt, daß die gleiche Figur als Träger verschiedener, ja sogar entgegengesetzter Eigenschaften in die Literaturgeschichte der verschiedenen Zeiten und Zonen eingeht:

Souple, protéiforme, polyvalent, indépendant des cadres narratifs, le thème de héros est susceptible, par la multiplication quasi illimitée des manifestations, de s'intégrer aux caractéristiques de la pensée, des moeurs et du goût d'un siècle, d'apparaître nanti de toutes les significations, voire les plus contradictoires, s'adaptant à toutes les nuances de l'état présent des idées, en épousant toutes les variations: la *Stoffgeschichte* se révèle simultanément *Geistesgeschichte* (Trousson, S. 39).

Umgekehrt kann es aber auch geschehen, daß die gleichen Ideen durch verschiedene Charaktere als ihren *symboles condensés* ausgedrückt werden, wie in der Romantik Faust, Kain, Satan und Manfred zu Rebellen werden. In solchen Fällen spielt die Persönlichkeit, der Charakter des Helden keine Rolle; oder anders ausgedrückt: der Stoff wird dem Motiv untertan. Unternähme es in Anbetracht dieser Tatsache, die Käte Hamburgers These von der Identität der Figuren bei Veränderung der Problematik widerlegt, der vergleichende Literaturwissenschaftler, die Geschichte solcher »Stoffe« nachzuvollziehen, so müßte er allerdings von vornherein auf Vollständigkeit verzichten, da schon das Aufstellen eines Katalogs aller Hinweise und Anspielungen (denn um solche wird es sich vielfach handeln) ein müßiges Unterfangen wäre.

Vollständigkeit kann und muß dagegen, Troussons Meinung nach, bei der Darstellung der Geschichte von *thèmes de situation*, in denen es auf das Milieu und auf das Aufeinanderprallen der Kräfte in einem bestimmten Rahmen ankommt, angestrebt werden. Trousson meint, daß fast alle historischen Stoffe in diese Rubrik gehören, parce que les auteurs disposent à leur égard de moins de liberté encore qu'en face des thèmes légendaires, en raison de la pression des réalités historiques qui s'exerce sur le temps (on ne peut pas placer Waterloo au XXe siècle), l'espace (on ne peut envoyer Cromwell en Amérique) ... [et] la vérité des faits (on ne peut faire Marie Stuart reine d'Angleterre). (Trousson, S. 36).

Dabei ist natürlich an eine mehr oder minder realistische Behandlung solcher Stoffe zu denken, da der dichterischen Einbildungskraft auch bei der Verwendung historischer Vorwürfe keine Grenzen gesetzt werden können. So läßt Brecht seine Joan Dark in den Schlachthöfen Chicagos umherirren; und sein Coriolanus trägt Züge, die dem »historischen« Charakter abgingen.

Als Beispiele solcher *thèmes de situation* nennt Trousson den Antigone- und Oedipus-Stoff. Er behauptet, wir dächten, wenn wir diese Namen hörten, zunächst einmal nicht an ihre Träger, sondern an die äußeren Umstände, an welche ihr Geschick geknüpft sei. Das träfe in gleichem Maße auf Figuren wie Phaedra und Medea zu, deren Schicksal in jedem Fall mit dem von Hippolytus bzw. Theseus verflochten ist. Bei solchen Stoffen, meint Trousson, bedeute der bloße Name nichts, da sie uns stets sogleich die Situation vor Augen führen. Auch besäßen Antigone und Oedipus keine literaturgeschichtliche Polyvalenz, da die Zahl der möglichen Varianten in der Motivierung ihres Handelns äußerst klein sei.

Der mit der Entwicklung eines *thème de situation* befaßte Komparatist wird es, Trousson zufolge, nur mit völlig selbständigen und in sich geschlossenen Werken zu tun haben, deren Anzahl begrenzt ist, weil die Gefahr einer Übersättigung vorliegt, sobald dem Stoff keine neuen Seiten mehr abzugewinnen sind. Diese Auffassung teilt Harry Levin, der bekennt, daß

themes, like biological entities, seem to have their cycles, phases of growth, of heyday, and of decline, as with *Troilus and Cressida.* It is not surprising, in our latter day, that so many of them seem to have reached a state of exhaustion. Audiences get tired of hearing the same old names, and writers find it harder and harder to compete with their illustrious forerunners. But motifs seem inexhaustible (Festschrift Wellek).

Trousson ist der Meinung, viele *thèmes de situation* seien für eine bestimmte Gattung (das Drama) prädestiniert, weil dort die Fabel übersichtlicher und die Handlung kompakter sei als beim Epos oder beim Roman, während die Lyrik ihrem Wesen nach zu fragmentarisch-aphoristisch sei (Trousson, S. 42). Elisabeth Frenzel vermutet, daß eine Wahlverwandtschaft bestimmter Stoffe und Gattungen bestehe, was sich, ihr zufolge, teils aus den strukturellen Gegebenheiten, teils aber auch aus dem Gewicht der Tradition erklären läßt.[28] Wir müssen diesen bemerkenswerten Aspekt stoffgeschichtlicher Forschung aus Raumgründen übergehen.

Troussons Unterscheidung von *thèmes héroiques* und *thèmes de situation* mag manchem Leser als Haarspalterei erscheinen. In Wahrheit verhält es sich (wie die Erfahrung lehrt) so, daß reinrassige Exemplare der einen oder anderen Spezies selten vorkommen. In der Umgangssprache wird diese Loslösung mythischer oder legendärer Helden von ihrer Umwelt mitunter durch Redewendungen wie »er ist ein wahrer Don Juan« oder »ihn zeichnet ein faustisches Streben aus« angedeutet. Andererseits gibt es Beispiele, die beweisen, daß auch *thèmes de situation* unabhängig von der einmaligen Situation existieren und in einen neuen Zusammenhang transponiert werden können, so das Antigone-Thema in die dramatische Handlung von Reinhard Goerings Drama *Die Seeschlacht.*

Um Mißverständnissen vorzubeugen, kommen wir noch einmal auf die Frage des *Motivs* zurück. Wir verweisen zunächst auf die etymologische Wurzel des Wortes, das bekanntlich von *movere* (= sich bewegen) abstammt, also ursprünglich die Bedeutung von *movens* hat. Das musikalische Motiv vollzieht die Bewegung denn auch wirklich, da die Tonkunst in ihren melodischen Bestandteilen eine lineare Zeitkunst ist. In den Raum- und Flächenkünsten kann Motiv nur im übertragenen Sinn mit Bewegung gleichgesetzt werden. In der Malerei, der Plastik, der Baukunst und den schmückenden Künsten *(decorative arts)* bezeichnet *Motiv* entweder den Vorwurf eines Werkes – d. h. Cézannes Mont Saint-Victoire oder Van Goghs Zypressen – oder die Verwendung von mehr oder weniger regelmäßig wiederkehrenden Kompositionsteilen, was man im Englischen *design* oder *pattern* nennt. Im ersten Fall handelt es sich um eine inhaltliche, im zweiten um eine strukturelle Komponente, die etwa dem Leitmotiv in der Musik entspricht.

In der Literatur liegt, abgesehen vom Leitmotiv, die Betonung beim Inhaltlichen. Hier ist das Motiv nur insofern handlungsfördernd, als es ein »situationsgemäßes Element« ist, etwas was »die Fabel« (den »Mythos« der aristotelischen *Poetik*) in Bewegung setzt.[29] Noch tiefer in die Etymologie verstricken sich diejenigen Forscher, die statt Morphologie Psychologie oder Psycho-Analytik betreiben. Sowohl Joseph Körner[30] als auch Willy Krogmann verwenden in der Tat *Motiv* stets im Sinne von *Beweggrund*, d. h. als einem im Unterbewußtsein schlummernden seelisch-geistigen Impuls, der dem Kunstwerk *in statu nascendi* seinen Stempel aufdrückt.

Für Körner und Krogmann bedeutet Motivkonstanz auch nicht mehr die Tradierung eines stofflichen Gebildes von einer Dichtergeneration zur anderen, sondern den aus der seelischen Grundhaltung eines Dichters erwachsenden thematischen Gleichlauf seiner Werke (z. B. das Motiv der männlichen Untreue beim jungen Goethe).[31] Eine so verstandene Motivforschung ist allerdings nicht komparatistisch, sondern monographisch. Sie wird vergleichend nur wie nebenbei auf der Suche nach Konstanten menschlichen Verhaltens, also vermittels Freudscher Komplexe und Jungscher Archetypen. Es ist ein Treppenwitz der Weltliteraturgeschichte, daß diesen Urmotiven *in psychologicis* jeweils der Name des beispielhaften Stoffes zufällt. Die Psychoanalyse »désigne le motif général par le thème particulier qui en est issu: motif de la rivalité père-fils – complexe d'Oedipe; motif de l'amour incestueux père-fille – complexe d'Electre« (Trousson, S. 13).

Von der *Situation* sagten wir schon, sie bezeichne Konfrontationen von Gefühlen oder Anschauungen, die unter dem Aspekt einer aus diesen resultierenden Handlung gesehen werden. Wir wollen anhand von Georges Poltis Buch versuchen, diesen Begriff zu klären. Leider rafft sich Polti selbst weder im Vorwort noch im Nachwort seiner Studie zu einer Definition auf.

Was er unter Situation versteht, erfahren wir beiläufig aus dem Hinweis, daß jede dramatische Situation (nur von solchen ist die Rede) »from a conflict between two principal directions of effort« stamme.[32] An Konflikte, die sich im Innern des Individuums abspielen, ist dabei wohl nicht gedacht, sondern nur an solche, die zu Taten führen. So urteilt Polti im Zusammenhang mit der sechsundzwanzigsten Situation (Liebesverbrechen), daß Notzucht ein Akt und keine Situation sei.

Zur Situation gehören also zwei oder mehr Personen, die an einem Konflikt beteiligt sind. Der eigentliche dramatische Nexus resultiert demnach aus einer rhythmischen Folge von Handlungen und Situationen, die sich aus Handlungen ergeben und wieder zu diesen überleiten. Wie Wolfgang Kayser bemerkt: »In diesem Charakter als Situation liegt es begründet, daß die Motive auf ein Vorher und Nachher weisen. Die Situation ist entstanden, und ihre Spannung verlangt nach einer Lösung« (*Kunstwerk*, S. 62) Levin irrt sich in der Annahme, Polti bestehe darauf, daß es nur sechsundreißig *plots* für die Bühne gäbe. Tatsächlich können sich die Situationen nämlich wie die Motive tausendfältig zu immer neuen Handlungsabläufen verbinden.

Leider sind die Situationen, die Polti aufzählt, ihrem Wesen nach zu verschieden, um ein geschlossenes Bild zu ergeben. Einerseits nennt der französische Kritiker Akte wie Entführung, Aufstand, Mord und Ehebruch, andererseits aber Motive wie Feindschaft, die erst szenisch gestaltet werden müssen. Daß Polti Motive und Situationen nicht einwandfrei trennt, geht auch aus seiner Feststellung hervor, es gäbe keine Situation »which may not be combined with any one of its neighbors, nay, with two, three, four, five, six of them and more« (Polti, S. 120). Dies wird am Oedipus demonstriert, den Polti der achtzehnten Situation zuweist, ohne jedoch die möglichen Querverbindungen zur 11., 16., 19. und 21. außer acht zu lassen.

Kombinieren kann man aber nur Motive, die koexistent sind, während Situationen nur durch ihre Anordnung (Position) im Kunstwerk aufeinander bezogen werden können.

Aus dem bisher Gesagten geht hervor, daß die Situation ein Bindeglied zwischen Motiv und Handlung darstellt. Handlung ist körperliche Tätigkeit, während das Motiv vom Physischen abstrahiert: die Situation aber ist das Zünglein an der Waage: »Die körperliche Situation allein, die . . . den bildenden Künstler zur Studie anregen kann, hat für das literarische Kunstwerk keine Bedeutung, wenn ihr jede seelische Beziehung abgeht. Und diese ist es, die wir als zugehörig zum literarischen Motiv betrachten müssen«.[33] Ist das Motiv statisch und die Handlung dynamisch, so erweist sich die Situation als das »fruchtbare Moment, aus dem sich alle Motive der Handlung entwickeln.«[34] Als literaturwissenschaftliche Kategorie steht die Situation letzten Endes dem Handlungsmäßigen näher als dem Inhaltlichen und ist deshalb für die Stoffgeschichte von geringer Bedeutung.

Je kleiner die stoffliche Einheit, um die es geht, desto weniger ergiebig sind stoffgeschichtliche Untersuchungen für die vergleichende Literaturwissenschaft. Für den Komparatisten sind Themen der ideale Forschungsgegenstand, während Motive sich zwar leicht isolieren, aber dank ihrer unendlichen Verschlingungen schwerer in der Entwicklung durch die gesamte Literaturgeschichte verfolgen lassen. Trotzdem empfiehlt Van Tieghem diesen Ansatzpunkt:

Quand il s'agit de la jalousie d'une mère, de la vengeance sur un proche, du sacrifice au devoir, etc., des études comparatives de cette sorte – elles sont rares – jetteraient une vive lumière sur le génie et l'art des différents poètes, autant que sur l'évolution des sentiments dans leur public (Van Tieghem, S. 92).

Der französische Gelehrte behauptet mit Recht, es gäbe nur wenige komparatistische Monographien zur Motivgeschichte von der Art, wie sie Kurt Wais in seinem Buch *Das Vater-Sohn-Motiv in der Dichtung bis 1800* vorlegt.[35]

Gehen wir abschließend zu den kleinsten Stoffteilchen über. Sowohl der *Zug (trait)* wie das *Bild* – soweit letzteres nicht symbolisch überhöht und damit in die Gehaltsphäre entrückt wird – sind eher Beigabe und Schmuck, die erst durch bewußte Wiederholung oder Verkettung zu würdigen Objekten der Stoffgeschichte werden. Der *Zug* ist ein beiläufiges Attribut, dem keine Eigenbedeutung zukommt. Nach Petsch kann er sich nur auf dem Umweg über die *Pointe*, die ihn als charakteristisch ausweist, zum Motiv erheben; durch sie wird er gleichsam ins Scheinwerferlicht gerückt.[36]

Auch das *Bild* ist oft zu belanglos, um unsere Aufmerksamkeit zu erregen. Wieviele Bilder enthält nicht ein Roman, ein Epos oder ein Drama? Andererseits werden Bilder oft leitmotivisch verwendet. So schrieb Caroline Spurgeon über Shakespeares Bildersprache ein

Buch, in dem sie jedem Drama ein charakteristisches »cluster of images« zuschreibt, das zum Verständnis der Handlung beiträgt. Für den vergleichenden Literaturwissenschaftler gibt es hier wenig genug zu holen. Wohl steht es dem Philologen an, die Bildersprache eines Homer und Vergil zu untersuchen; doch gehört das vergleichende Studium derselben eher in die allgemeine Kulturgeschichte.

Das *Leitmotiv* stellt eine »Wiederholung der gleichen Wortfolge, mindestens in Anklängen oder leichten Abwandlungen, an verschiedenen Stellen eines dichterischen Werkes« dar, »die durch diese Gemeinsamkeit miteinander in Beziehung gesetzt werden« (Frenzel, S. 31). Derartige Erscheinungen sind offensichtlich nur im Nexus der Werke, in denen sie auftreten, von Bedeutung. Nur wenn solche Leitmotive als Zitate aus fremdsprachlichen Literaturen auftreten, interessieren sie den vergleichenden Literaturwissenschaftler.

Innerhalb der stoffgeschichtlichen Größenordnung mit Zug und Bild gleichzusetzen, komparatistisch aber weitaus ergiebiger, ist der *Gemeinplatz* oder *Topos*, der seinem Umfang nach bescheiden, seiner literarhistorischen Bedeutung nach aber anspruchsvoll ist. Aus dem Bereich der antiken Rhetorik stammend sind die *topoi* ursprünglich Argumente, die innerhalb einer Rede dazu dienten, den Zuhörern eine Sache schmackhaft zu machen und die sich, um diesen Zweck zu erreichen, entweder an den Verstand oder an die Gefühle wandten.[37] Sie dienten zudem dem Redner als Gedächtnisstützen. In der Spätantike fanden die *topoi* in die Poetik Einlaß und wurden allmählich in der Literatur heimisch. Nur wer die im Altertum und Mittelalter geläufigen Gemeinplätze kennt, kann heute beurteilen, ob ein Bild, eine Metapher oder eine Redensart neu erfunden oder der Tradition verhaftet ist. Bei der Topos-Forschung spielt das Verhältnis von Originalität, Tradition und Nachahmung also eine wichtige Rolle.

Über den genauen terminologischen Stellenwert der *topoi* streiten sich die Geister. So stellt Wolfgang Kayser der Toposforschung die Aufgabe, die Geschichte »bestimmter gegenständlich festgelegter Bilder, Motive oder auch gedanklicher Prägungen« darzustellen (*Das sprachliche Kunstwerk*, S. 75). Bei letzteren denkt man an Ausdrücke wie *mater naturae*, von dem Walter Veit sagt, er könne zum *pure concept (= natura)* reduziert werden, und die kürzlich von Hans Galinsky untersuchte Metapher *naturæ cursus*.[38] Für den vergleichenden Literaturwissenschaftler, der Stoffgeschichte betreibt, wäre es z. B. wichtig zu wissen, unter welchen Bedingungen ein Topos zum Motiv (der *locus amoenus*) oder Thema (die Welt als Bühne) wird und ob es neben Motiven und Themen, die ausgeweitete *topoi* sind, auch solche gibt, die im Topos ihre letzte, ungeweihte Ruhestätte gefunden haben.

Mit diesem Kapitel, in dem wir die Rolle des barmherzigen Samariters für die noch immer nicht völlig genesene Stoffgeschichte gespielt haben, wäre der Kreis der für die vergleichende Literaturwissenschaft zentralen Probleme – wenn man von der vergleichenden Metrik und Stilistik absieht, die wir Spezialisten überlassen müssen – ausgeschritten.[39] Ehe wir uns abschließend bibliographischen Fragen zuwenden, wollen wir den versprochenen Exkurs über die komparatistischen Anwendungsmöglichkeiten des Studiums der wechselseitigen Erhellung der Künste einschieben. Wir tun dies ohne Zittern und Zagen, doch im Bewußtsein, Neuland zu betreten, in das zwar schon einige Pfade führen, das aber auf der literaturwissenschaftlichen Landkarte durch manchen weißen Fleck als *terra incognita* gekennzeichnet ist.

Achtes Kapitel

# Exkurs: Wechselseitige Erhellung der Künste

Indem wir auf Henry H. H. Remaks anfangs zitierte Begriffsbestimmung der vergleichenden Literaturwissenschaft zurückgreifen, wollen wir abschließend in der Form eines Exkurses, von der geschichtlich bedingten Situation in den einzelnen Ländern ausgehend, die Frage aufwerfen, inwieweit es berechtigt sei, Studien über das Wechselverhältnis der Literatur zu den anderen Künsten – vornehmlich der Musik und der Malerei – in die vergleichende Literaturwissenschaft einzubeziehen. Die erwähnte Definition erstreckt sich auf

> the study of literature beyond the confines of one particular country, and the study of the relationships between literature on the one hand and other areas of knowledge and belief, such as the arts ... on the other (*S/F*, S. 3).

Unser Kollege ist also der Meinung, daß die *Comparative Arts* einen legitimen Zweig der *Comparative Literature* darstellen, solange die Literatur Ausgangs- oder Brennpunkt der Untersuchung ist.[1] Dieser Auffassung mögen sich damals (1961) nur wenige amerikanische Fachgelehrte angeschlossen haben, am uneingeschränktesten wohl der Verfasser des methodologisch bedeutsamen Buches *Music and Literature*[2], Calvin S. Brown, der zwei Jahre zuvor in einem Vortrag betont hatte:

> Comparative Literature accepts the fact that all the fine arts are similar activities, despite their differing media and techniques, and that there are not only parallels between them induced by the general spirit of different eras, but that there are frequently direct influences of one art on another. Not all these relationships fall in the field of the comparatist. The parallels between baroque architecture and baroque music, for example, are off his beat. But the relationships of literature with the other arts are a part of his domain and are, by general consent [!], usually considered as a part of comparative literature even when only one country is involved.[3]

Daß bis in die jüngste Vergangenheit das Studium der Künste in ihren Wechselbeziehungen wissenschaftliches und akademisches Niemandsland war, wird dadurch bewiesen, daß es entweder völlig von der Ästhetik annektiert oder von der Kunst- bzw. Musikwissenschaft mit Beschlag belegt wurde.[4] So war viele Jahrzehnte hindurch die kritische Auseinandersetzung mit dem musikalisch-literarischen Gesamtkunstwerk der Oper für den Literaturwissenschaftler *off limits*, und die Emblematik fiel den Ikonologen unter den Kunsthistorikern sozusagen aus Mangel an Konkurrenz als leichte Beute zu. Erst Bücher wie Joseph Kermans aufschlußreiche Studie *Opera as Drama*, unsere als Dokumentation gedachte Sammlung von Schriften zum Wesen der Oper und das von Arthur Henkel und Albrecht Schöne zusammengestellte monumentale Handbuch der Sinnbildkunst des 16. und 17. Jahrhunderts lassen die Möglichkeit einer Wandlung durchblicken. Auch George Bluestones Darstellung des Verhältnisses von Buch und Film anhand von Verfilmungen einiger berühmter Romane gehört in diese Reihe.[5]

Innerhalb der amerikanischen Modern Language Association wird die wechselseitige Erhellung der Künste von einer als General Topics IX bezeichneten Arbeitsgruppe gefördert, die seit fünfzehn Jahren einen wertvollen bibliographischen Beitrag zu diesem Thema leistet.[6] Erst in neuester Zeit bricht sich aber in den Vereinigten Staaten die Erkenntnis Bahn, daß die Trennung der Künste im Leben wie in der Wissenschaft künstlich ist. So fanden im Herbst 1966 anläßlich einer Tagung der Leiter der komparatistischen Abteilungen an den Staatsuniversitäten des Mittelwestens in Racine (Wisconsin) drei Symposien statt, in denen die Literatur mit der bildenden Kunst und der Musik im Wechselgespräch konfrontiert wurde. Desgleichen wurde bei der Jahrestagung der Neuphilologen im Dezember 1967 je eine Forumsdiskussion über den Film und über Literatur- und Kunstgeschichte veranstaltet. Entsprechende Sondernummern der Zeitschriften *Comparative Literature Studies* und *Comparative Literature* sind entweder erschienen oder angekündigt; und die Teilnehmer an der Bloomingtoner Tagung der amerikanischen Komparatistenvereinigung im April 1968 bemühten sich ernsthaft um den literarischen Impressionismus.[7]

Vor kurzem veröffentlichte die Modern Language Association of America sogar einen etwas umständlich und ungeschickt *Relations of Literary Study. Essays on Interdisciplinary Contributions* betitelten Sammelband, in dem neben dem Wechselverhältnis von Literatur und Geschichte, Mythologie, Biographie, Psychologie, Soziologie und Religion auch die zwischen der Literatur und der Musik bestehenden Querverbindungen in einem Beitrag von Bertrand H. Bronson behandelt werden.[8] Es ist bezeichnend für die noch immer empfundene Zwiespältigkeit eines solchen Unternehmens, daß der Begriff der vergleichenden Literaturwissenschaft in der Einleitung des Herausgebers, James Thorpe, sorgfältig vermieden wird, während gleichzeitig zugestanden wird, daß »the relation between Literature and Music is different from all of the others in this volume. Literature is one of the arts, along with (at least) music, painting, and sculpture« (S. XIII). Wie dem auch sei: es besteht kaum ein Zweifel, daß über kurz oder lang neben der Soziologie der Literatur und der wiederauflebenden Genre- und Themenforschung das Studium des literarischen Anteils an der wechselseitigen Erhellung der Künste in der nächsten Phase der Geschichte der vergleichenden Literaturwissenschaft seinen Platz finden wird. Wie es im englischen so treffend heißt: *it is here to stay.*

Wie die vergleichenden Literaturwissenschaftler Europas über das Studium der genannten Wechselbeziehungen denken oder gedacht haben, soll im folgenden angedeutet werden. In Frankreich z. B. zeichnet sich erst in unserem Jahrfünft die Möglichkeit einer Einbeziehung dieses Sondergebietes in die *littérature comparée* ab. Obwohl Sobry schon 1810 einen *Cours de peinture et littérature comparées* veröffentlichte, galt in der gallischen Romania die Beschäftigung mit dem Verhältnis der Literatur zu den *beaux-arts* stets als Aufgabe der Ästhetik: »Leur relations demeurent mal explorés. La France en a fait une branche de l'esthétique et les enveloppe d'abstraction« (*P/R*, S. 133). Immerhin versuchte auch in unserem Jahrhundert, ab und zu ein Außenseiter diesem Phänomen gerecht zu werden, so der Musikwissenschaftler André Coeuroy in seinem Buch *Musique et littérature. Etudes de musique et de littérature comparées* und der Literarhistoriker Paul Maury in der skizzenhaften Studie *Arts et littérature comparée. Etat présent de la question.*[9]

Die Patriarchen der vergleichenden Literaturwissenschaft schenkten der wechselseitigen Erhellung der Künste wenig Beachtung. In Baldenspergers programmatischem Vorwort zur ersten Nummer der *Revue de littérature comparée* fehlt jeder Hinweis auf dieses Sachgebiet; und da weder Betz' Bibliographie noch die von Baldensperger erweiterte Fassung eine entsprechende Rubrik aufweist, ist anzunehmen, daß die einschlägigen Kapitel der *Bibliography of Comparative Literature* auf W. P. Friederichs Initiative zurückgehen.[10] Allerdings finden sich entsprechende Eintragungen unter der Überschrift »Ambiance: La Vie, les idées et les arts« auch im bibliographischen Teil der *Revue.*

In Van Tieghems Handbuch werden die Bild- und Tonkünste kaum erwähnt. Auf ihre Existenz wird nur im Kapitel »Idées et sentiments«, das einen »idées esthétiques et littéraires« überschriebenen Unterabschnitt enthält, angespielt (S. 107f.). Aber selbst dort hütet sich der Verfasser, den Eindruck zu erwecken, Courbet habe den literarischen Realismus der fünfziger Jahre des 19. Jahrhunderts beeinflußt oder es bestünden Beziehungen zwischen der Freilichtmalerei Monets und Pissarros sowie gewissen Aspekten des Symbolismus.

Van Tieghem schließt also die Augen gegenüber den offen zutageliegenden historischen Gegebenheiten, sobald diese seinem Dogma widersprechen.

Bei Guyard ist ein weiterer Rückschritt gegenüber Van Tieghem festzustellen, denn im Kapitel »Grands courants européens. Idées, doctrines, sentiments« seines Miniatur-Handbuchs ist nur noch von »doctrines et idées littéraires« die Rede (S. 97). Die Tür, die zur allgemeinen Kulturgeschichte hinführt, wird also zugenagelt. Sie wieder zu öffnen, betrachtet auch der ikonoklastische Verfasser von *Comparaison n'est pas raison* nicht als seine Aufgabe. Um so begrüßenswerter ist die Stellungnahme von Pichois und Rousseau, die dieser Frage immerhin vier Seiten (S. 133–136) ihrer gedrängten Übersicht widmen. Dort heißt es im Anschluß an das obige Zitat:

> Le bon sens se borne à de vagues constatations: les arts s'adresseraient à l'homme en général; la littérature, en dépit des traductions, à des groupes limites; les premiers aux sens, la seconde à l'esprit. Entre ces extrèmes, éclairer un livre, une école littéraire par leur contexte artistique, incorporer l'iconographie et les illustrations musicales à l'histoire littéraire, étudier la naissance et le developpement de la critique d'art, comparer la poésie et la musique, le théâtre et l'architecture, mettre en lumière correspondances et affinités, autant d'entreprises précises et révélatrices (*P/R*, S. 133).

Ehe wir uns der deutschen Lage zuwenden, möchten wir einen Blick über die Grenze nach Holland tun, wo in den letzten Jahren mehrere vergleichende Literaturwissenschaftler zum Thema der wechselseitigen Erhellung der Künste Stellung genommen haben. Radikale Ablehnung erfährt die nichtliterarische Phänomene einbeziehende komparatistische Perspektive bei Cornelis de Deugd, in dessen précis sich der erbarmungslos klare und nüchterne Satz findet: »Het comparatisme streeft wel naar literatuurstudie zonder inachtneming van grenzen, doch wat moet worden overschreden zijn die grenzen van de verschillende naties die literatuur hebben voortgebracht, *niet die grenzen van de literatuur zelf*« (vom Autor unterstrichen).[11] Jan Brandt Corstius ist insofern konzilianter, als er den außerliterarischen Kontext *(ambiance)* von Dichtwerken kulturhistorisch als zu deren Verständnis nötig gelten läßt, ohne freilich einem systematischen Studium dieser Art von Beziehungen das Wort zu reden.[12]

Am freimütigsten bekennt sich im niederländischen Sprachraum H. P. H. Teesing zur wechselseitigen Erhellung der Künste; er tut dies paradigmatisch in einem als Entgegnung auf das elfte Kapitel der *Theory of Literature* gedachten Aufsatz.[13] Im Gegensatz zu de Deugd und Brandt Corstius spricht Teesing allerdings nicht als vergleichender Literaturwissenschaftler, sondern in seiner Eigenschaft als Leiter des Utrechter Instituts für allgemeine Literaturwissenschaft. Er braucht also sozusagen akademisch kein Blatt vor den Mund zu nehmen. Wir werden bald auf seine interessanten Ausführungen zurückkommen.

In Deutschland hatte 1887 Max Koch in seiner Einführung zum ersten Heft der *Zeitschrift für vergleichende Litteraturgeschichte* das Studium der kunstgeschichtlichen Einflüsse auf die Literatur befürwortet, und zwar mit der Begründung:

[Den] Zusammenhang zwischen politischer und Litteraturgeschichte mehr als gewöhnlich der Fall ist zu betonen, soll eine der Aufgaben dieser Zeitschrift werden, ebenso wie den Zusammenhang zwischen Litteratur und bildender Kunst, philosophischer und litterarischer Entwicklung usw. nachzuweisen der vergleichenden Litteraturgeschichte obliegt. Hat doch erst vor kurzem der siebte Band des Goethejahrbuchs mit Dehios Nachweis altitalienischer Gemälde als Quelle zum *Faust* ein Beispiel gebracht, wie fruchtbringend Kunst- und Litteraturgeschichte vergleichend zusammenzuwirken vermögen (S. 11).

Das Zusammenwirken der Literatur- und Kunstgeschichte (dem sich aus historischen Gründen die Musikwissenschaft nicht anschloß) erfreut sich in der deutschen Gelehrtenwelt in der Tat schon lange großer Beliebtheit; und es ließe sich ein Stammbaum aufstellen, in dem Lessing und Winckelmann die Rolle der Urahnen zufiele. Für unser Jahrhundert hat Jost Hermand kürzlich einen systematischen Überblick über das methodische Studium der Wechselbeziehungen vorgelegt.[14]

Kochs Forderung wurde später von den Philologen unter den Schülern Wölfflins verwirklicht. Wölfflin hatte 1915 seine *Kunstgeschichtlichen Grundbegriffe* erscheinen lassen, ein Buch, in dem stilistische Eigenheiten der Kunst der Renaissance und des Barock postuliert und anhand von ausgewählten Beispielen auf ihre Gültigkeit hin geprüft werden. Auf dieses Vorbild stützte sich Oskar Walzel, als er 1916 den Beweis zu erbringen suchte, daß Shakespeare kein Dichter der Renaissance, sondern ein barocker Dramatiker gewesen sei.[15] Damit war der entscheidende Schritt getan, und schon 1917 konnte Walzel vor der Berliner Kantgesellschaft systematisch über die *Wechselseitige Erhellung der Künste* referieren.[16]

Wie Walzel in einem kurzen Nachwort zur Druckfassung seines Vortrags mitteilt, schwankte er lange, wie er denselben betiteln solle. Karl Woermann hatte »Vergleichende Aesthetik der bildenden und redenden Künste« als Titel vorgeschlagen; aber Walzel entschied sich für *Wechselseitige Erhellung der Künste*, da ihm die sachgemäßeste Formulierung, die ihm vorschwebte (»Ist es zweckdienlich, bei der Ergründung der künstlerischen Gestaltung von Werken einer Kunst durchgehende typische Merkmale zu berücksichtigen, die sich bei der Feststellung der künstlerischen Gestaltungsmöglichkeiten einer anderen Kunst ergeben?«), zu umständlich vorkam.

Walzels gedruckter Abhandlung schlossen sich in den zwanziger und dreißiger Jahren gleichgeartete Darlegungen aus der Feder Fritz Strichs (darunter dessen Hauptwerk *Klassik und Romantik oder Vollendung und Unendlichkeit*), Karl Vosslers und Kurt Wais' an, die schließlich auch im Ausland – besonders in den angelsächsischen

Ländern – Schule machten. Im Jahre 1930 unternahm es Fritz Medicus sogar, im Rahmen des von Emil Ermatinger herausgegebenen Handbuchs *Philosophie der Literaturwissenschaft* (dem deutschen Wellek-Warren der Vorkriegszeit) das Problem der »vergleichenden Geschichte der Künste« im Abriß darzustellen.[17]

Einer der prominentesten und exponiertesten Jünger Walzels in der Gegenwart ist der amerikanische Forscher Wylie Sypher, dessen Studie *Four Stages of Renaissance Style* dem Ausgangspunkt der von Wölfflin eingeleiteten Entwicklung auch chronologisch nahebleibt, während das als Folge gedachte umfangreiche Buch *Rococo to Cubism in Art and Literature* zur Analogienjagd tendiert.[18] So macht Sypher etwa den mißlungenen Versuch, eine stilistische Brücke zwischen Alexander Popes heroisch-komischem Epos *The Rape of the Lock* und Antoine Watteaus Gemälden zu schlagen, indem er sagt: »The rococo artist, like Pope, finds himself in an interregnum between baroque and the oncoming romantic pantheism. None the less, Pope's verse, like Lepautre's architecture and Watteau's painting, belongs to a distinguishable style« (S. 34).

Vosslers Aufsatz aus dem Jahre 1935[19] und die ein bzw. zwei Jahre später veröffentlichten Studien von Kurt Wais[20] setzten einen vorläufigen Schlußstrich unter die von Walzel angebahnte Entwicklung innerhalb der geistesgeschichtlich orientierten deutschen Literaturwissenschaft. In den Kriegs- und Nachkriegsjahren schlummerten diese Tendenzen; und auch die deutsche Komparatistik unserer Tage macht, soweit uns bekannt, keine Anstrengung, diesem Übelstand abzuhelfen. Die Zeitschrift *Arcadia* hat z. B. bisher keine Beiträge zum Studium der wechselseitigen Erhellung der Künste zum Abdruck gebracht. Es wäre aber schade, wenn die Deutschen auf diesem ihnen kongenialen Gebiet den Anschluß an die internationale Entwicklung verpassen würden.

Zum systematischen Teil unserer knappen Übersicht über die aus dem vergleichenden Studium der Literatur und ihrer Schwesterkünste erwachsenden Probleme übergehend, rufen wir uns die Begriffsbestimmung Calvin S. Browns ins Gedächtnis, derzufolge auch solche Fälle als komparatistisch zu gelten haben, in denen »only one country is involved«. Nach dieser Auffassung – die die Verfasser der *Bibliography of Comparative Literature* teilen - wären also Bücher wie Helmut Hatzfelds *Literature Through Art. A New Approach to French Literature* und Jean Hagstrums *The Sister Arts. The Tradition of Literary Pictorialism and English Poetry from Dryden to Gray*[21] vergleichende, nicht romanistische bzw. anglistische Studien. Daran stoßen sich freilich die Herausgeber des *Yearbook of Comparative and General Literature;* denn sie berücksichtigen in den bibliographischen Nachträgen nur solche Wechselbeziehungen, bei denen auch Sprach- oder Landesgrenzen überschritten werden, registrieren also Beiträge zum Thema »Rodin und Rilke«, nicht aber zum Thema »Debussy und Mallarmé«.

In der Literatur wird – wie unsere Begriffsbestimmung ergab – ein Gegenstand komparatistisch, wenn er zwei verschiedene Nationalliteraturen oder Nationalsprachen umfaßt. Dabei ist letzten Endes die Sprache das eigentliche *tertium comparationis*. Setzen wir Sprach- oder Landesgrenzen als Kriterien beim Studium der Wechselbeziehungen zwischen den Künsten ein, so handeln wir nach Gewohnheitsrecht, ohne uns über die qualitativen Unterschiede der Mittel (Worte, Töne, Farben) und ihrer Anwendung Rechenschaft zu geben. Hier einen Kompromiß zu schließen, ist, unserer Ansicht nach, schon aus methodologischen Gründen gefährlich. Entweder man vertritt den Standpunkt, Beethovens Verhältnis zur Literatur und Hofmannsthals Verhältnis zur Musik seien Studienobjekte der vergleichenden Literaturwissenschaft, oder man überläßt es der Ästhetik oder Musikwissenschaft, das Ringen des Komponisten um einen seinen Anschauungen vom Wesen der Oper entsprechenden Stoff historisch-kritisch darzustellen. Die Behauptung, Beethovens Beziehungen zur deutschen Literatur gingen den Germanisten an, seine Beziehungen zur französischen Literatur aber den Komparatisten, halten wir demnach für sinnlos.

Hat man sich zu dieser prinzipiellen, unserer Meinung nach aber unumgänglich notwendigen Unterscheidung durchgerungen, so kann man sich beruhigt den Einzelproblemen zuwenden. Der erste, entscheidende Schritt auf dem Wege zur Klärung des Verhältnisses von Ästhetik und Literaturwissenschaft im Zusammenhang mit unserem Begriffskomplex bestünde in der Ausklammerung der von Walzel und Wais als »vergleichende Ästhetik« bezeichneten, auf die gemeinsamen Strukturgrundlagen der Künste bezüglichen Probleme: die Abgrenzung von Raum- gegen Zeitkunst und von Flächen- gegen Tiefenkunst. Mit solchen Fragen befaßt sich Theodor Meyer Greene in seinem Kompendium *The Arts and the Art of Criticism*, dem Thomas Munro in seinem Buch *The Arts and Their Interrelations* ein pragmatisches Gegenstück zur Seite stellte.[22] Über die *Anwendungsmöglichkeit* dieser Problematik auf die vergleichende Literaturwissenschaft besteht zwar kein Zweifel, doch wird es sich dabei stets nur um Analogien handeln. So enthält Lessings *Laokoon* außer dem Vergleich zwischen der Skulptur dieses Namens und der ihr handlungsmäßig entsprechenden Schilderung aus dem ersten Buch der *Aeneis* auch Hinweise auf Homer, Shakespeare und Ariost; und Joseph Franks Essay »Spatial Form in Modern Literature«, der den *Laokoon* fortsetzt, enthält Beispiele aus der englischen, amerikanischen und französischen Literatur.[23]

Auch bei Anwendung der Wölfflinschen Begriffspaare Statik und Dynamik, offene und geschlossene Form, Einheit und Vielheit auf die Literatur muß man äußerste Vorsicht walten lassen. Dies gilt namentlich für Begriffe wie Rhythmus, Harmonie und Perspektive. Daß es sich bei Übertragung derselben von einer Kunst auf die andere um reine Analogieschlüsse handelt, zeigt Walzel am Beispiel des Rhythmus, der in der Musik und Literatur echte Bewegung voraussetzt, während in den bildenden Künsten sich das Auge des Betrachters bewegt, die betrachteten Gegenstände aber unverrückbar feststehen.

Beim historisch-kritischen Studium der Künste im Hinblick auf ihr Wechselverhältnis tut man wohl daran, zunächst einmal möglichst pragmatisch vorzugehen, indem man eindeutig bestimmbare Zusammenhänge, d. h. also *rapports de fait*, untersucht. Als Muster einer als Längsschnitt gedachten Darstellung der Geschichte einer in zwei Künsten beheimateten Ausdrucksform darf – trotz der Unvollständigkeit des herangezogenen Materials – noch immer Wolfgang Kaysers Monographie *Das Groteske. Seine Gestaltung in Malerei und Dichtung* gelten.[24] Der Verfasser dieses Werks vermeidet es nämlich sorgfältig, den Gleichlauf der Künste durch die Existenz von Konstanten, die sich auf metastasierte Wesensbegriffe reduzieren lassen, beweisen zu wollen. Er geht organisch und nicht mechanisch vor.

Als methodologisch anfechtbareres Beispiel eines durch Abstraktionen glaubhaft gemachten Parallelismus sei Gustav René Hockes – im übrigen durch die Fülle der herangezogenen Beispiele bestechende – Studie *Die Welt als Labyrinth. Manier und Manie in der europäischen Kunst* erwähnt.[25] Hocke sucht nämlich die von seinem Lehrer Ernst Robert Curtius aufgestellte Forderung, man solle die Bezeichnung *Barock* durch *Manierismus* ersetzen, zu verwirklichen. Curtius wollte bekanntlich den Begriff des Manierismus »aller kunstgeschichtlichen Gehalte entleeren und seine Bedeutung so erweitern, daß er nur noch den Generalnenner für alle literarischen Tendenzen bezeichnet, die der Klassik entgegengesetzt sind«.[26] Hocke nennt sechs manieristische Epochen der europäischen Kulturgeschichte: eine alexandrinische, eine römische (die »silberne Latinität«), eine früh- und spätmittelalterliche, den eigentlichen Manierismus (1520–1650!), die Romantik und die jüngste Epoche, die sich ihm zufolge von 1880 bis 1950 erstreckt (S. 10f.). Indem er, Curtius Anregung aufgreifend, den Surrealismus und die Bizzarerien des Barock auf einen Nenner bringt, begeht er *lèse majesté* gegen das eiserne Prinzip der Periodisierung nach Perioden.

Will man zeigen, wie sich die Künste in einem bestimmten Zeitalter gegenseitig befruchten und erhellen, so betrachtet man sie am besten im Zusammenhang mit der Periode oder Bewegung, an der sie teilhaben. Daß man hierbei auf die von den Künstlern geäußerten Absichten in Gestalt von Theorien und Manifesten eingehen kann und muß, versteht sich von selbst. Um so mehr verwundert der Purismus der Verfasser der *Theory of Literature*, die aus dem Beispiel der Neoklassik folgern:

But »Classicism« in music must mean something very different from its use in literature for the simple reason that no real classical music (with the exception of a few fragments) was known and could thus shape the evolution of music as literature was actually shaped by the precepts and practice of antiquity. Likewise painting, before the excavation of the frescoes in Pompeii and Herculaneum, can scarcely be described as influenced by classical painting in spite of the frequent reference to classical theories and Greek painters like Apelles and some remote pictorial traditions which must have descended from antiquity through the Middle Ages (*W/W*, S. 127f.).

Teesing widerlegt diese Ansicht schlagend, indem er darauf hinweist, daß »Gluck and other composers as well as the Classicist painters abstracted the structural principles of their art from literature, sculpture and architecture, thereby showing that the organizing principle can be transplanted from one art to another« (*YCGL* 12 [1963], S. 33).

Daß besonders bei geschlossenen künstlerischen Bewegungen Theorie und Praxis von einer Kunst auf die andere übergehen können, läßt sich am Beispiel des Surrealismus zeigen.

Der Literaturhistoriker kann schon deshalb nicht umhin, auch der Kunst- und Musikgeschichte Beachtung zu schenken, weil besonders in der Stilforschung von ihnen manches zu lernen ist. Viele literarische Periodenbegriffe (Barock, Rokoko, Biedermeier) stammen z. B. aus dem außerliterarischen Bereich und setzen zu ihrem Verständnis eine gewisse Vertrautheit mit der bildenden Kunst voraus. Wo diese in der Kulturgeschichte die Führung übernimmt, muß sie, *for better or worse*, in die literarhistorische Darstellung mit einbezogen werden, während im umgekehrten Fall – etwa beim Symbolismus oder beim Surrealismus – diese Forderung nur dann zu stellen ist, wenn die von der Literatur übernommenen Darstellungsweisen katalytisch verwandelt und der Literatur erneut fruchtbar gemacht worden sind.

Die Illusion von der Reinheit der Künste, wie sie die klassische und klassizistische Kunsttheorie von Horaz bis Lessing zu bewahren sucht, ist jedenfalls nur für gewisse Zeitspannen aufrecht zu erhalten, steht ihr doch die barock-romantisch-moderne Auffassung gegenüber, die in der Vermischung der Künste einen Weg zur höheren Synthese sieht. Mit den Mischformen, innerhalb deren die Künste eine Symbiose eingegangen sind, wird sich auch die Literaturwissenschaft zu befassen haben. Zu den wichtigsten Erscheinungen dieser Art, an denen die Literatur teilhat, gehören die Oper (einschließlich des Singspiels, der Operette, des *Musicals*), das Oratorium, die Kantate und der Film, als Kleinformen auch das Lied, das Emblem, die Bildergeschichte und letztlich der *Cartoon*.[27] In der Geschichte des Dramas kommt der Oper nicht nur wegen des Librettos, das ihre literarische Grundlage bildet, große Bedeutung zu; so bildet z. B. die griechische Tragödie ein Gesamtkunstwerk, bei dem die Musik nicht Zutat war, sondern bei strophischer Wiederholung auch die Wortwahl und Wortstellung entscheidend beeinflußte.[28] Die barocke Erneuerung des antiken Dramas erfolgte sinngemäß – wenn auch nicht sachgemäß – aus dem Geiste der Musik. Aber selbst nach der gattungsmäßigen Trennung von Oper und Drama blieb die Musik nicht aus dem Schauspielhaus verbannt. Abgesehen von der Bühnenmusik (Griegs Untermalung von Ibsens *Peer Gynt* und Bizets Beitrag zu Daudets *L'Arlesienne*, um die zwei bekanntesten Beispiele zu nennen) blieb sie organischer Bestandteil in Shakespeares Stücken, z. B. in *Was ihr wollt* und im *Sturm*. Daß Stanislawski *Othello* symphonisch inszenierte, war kein Zufall; denn auch als Stimmungsfaktor hat die Musik manchem Drama (u. a. Tschechows *Kirschgarten*) ihren Stempel aufgedrückt.[29] Vergessen wir auch nicht, daß Goethe den zweiten Teil des Helena-Aktes in *Faust II* als Oper konzipierte und daß Schiller seine *Braut von Messina* als Versuch ansah, die Tragödie auf dem Umweg über die Oper neu zu beleben.

Daß Operntexte nicht nur im klassizistischen Zeitalter – man denke an Metastasios schriftstellerischen Ehrgeiz und Glucks ausgesprochen literarische Behandlung seiner Vorlagen – als Dichtung angesehen und als Schauspiele aufgeführt wurden, ist bekannt. Noch vor wenigen Jahren widerfuhr Hofmannsthals *Rosenkavalier* dieses Schicksal. (Kürzlich wurde diese Frage sogar im Metropolitan Opera Quiz aufgeworfen). Die noch ungeschriebene Geschichte des Librettos könnte hier Klärung schaffen. Sie wäre zum Teil auch Literaturgeschichte. Umgekehrt konnte eine Dramaturgie wie die auf den Begriff der Verfremdung abgestellte Bertolt Brechts in Anmerkungen zu zwei »Opern«, nämlich der *Dreigroschenoper* und dem *Aufstieg und Fall der Stadt Mahagonny*, ihre reinste und unmißverständlichste Ausprägung finden.

Den von der Literatur herkommenden Betrachter künstlerischer Überschneidungen wird vor allem das Phänomen der *Doppelbegabung*, dessen Existenz Kurt Wais als einen Beweis für die ursprüngliche Einheit der Künste ansieht (*Symbiose der Künste*, S. 14ff.), interessieren, denn es erhebt sich in derartigen Fällen von künstlerischer Personal-Union die Frage, welchen Anteil bei abwechselnder Ausübung durch das gleiche Individuum die einzelnen Künste an ihrer gegenseitigen Entwicklung haben.[30] Welche Verbindungen bestehen also zwischen dem Bildhauer und dem Lyriker Michelangelo? Wie plastisch sind Ernst Barlachs Dramen, wie musikalisch E. T. A. Hoffmanns Novellen, und wie malerisch oder »graphisch« ist Kubins Roman *Die andere Seite?*

In der Bewertung dieses Phänomens widersprechen sich Kurt Wais und die Verfasser der *Theory of Literature*. Während nämlich Wellek und Warren qualitative Unterschiede im Charakter der bildnerischen und dichterischen Bemühungen Blakes, Thackerays und Rossettis zu sehen meinen – was ihnen als Beweis dafür dient, daß nicht nur die Ausdrucksmittel, sondern auch die Traditionen eine gegenseitige Befruchtung der Künste erschweren[31] – hält es Wais für »unbestreitbar, daß die Aquarelle Blakes, bei aller Abhängigkeit von der Schule Füsslis, einem ähnlichen, nein, einunddemselben Stilgesetz folgen wie seine traumhaften Gigantendichtungen« (S. 29) und daß die Zeichnungen Thackerays »in ihrer scheinheilig korrekten, spießigen Linienführung« dasselbe ausdrücken, was seine Dichtung gestaltet: »die Maske einer gottseligen Harmlosigkeit, von raubtierhaften Heuchlern vorgebunden« (ebd.). Als eine der Doppelbegabung nahestehende Art der sich auf mehrere künstlerische Bereiche erstreckenden Tätigkeit ist auch die kritische Auseinandersetzung eines Dichters mit einer von ihm selbst nicht ausgeübten Kunst zu verstehen: die *Salons* eines Diderot, Baudelaire und Zola, sowie die musikkritische Tätigkeit E. T. A. Hoffmanns und Robert Schumanns.

Genau wie die Mischformen sind auch die sogenannten Grenzformen der Literatur zur Musik und den bildenden Künsten hin für den mit der wechselseitigen Erhellung der Künste befaßten Forscher ein »gefundenes Fressen«. Als Lautgebilde tendiert das Wort ohnehin zur Tonkunst, als Bild- und Symbolträger zur Malerei. Diese der Sprache als Ausdrucksmittel innewohnenden Tendenzen sind in der Literatur zuweilen bewußt übertrieben und gegen die Bedeutung *(meaning)* ausgespielt worden. In der Lyrik kommt der Gehörsinn bei der onomatopoetischen Klang- und Lautmalerei zu seinem Recht. Wird dieser Aspekt der Sprache auf Kosten anderer Elemente überbetont, entstehen Gebilde wie Detlev von Liliencrons Gedicht *Die Musik kommt* oder die Impressionismen im *Phantasus*.

Verbindet sich in der lautmalerischen Lyrik das Sinnvolle mit dem Sinnlichen, so kommen Gedichte wie Verlaines *Art Poëtique* zustande, wo eine progressive Trennung von Klang und Sinn vollzogen wird. Den Rahmen bilden die programmatischen Verse »De la musique avant toute chose« und »Et tout le reste est littérature«. Beim Symbolismus Baudelaires, Mallarmés und Valérys hingegen begehrt der Sinn auf Umwegen – als subjektivierte Symbolik – wieder Einlaß. Noch radikaler als die poetischen Impressionisten gehen die expressionistischen und dadaistischen Urheber von Lautgedichten, ein Rudolf Blümner oder Hans Arp vor, deren syllabisch und rhythmisch geordnete Tonfolgen (*Anglo Laina* und *Elefantenkarawane*) als reiner Ausdruck oder reiner Unsinn auftreten.

Diese Gedichte existieren nicht auf dem Papier, sondern nur im musikalisch-rezitatorischen Vortrag.

Beim Studium struktureller Parallelen zwischen Dichtung und Musik muß man äußerste Vorsicht walten lassen. Wo Gedichte sich bewußt an musikalische Formen anlehnen, ist freilich zunächst ein *goodwill* beim Dichter anzunehmen. Dies gilt, wie Calvin S. Brown zeigt, von Thomas de Quinceys *Dream-Fugue*, aber auch von Paul Celans bekannter *Todesfuge*. Je umfangreicher und komplexer die konfrontierten Werke, desto diffiziler ist naturgemäß der Vergleich. Das beweisen die vielen unterschiedlichen Interpretationen, die T. S. Eliots Gedichtfolge *Four Quartets* erfahren hat. Unergiebig ist die Parallelenjagd zuweilen auch dann, wenn der Dichter selbst sie veranlaßt. Von seinem Roman *Der Steppenwolf* sagte Hermann Hesse, er sei »um das Intermezzo des Traktats herum so streng und straff gebaut wie eine Sonate und [greife] sein Thema reinlich an«. An diese Bemerkung knüpft Theodore Ziolkowski seine Interpretation des Werks als einer Prosa-Sonate.[32] Auch da, wo ein Roman – wie Heinrich Manns *Die kleine Stadt* – opernhafte Züge trägt und seine Handlungsträger zum Teil Opernsänger sind, kann die wechselseitige Erhellung der Künste leicht zu ihrer Verwirrung beitragen.

An Grenzformen zwischen Literatur und bildender Kunst herrscht besonders in der Lyrik kein Mangel. Dabei ist es im Grunde gleich, ob solche Dinggedichte wirklich bestehende oder nur vorgestellte Bilder oder Plastiken sprachlich nachvollziehen. Keats' *Ode to a Grecian Urn* verdient also die gleiche Beachtung wie Rilkes *Archaischer Torso Apollos* oder Gottfried Benns *Karyatide*. Daß Beschreibung nicht gleichzusetzen ist mit Nachahmung, wissen wir so gut wie Wellek und Warren, die monieren, daß »the term *sculpturesque* applied to poetry, even to that of Landor or Gautier or Heredia, is merely a vague metaphor, meaning that the poetry conveys an impression somehow similar to the effects of Greek sculpture« (*W/W*, S. 125). Bei Gautier und Heredia handelt es sich bekanntlich um *Parnassiens*, deren Ziel es war, ziselierte Lyrik zu schaffen. Besonders aufschlußreich scheint uns die Poetik der Imagisten, denen es darum ging, den Augenblick, in dem ein visueller Eindruck in den bildhaften Ausdruck umschlägt, festzuhalten. Ihr Metier war »the casting of images upon the visual imagination«, wobei sie hofften, es würde ihnen gelingen, die Grenze zwischen der Dichtung und den plastischen Künsten zu verwischen.[33] Pounds »haiku«-artiges Gedicht »In a Station of the Metro« ist ein lyrisches Manifest dieser Bewegung:

The apparition of these faces in the crowd;
Petals on a wet, black bough.

Auch die sogenannten Figurengedichte *(pattern poems)* sind bemerkenswerte Übergangserscheinungen. Ihre Tradition ist älter, als gewöhnlich angenommen wird und geht über die »metaphysische«

Praxis – in der Dylan Thomas seine Vorbilder fand – bis ins Mittelalter und Altertum zurück. Unter den neueren Dichtern hat sich vor allem Guillaume Apollinaire um diese pseudo-emblematische Kunst verdient gemacht, der Christian Morgenstern in »Fisches Nachtgesang« humoristische Seiten abgewann. Auch die modische konkrete Dichtung – aus dadaistischen Quellen gespeist und der expressionistischen Typographie nachgebildet – ist hier zuhause.

In das Kapitel über die literarische Nachahmung von in der bildenden Kunst gebräuchlichen oder experimentell verwendeten Mitteln gehört auch das Studium von Werken wie Katherine Mansfields Kurzgeschichte »Her First Ball«, wo der malerische Impressionismus sprachlich so nachvollzogen wird, daß Gedanken und Gefühle nur als ständig fluktuierende Eindrücke an unserem geistigen Auge vorüberziehen. Etwas ähnliches hat im größeren Rahmen Virginia Woolf in ihrem Roman *To the Lighthouse* unternommen, in dessen Handlung allerdings ein Künstlerschicksal erzählerisch eingebaut ist. Die Malerin Lily Briscoe macht es sich dort zur Aufgabe, der von ihr als Vorwurf gewählten Landschaft bei aller Exaktheit in der Wiedergabe der Impressionen Dauer zu verschaffen. Kunstgeschichtlich gesehen lautet die von ihr am Ende des Romans gefundene Lösung »Cézannes Überwindung des Impressionismus«.

Ohne das Thema zu erschöpfen, wollen wir abschließend noch auf zwei Phänomene hinweisen, für die der über die Literatur hinausgreifende Komparatist zuständig sein mag. Freilich verschließt sich das erste Objekt der objektiven wissenschaftlichen Beobachtung. Wir denken an das Problem der künstlerischen Inspiration, mit dem wir uns schon im dritten Kapitel im Zusammenhang mit Claudio Guillens Aufsatz beschäftigt haben. Dort war von musikalisch-rhythmischen Inspirationen beim Dichter die Rede. Ebenso aufschlußreich wäre aber die Untersuchung von literarischen »Einflüssen« auf die Musik. Man braucht dabei nicht einmal an ausgesprochene Tondichtungen wie Hector Berlioz' *Harold in Italien* (die sich als musikalische Paraphrasen literarischer Themen bezeichnen lassen) zu denken, sondern könnte sich Beethovens erinnern, bei dem der musikalische Einfall oft ein sprachliches Vorbild hatte, wie beim letzten Satz des Streichquartetts op. 135, dessen Thema sich aus der Frage »Muß es sein?« und der Antwort »Es muß sein« entwickelte.[34] Dies ist eine genaue Umkehrung der Situation, die Valéry in seiner Schilderung der Genese des *Cimetière Marin* beschreibt.

Der zweite Themenkreis stellt eine ungefähre Parallele zu der von Dyserinck in seinem *Arcadia*-Aufsatz über *image*- und *mirage*-Studien erwähnten Erscheinung dar. Dyserinck war der Meinung, derartige Studien seien literarisch (und daher in der vergleichenden Literaturwissenschaft vertretbar), wenn die Bilder und Mythen fremder Völker und Nationen in den zu untersuchenden Dichtungen ausdrücklich beschrieben seien. Bei Anwendung dieses Maßstabs auf die wechselseitige Erhellung der Künste stößt man auf Romane oder Dramen sowie epische oder lyrische Gedichte, die Fragen der Kunst und des Künstlertums behandeln, wie E. T. A. Hoffmanns *Kreisleriana*, Emile Zolas *L'Oeuvre*, Romain Rollands *Jean Christophe*, Thomas Manns *Doktor Faustus* und Max Frischs *Stiller*. Auch die Verwendung musikalischer Leitmotive – wie die Wiederkehr des Themas aus Vinteuils Violinsonate in Prousts *A la Recherche du temps perdu* – gehört in diese Klasse.

Wir wiederholen: Unser Kapitel über die wechselseitige Erhellung der Künste ist ein Exkurs in ein von der vergleichenden Literaturwissenschaft bisher nur zögernd betretenes Neuland, wo noch viel Unkraut zu jäten und viel Urwald zu roden ist, ehe der Acker bestellt und die Ernte eingebracht werden kann. Da aber der Wunsch der Vater des Gedankens ist und wir selbst hie und da mit der Rodung begonnen haben, geben wir der Hoffnung Ausdruck, daß die Verfasser künftiger Einführungen in die Materie diesem Spezialgebiet ein vollgültiges Kapitel widmen werden.

Neuntes Kapitel

# Bibliographische Fragen

Will man einen Überblick über die bibliographische Situation in der vergleichenden Literaturwissenschaft gewinnen, so tut man wohl daran, sich historisch zu orientieren, indem man die Vorstufen und die mehrere Generationen durchlaufende Entwicklung des noch immer unentbehrlichen Standardwerkes, der von Fernand Baldensperger und Werner Paul Friederich vorbereiteten und von Friederich herausgegebenen *Bibliography of Comparative Literature*, in Augenschein nimmt.[1] Dabei ist festzuhalten, daß die eigentliche Pionierarbeit von Louis-Paul Betz geleistet wurde, der 1896 in der *Revue de Philologie Française et de Littérature* eine »Essai de bibliographie des questions de littérature comparée« betitelte Zusammenstellung veröffentlichte, die etwa 3000 Einträge aufweist.[2]

Betz' Bibliographie ist in zehn Kapitel eingeteilt, in denen – nach Nationen geordnet – nicht nur die literarischen Wechselbeziehungen der neueren Literaturen (vom Mittelalter an), sondern im letzten Abschnitt auch die Wirkung der Literaturen des klassischen Altertums und des Orients auf die westlichen Nationalliteraturen berücksichtigt werden. Betz war also in dieser Hinsicht prophetischer als Van Tieghem, dessen Handbuch, der Praxis des Instituts für Vergleichende Literaturwissenschaft an der Sorbonne folgend, diese Ausweitung in die graue Theorie verweist. Auch die nicht auf komparatistische Beiträge beschränkte Aufzählung theoretischer Studien zur Literaturwissenschaft im ersten Kapitel bezeugt die Freizügigkeit des Schweizer Forschers.

Vom heutigen Standpunkt als methodologisch veraltet anzusehen sind allerdings die den linguistischen und philologischen Wechselbeziehungen gewidmeten Anhänge zu den einzelnen Kapiteln dieser Urfassung der *Bibliography of Comparative Literature*, in denen Betz Zugeständnisse an den Geist seiner Zeit macht. Bemerkenswert und auf die positivistische Ausrichtung der Forschung zu seinen Lebzeiten weist die dem Abschnitt über die deutsch-französischen Beziehungen im 18. und 19. Jahrhundert vorangestellte Bemerkung hin: »Cette bibliographie contient dans toutes ses parties aussi les *parallèles littéraires*« (S. 263, Unterstreichung vom Verfasser). Angenehm berührt die Tatsache, daß Betz im Gegensatz zu seinen Nachfolgern auf die einseitige Betonung der Rolle der Einfluß ausübenden Autoren (der *emitters*) verzichtet. So findet sich neben einem Abschnitt über Molière in Deutschland (III B 1) auch ein solcher über Goethe und die französische Literatur (III B 2), sowie eine Aufzählung der Studien »sur les influences qui ont agi sur l'œuvre de Dante« (VI A 5), die die Perspektive des *receiver* voraussetzt. Ergänzt wurden die Abschnitte über die französische, deutsche, englische, italienische, portugiesische und provenzalische Literatur in der Buchausgabe von 1900 durch Kapitel über die skandinavischen und slawischen Literaturen, zu denen sich in der erweiterten Neuauflage von 1904 auch das nordamerikanische und ungarische Schrifttum gesellte.

In Buchform erschien Betz' Kompilation im Jahre 1900 mit dem Titel *La Littérature comparée. Essai bibliographique* und einem Vorwort von Joseph Texte, dem Inhaber des komparatistischen Lehrstuhls an der Universität Lyon.[3] In diesem Stadium umfaßt sie über 4000 Beiträge, ist mit einem Personenregister versehen und unterscheidet sich auch darin von ihrem Vorgänger, daß innerhalb der einzelnen Kapitel das chronologische Anordnungsprinzip an die Stelle des alphabetischen getreten ist: »D'abord cette ›seconde‹ edition compte près de mille titres de plus que la première; puis j'y ai adopté, suivant le conseil de quelques confrères, le classement chronologique, au lieu de l'ordre alphabétique de la première redaction« (S. XI). Spuren dieser Umstellung finden sich in den ersten zwei Kapiteln des ersten Teils der *Bibliography of Comparative Literature*, in denen die vor 1900 erschienenen Titel chronologisch, die nach 1900 erschienenen aber alphabetisch nach Verfassern geordnet sind.

Die Wahl der französischen Sprache als Vehikel einer im deutschen Straßburg veröffentlichten und von einem in der deutschen Schweiz tätigen Gelehrten verfaßten komparatistischen Bibliographie begründet Betz mit dem schlichten Hinweis, daß die Vorveröffentlichung in einer französischen Zeitschrift erfolgt sei. Er wollte damit wohl einer chauvinistischen Auslegung seiner kosmopolitischen Absichten vorbauen:

> Les titres des chapitres, les notes, les indications, enfin tout ce qui n'est pas texte, est écrit en langue française. Je pourrais laisser entendre que l'emploi de cette langue est un hommage à la France – et il y aurait un grain de vérité. Mais la vraie vérité, comme toujours, est plus simple. Cette bibliographie n'est, en effet, qu'une seconde édition: elle a déjà paru, il y a deux ans, dans la *Revue de Philologie Française et de Littérature* (S. XI).

Neben Joseph Texte stattet Betz am Ende seiner kurzen Vorrede auch Arturo Farinelli und A. L. Jellinek, »homme de lettres à Vienne«, seinen Dank ab. Jellinek war damals mit den Vorarbeiten zu einer dem Betzschen Werk parallel laufenden Bibliographie beschäftigt, die noch vor dem frühen Tode des Zürcher Ordinarius im Druck erschien, und zwar zunächst *seriatim* im Max Kochs *Studien zur vergleichenden Litteraturgeschichte.*[4] 1903 erschien dann der erste – und einzige – Band einer periodisch gedachten *Bibliographie der vergleichenden Literaturgeschichte*, die die einschlägige Sekundärliteratur des Jahres 1902 umfaßt.[5]

Wie aus Jellineks kurzem Vorwort zu der nur neunzehn Seiten (281 Nummern) umfassenden Bibliographie hervorgeht, faßte ihr Autor sie als eine Vorarbeit zu dem schon von Goedeke geforderten »Lexikon der Stoffgeschichte« auf. Es ging ihm daher vor allem darum, »eine feste und einheitliche Nomenklatur für die einzelnen Stoffe, Motive, Formeln und Typen« (S. 1) zu finden. So verzeichnet auch das Kapitel »Stoffe und Motive« seiner Übersicht fast 200, d. h. also drei Viertel aller erfaßten Titel, denen nur siebzig Eintragungen zum Thema »Literarische Beziehungen und Wechselbeziehungen« allgemeiner und spezieller Art und achtzehn »allgemeine und theoretische« Studien gegenüberstehen. Die folkloristische Ausrichtung von Jellineks Bibliographie – in der an die »Reinhold Köhler-Boltesche Terminologie« angeknüpft wird – ist dafür verantwortlich, daß auf eine Unterscheidung von komparatistischen und nichtkomparatistischen Titeln im Hauptteil kein Wert gelegt wird, wodurch sie für die vergleichende Literaturwissenschaft unserer Tage mehr oder weniger irrelevant wird.

Kurz nach dem Tode von Louis-Paul Betz erschien beim gleichen Verlag eine fast zu doppeltem Umfang angeschwollene, von Fernand Baldensperger, dem Nachfolger Textes in Lyon, betreute und 5700 Titel katalogisierende Neuauflage von *La Littérature comparée*, die sich äußerlich dadurch von ihrem Vorbild unterscheidet, daß die Einträge laufend numeriert sind und die Benutzung durch einen *index méthodique*, der Namens- und Sachregister verbindet, erleichtert wird.[6] Im übrigen hatte sich der Herausgeber aus Pietät an seine Vorlage gehalten, und zwar selbst in bezug auf die philologisch-linguistischen Anhänge, deren Relevanz er bezweifelt:

Sur un point seulement, le présent répertoire a peu profité des quatre années qui le séparent de sa première publication: je veux parler des ›appendices‹ qui sont consacrés, à la suite des chapitres sur les rapports littéraires entre deux nations, aux »études linguistiques et philologiques«. L'état embryonnaire où ils sont restés est peut-être la meilleure condamnation de leur présence ici: il fallait, ou bien leur attribuer une importance réelle et ne pas les reléguer en post-scriptum, ou bien les laisser à la philologie, en retenant seulement les travaux consacrés à des questions telles que des limites de langues ou que des indices linguistiques de relations intellectuelles. Je n'ai cru pouvoir me permettre de prendre aucun de ces partis: je le pouvais d'autant moins que j'avais demandé jadis, dans un article de la *Revue critique*, la suppression pure et simple de ces appendices; si Betz les a laissés subsister, nul doute qu'il n'ait voulu leur attribuer, à tout le moins, la valeur d'une indication et d'une amorce (S. XII).

Wie Baldensperger im Anschluß an diese Bemerkung mitteilt, hatte Betz die von ihm in den *Studien zur vergleichenden Litteratur-*

*geschichte* veröffentlichte Bibliographie über das Christentum in der Literatur ursprünglich in erweiterter Form in die zweite Auflage seines Buchs aufnehmen wollen. Auch hier den Willen seines Vorgängers zu vollstrecken, hielt sein Lyoner Kollege aber für unangebracht: »Une pareille ambition avait de démesure, de périlleux et même d'illégitime« – wohl hauptsächlich deshalb, weil hier das Literarische mit dem Nichtliterarischen vemischt wird: »Car si la littérature comparée peut à bon droit se préoccuper de la destinée de livres religieux ... considérés comme des monuments littéraires, ne serait-ce pas la servir en indiscret ami que de lui attribuer un domaine dont les questions de dogme et de doctrine elles-mêmes feraient parti?« (S. XII) Hier denkt man an die auch von Van Tieghem getroffene Unterscheidung zwischen Literatur- und Problem- oder Ideengeschichte.

Baldensperger ersetzt das von Betz geplante Kapitel durch ein stoffgeschichtliches, »Motifs, thèmes et types littéraires d'origine religieuse, légendaire ou traditionnelle« benanntes Kapitel, und eines, das aus zwei Abschnitten (»De caractère religieux« und »De caractère profane«) besteht. Leider sind die in diesem Kapitel aufgeführten zweihundert Titel chronologisch angeordnet, was dem Prinzip stoffgeschichtlicher Einteilung widerspricht.

Daß Baldensperger Betz' Einteilungsschema und seine Auswahlprinzipien keineswegs kritiklos hinnahm, erhellt aus einer Bemerkung, die sich wörtlich auf die Vollständigkeit, dem Unterton nach aber auch auf die Organisation des Materials bezieht: »L'effort de nomenclature de Betz tendait peut-être moins à donner la liste complète des études consacrées à tel ou tel sujet ... qu'à manifester la variété même des sujets traités et la complexité des rapports intellectuelles qui rendent les civilisations occidentales si étroitement solidaires« (S. XIf.). Fast die gleiche Kritik übte fünfzig Jahre später René Wellek an der *Bibliography of Comparative Literature*.[7]

Die endgültige Redaktion des von Baldensperger angehäuften bibliographischen Materials ließ lange auf sich warten. In der Zwischenzeit war die Komparatistik bibliographisch auf die seit 1921 in der *Revue de littérature comparée* erscheinenden Zusammenstellungen angewiesen. Als Baldensperger 1940 seinen Lehrstuhl an der Harvard University aufgab, um sein Tätigkeitsfeld nach Kalifornien zu verlegen, vermachte er seinen 15000 Titel umfassenden Zettelkasten der Widener Library in Cambridge, Massachusetts. Fünf Jahre später – kurz vor seiner Rückkehr nach Europa – entschloß er sich dann, seine Sammlung von *fiches* mit W.P. Friederichs Kollektion zu vereinen. Friederich, schon damals an der Universität von North Carolina tätig, übernahm die Redaktion der inzwischen auf 33000 Einträge angewachsenen Bibliographie, behielt aber das von Baldensperger ausgearbeitete Einteilungsschema bei: »Dabei stellte sich sofort heraus, daß die nach Herrn Baldenspergers Gesichtspunkten vorgenommene Einteilung der einzelnen Bücher und Kapitel weitaus besser war als meine eigene, immer etwas unbefriedigende Einteilung; sie ist, wie jeder Leser erkennen kann, auch bedeutend besser als die von Betz vor fast fünfzig Jahren getroffene Anordnung« (*B/F*, S. XII).

Im Rahmen unserer Skizze über den Stand der bibliographischen Hilfswissenschaft unseres Fachs kann nur in groben Umrissen angedeutet werden, welche Schwierigkeiten sich für den Benutzer der *Bibliography of Comparative Literature* ergeben und wo dieses Werk der Verbesserung bedarf. In vielen Einzelheiten ist unsere Kritik von gelehrten Rezensenten vorausgenommen worden, und wir können uns ohne jeweilige Namensnennung auf deren Argumente *pro* und *con* berufen.[8] Dabei wollen wir im Auge behalten, daß das Komplexe und Ausgetüftelte im Bibliographischen deshalb von Übel ist, da die Nützlichkeit solcher Zusammenstellungen in dem Maße wächst, wie sich die Zeitspanne verkürzt, innerhalb derer man die gewünschten Informationen finden kann. Verästelte Bibliographien setzen versierte Leser – also Fachleute – voraus, die willens und imstande sind, ihre Feinheiten zu genießen. Munteano bemerkt dazu treffend: »En multipliant, si heureusement à notre sens, les rubriques, M. Baldensperger ... a multiplié du même coup les difficultés de classement«.[9]

Schon bei flüchtigem Durchblättern der *Bibliography of Comparative Literature* muß auffallen, daß sie kein Namen- oder Sachregister aufweist und der – sonst wohl verständliche – Verzicht auf durchlaufende Numerierung der Titel trotz der (spärlich genug) angebrachten Verweise von einem Kapitel zum anderen die Suche nach schwer klassifizierbaren Einträgen unnötig erschwert. Die Verfasser hätten sich sowohl Namen- als Sachregister nur dann sparen können, wenn sie darauf verzichtet hätten, ihre Bibliographie einseitig nach *emitters* zu orientieren. Will man z. B. die Einflüsse englischer Autoren auf einen bestimmten deutschen Dichter eruieren, so muß man an etwa zehn verschiedenen Stellen im achten Teil des vierten Buches (»English Contributions«) nachschlagen, da Byron, Carlyle, Defoe, Milton, Richardson, Scott, Shakespeare, Shelley und Sterne als Ausstrahlern je ein eigenes Kapitel zugestanden ist, außerdem aber auch Kapitel über »English Influences upon Germany« und »English Influences upon Individual Authors« vorhanden sind.

Erschwerend kommt hinzu, daß es Friederich nicht immer möglich war, auszumachen, ob in der von ihm zu registrierenden Sekundärliteratur ein Verfasser als *emitter* oder *receiver* fungiert. Der von ihm gewählte Ausweg aus diesem Dilemma ist nicht eben salomonisch:

Another problem which often defied accurate interpretation dealt with the possibility that two authors may merely have been compared and that no tracings of influences were intended. Articles with the title »Boccaccio and Cervantes« I placed under Boccaccio, unless they stated expressly that they were a mere comparison (in which case I filed them in the Fifth Part of Book One, dealing with Similarities and Contrasts). But how about two contemporaries – e. g., »Dickens and Balzac« or »Leopardi and Espronceda?« Unless I knew of actual influences, I was inclined to place such cards about two contemporaries also in the chapter on Comparisons, for I could not be too sure whether Leopardi had influenced Espronceda or Espronceda Leopardi. Here again it may pay to turn to the chapter on Comparisons if the reader does not find what he wants in Book Four (S. XVI).

Da Professor Friederich einerseits einer veralteten Methodologie huldigt, andererseits aber in stillschweigender Ablehnung der Dogmen Carrés die Territorialansprüche der vergleichenden Literaturwissenschaft erhöht, gibt es etliche Widersprüche innerhalb seiner Bibliographie. Die Komparatistik alten Stils überlebt z. B. in der starken Betonung der Stoffgeschichte, der 140 von insgesamt 700 Seiten zugestanden werden. Zudem folgt Friederich dem Beispiel von Jellinek und Betz-Baldensperger auch darin, daß er keinen Unterschied zwischen der Behandlung von Motiven und Themen auf nationaler und auf internationaler Ebene macht. So verzeichnet die *Bibliography of Comparative Literature* Studien über »Molière and Physicians«, »Liliencron and War«, »Wordsworth and Nature« und »Tolstoi and Divorce«. Wo bleibt hier der »vergleichende« Gesichtspunkt? Um nicht im Stofflichen zu versanden, sieht sich Friederich außerdem gezwungen, sich auf typische Beispiele zu beschränken: »I therefore restricted myself to only a few examples of such treatments which, I hope, will not be criticized as being either too much or too little« (S. XVII).

Friederichs konservative Auffassung der vergleichenden Literaturwissenschaft kommt auch in der Beibehaltung von philologisch ausgerichteten Kapiteln über »The English Language«, »The Italian Language« etc. zum Ausdruck. Wenn er entschuldigend feststellt: »At times it was also hard to keep away from Philology, as the various chapters on the Greek, Latin, French, German or English languages will prove, where I had to include language teachers and language boundaries, without, however, becoming involved in *ablautsreihen* or weak adjective endings« (S. XVII), widerspricht Friederich den schon 1904 von Baldensperger vertretenen und deutlich ausgesprochenen Ansichten. Auch die nur als Verlegenheitslösung zu wertende Einschaltung eines Kapitels über »Similarities and Contrasts« (I, 5, i) bedeutet einen Rückschritt, da sie die *littérature générale* hinterrücks in die *Bibliography of Comparative Literature* einschmuggelt.

Als progressiv im Sinne der von uns allerdings nur mit Einschränkung akzeptierten Begriffsbestimmung Henry H. H. Remaks erweist sich die Kompilation, indem sie je ein Kapitel über das Verhältnis von Literatur und Politik (I, 2) und die zwischen der Literatur und den »Arts and Sciences« bestehenden Beziehungen (I, 3) aufweist. Freilich umfassen diese beiden Kapitel zusammen nur knapp zwanzig Seiten. Daß es Friederich auch bei diesem Entschluß nicht ganz geheuer war, beweist die Anmerkung »Other borderline cases where I tried to find a happy middleground between too much and too little have to do with Literature and Politics . . . Literature and Science . . . and, above all, Literature and Philosophy . . . or Literature and Religion« (S. XVII).

Von den Einwänden gegen die *Bibliography of Comparative Literature* aus der Feder Munteanos, Skards, Troussons und Welleks seien der Vollständigkeit halber noch folgende erwähnt: 1. die Unhaltbarkeit der vom Herausgeber gemachten Unterscheidung zwischen Einzel- und Kollektiv-Motiven, Stoffen und Gattungen; 2. die mangelhafte Erfassung von Arbeiten zur Literaturtheorie und -kritik sowie zur Genreforschung; und 3. die dem Herausgeber selbst bewußten Lücken auf dem Gebiete der Slawistik – hier hätte Wellek, der auf S. XIII als Sachberater genannt wird, selbst Abhilfe schaffen können – und Orientalistik. Die Einfügung besonderer Kapitel über das Elsaß (I, 4, i) und die Schweiz (IV, 9), wo Rousseau und Madame de Staël behandelt sind, ist zwar beim Elsässer Baldensperger und beim Schweizer Friederich menschlich verständlich, aber vom Standpunkt einer wahrhaft kosmopolitischen Literaturwissenschaft abzulehnen. Wie sehr hier Parteilichkeit im Spiel ist, geht auch daraus hervor, daß der Herausgeber im Vorwort ausdrücklich betont, er habe »related countries under one heading« vereinigt.

Allen methodologischen Einwänden gegen die *Bibliography of Comparative Literature* zum Trotz, wird dieser Band noch lange als unentbehrliches Nachschlagewerk dienen. Wir müssen also lernen, mit ihm auszukommen. Mit der Gründung des *Yearbook of Comparative and General Literature* im Jahre 1952 schuf sich Friederich ein Organ, in dem die bibliographische Erfassung komparatistischer Arbeiten in jährlichen Nachträgen zur *Bibliography* fortgesetzt und auf dem laufenden gehalten werden konnte. Die Organisation der *Bibliography* wurde neun Jahre lang (solange Friederich als Herausgeber des *Yearbook* verantwortlich zeichnete) beibehalten, aber so, daß nicht jedes Jahr alle Kapitel derselben ergänzt wurden, sondern nur diejenigen, für die ausreichendes Material vorhanden war. Über die Verteilung der Nachträge gibt der achte Band des *Yearbook* (S. 87) Aufschluß.

Hatte schon im sechsten Band des Jahrbuches Hugh Chapman Jr., die Verantwortung für die Redaktion der bibliographischen Nachträge übernommen – ihm standen im achten Band W. B. Fleischmann und im neunten der Verfasser zur Seite – änderte sich das Bild durch die Übernahme der Redaktion des *Yearbook of Comparative and General Literature* durch ein Gremium von Professoren der

Indiana University im Jahre 1960 völlig. Man beschloß nämlich, das Einteilungsschema der Bibliographie zu ändern, und zwar mit dem Ziel einer wesentlichen Vereinfachung des Apparats und der Beschränkung auf die schöne Literatur *(belles lettres)*.

Bei der Umstellung wurden die dem Wechselverhältnis von Literatur und Politik, Religion und Wissenschaft gewidmeten Kapitel sowie die philologische Materie ausgemerzt und die Sonderstellung des Kapitels über die wechselseitige Erhellung der Künste beseitigt. Durch die alphabetische Anordnung der Titel im siebten und achten Kapitel (»Individual Countries« und »Individual Authors«) wurde das Auffinden von drei Viertel der Einträge erheblich erleichtert. Der gleichen Absicht dient der bewußte Verzicht auf die einseitige Ausrichtung nach Ausstrahlern und die Umstellung auf die schon von Marcel Bataillon geforderte »doppelte« Buchführung.[10] So braucht sich der Benutzer der Bibliographie keine Gedanken mehr darüber zu machen, ob im Einzelfall Dickens Balzac beeinflußt habe oder Balzac Dickens; denn die entsprechende Studie erscheint automatisch unter B(alzac) und D(ickens). Damit erübrigt sich auch das von vielen Kritikern der *Bibliography of Comparative Literature* geforderte Personenregister.[11] Der Vereinfachung durch Angleichung an die bibliographischen Gepflogenheiten anderer neuphilologischer Fachrichtungen dient ferner die Übernahme der in der jährlich erscheinenden *PMLA*-Bibliographie gebräuchlichen Siglen von ca. 1200 Fachzeitschriften.

Zu bedauern bleibt bei Anerkennung der von den Herausgebern des *Yearbook of Comparative and General Literature* geleisteten Arbeit die Tatsache, daß der Benutzer der Bibliographie mit zwei Systemen, die nicht miteinander vereinbar sind, zu rechnen hat. Eine Zusammenfassung der seit 1952 erschienenen Nachträge und ihre Einordnung in eine erweiterte *Bibliography of Comparative Literature*, wie Friederich sie ankündigt und Bataillon sie fordert[12], wäre wünschenswert, steht aber nicht zu erwarten.

Eine mittelbare Folge der Umgestaltung von Baldensperger-Friederichs Bibliographie in den *Yearbook*-Nachträgen war das Verschwinden zweier *seriatim* erscheinender kontinentaler Zusammenstellungen. War die vom Institut für vergleichende Literaturwissenschaft in Utrecht seit 1955 herausgegebene *Comparatistische Bibliografie* insofern von begrenztem Wert, als sie sich auf holländische, flämische und auf Afrikaans geschriebene Arbeiten beschränkte, so macht sich das Fehlen der in der *Revue de littérature comparée* vierteljährlich erscheinenden internationalen Bibliographie unangenehm bemerkbar. Zwar krankte auch diese Kompilation daran, daß sie auf den *emitter* ausgerichtet war und nicht unbedingt nur komparatistische Studien aufführte; doch stellte sie schon aufgrund ihres Umfangs ein wichtiges Hilfsmittel komparatistischer Forschung dar. Mit Hilfe der UNESCO wurden zudem seit 1950 je zwei Jahrgänge dieser Aufstellung in der *Bibliographie Générale de Littérature Comparée* zusammengefaßt, ohne daß man versucht hätte, die einzelnen Lieferungen zu integrieren.[13] Doch erleichtert das beigefügte Personen- und Sachregister die Benutzung dieser Bände.

Im Abschnitt »Pour une bibliographie« seines Pamphlets *Comparaison n'est pas raison* beklagt sich René Etiemble (S. 30) darüber, wie unzureichend die vorhandenen bibliographischen Hilfsquellen der von ihm projektierten und projizierten Komparatistik seien. Als unverbesserlicher Optimist fordert er eine wahrhaft internationale Zusammenarbeit auch auf diesem Gebiet als Voraussetzung dafür, daß eine analytische – wenn auch nicht die von ihm erträumte kritische – Bibliographie zustande komme.[14] Er möchte diese Bibliographie durch einen Zentralkatalog aller im Entstehen begriffenen einschlägigen Arbeiten in der Art der Berliner Sammelstelle für germanistische Dissertationen und der mehrere Jahre lang in *PMLA* veröffentlichten Liste »Research in Progress« ergänzt sehen.

Etiembles Vorschlag in allen Ehren. Eine praktisch durchführbare Lösung wäre – unserer Meinung nach – eine partielle Strukturveränderung der *PMLA*-Bibliographie, die ohnehin seit über einem Jahrzehnt das umfassendste Repertorium innerhalb der Literaturwissenschaft ist. Sie registriert schon heute jährlich 15000 bis 20000 Titel. Für den vergleichenden Literaturwissenschaftler ist die gegenwärtige Aufschlüsselung der Sachgebiete in diesem Werk allerdings durchaus nicht ideal. So erfolgen die numerischen Verweisungen von einem Abschnitt zum anderen nicht systematisch genug, um seine Neugier völlig zu befriedigen. Überdies ist der Abschnitt »General and Miscellaneous« so willkürlich unterteilt, daß man alle Titel durchlaufen muß, will man sicher gehen. Die Unterabteilung »Literature, General and Comparative« verzeichnete für das Jahr 1966 150 Beiträge, von denen nur zwanzig ausdrücklich als komparatistisch bezeichnet waren. Unter »General Literature« verstehen die Herausgeber anscheinend die *littérature générale* Van Tieghems. Sie huldigen also *impliciter* einer veralteten Auffassung der vergleichenden Literaturwissenschaft.

Kurz vor Abschluß des Manuskripts unserer *Einführung in die vergleichende Literaturwissenschaft* begann sich in der Tat die gewünschte Entwicklung auf dem Gebiet der komparatistischen Bibliographie anzubahnen. Wie Professor Harrison T. Meserole in einem bei der Bloomingtoner ACLA-Tagung verlesenen Referat ausführte, wird nämlich innerhalb der nächsten fünf bis zehn Jahre das künstliche Gehirn der Rechenmaschine *(computer)* die Arbeit leisten, die heute von menschlichen Gehirnen nur unvollkommen absolviert wird.[15] Es wird, dank dieser Mechanisierung und Automatisierung des umständlichen Prozesses, dann auch möglich sein, bibliographische Angaben jeder Art auf jede nur erdenkliche Weise zu registrieren und zusammenzustellen. In absehbarer Zeit wird es dem Literaturwissenschaftler also möglich sein, sich ohne Umschweife die Informationen zu verschaffen, die er bei seinem Studium – welcher Art auch immer – benötigt. Das bibliographische Schlaraffenland Etiembles ist also auf dem besten Wege, Wirklichkeit zu werden.

## Anmerkungen

### *Erstes Kapitel (S. 1)*

1 *Littérature comparée. Le mot et la chose*, in: *RLC* 1 (1921), S. 12.

2 Die Probleme, die sich bei der Einbeziehung der Mediävistik in die vergleichende Literaturwissenschaft ergeben, wurden von Jean Frappier in seinem lesenswerten Aufsatz *Littérature médiévale et littérature comparée. Problèmes de recherche et de méthode*, in: *Proceedings II*, Bd I, S. 25–35 behandelt. Siehe auch Horst Rüdigers programmatische Ausführungen im ersten Heft der Zeitschrift *Arcadia*.

3 Freilich sagt Guyard (S. 113): »La presse joue son rôle en insistant sur les défauts ou les qualités de tel pays, mais la tâche du comparatiste commence avec les transpositions littéraires qu'auront, en partie, suggérées les informations et la conduite des diplomates et des journalistes.«

4 *The Concept of Comparative Literature*, in: *YCGL* 2 (1953), S. 4.

5 »Il y avait là (en 1951), et il y a encore, de quoi séduire les jeunes chercheurs. Mais voici que d'autres perspectives, neuves ou rajeunies, s'offrent à eux aujourd'hui (1961): ici, on leur rouvre l'étude comparée des formes et des styles; ailleurs, on les engage à créer une sociologie de la littérature« (Guyard, S. 122).

6 *De F. T. Graindorge à A. O. Barnabooth. Les types américains dans le roman et le théâtre francais (1861–1917)*, Paris 1963. Siehe meine Rezension dieses Buches in der Zeitschrift *Arcadia* 2 (1967), S. 113–116.

7 Das Zitat ist dem Aufsatz *Comparative Literature. Its Definition and Function*, in: *S/F*, S. 3–37, entnommen.

8 *RLC* 1 (1921), S. 7.

9 Zum Verhältnis von Ibsen und George Sand bemerkt Van Tieghem (S. 136f.): »Ils ont puisé dans le même courant, mais ils n'ont pas de dette l'un envers l'autre: il n'y a pas eu influence. L'autre exemple est celui de Daudet, considéré ... comme un imitateur de Dickens. Or, il a constamment nié l'avoir lu. Si étrange que cela paraisse, il n'y a donc pas eu influence, mais courant commun.«

10 Sowohl Makoto Uedas Buch *Zeami, Basho, Yeats, Pound. A Study in Japanese and English Poetics* (besprochen von Earl Miner in *CL* 18 (1966), S. 176f.) als Amiya Kumar Devs Aufsatz *Catharsis and Rasa* (*YCGL* 15 (1966), S. 192–197), tendieren zur Ästhetik.

11 *Arcadia 1* (1966), S. 3f.

12 *Probleme der vergleichenden Literaturgeschichte*. Sitzungsberichte der Deutschen Akademie der Wissenschaften zu Berlin, Klasse für Philosophie, Geschichte, Staats-, Rechts- und Wirtschaftswissenschaften, Jahrgang 1963, N. 1, Berlin 1963.

13 *Weimarer Beiträge*, 1965, H. 2.

14 *The Science of Comparative Literature*, in: *The Contemporary Review* 79 (1901), S. 856.

15 Auf S. 7 seiner Darlegungen in der ersten Nummer von *RLC* teilt Baldensperger mit, Littré habe in seinem *Dictionnaire* Einwände gegen den Gebrauch

des Partizips *comparée* erhoben mit dem Hinweis: »Anatomie comparée se dit moins bien qu'anatomie comparative.«

16 Von der Zeitschrift *Comparative Literature* sagen die Herausgeber, sie sei als Forum »for those scholars and critics who are engaged in the study of literature from an international point of view« gedacht. »Its editors«, so heißt es weiter, »define comparative literature in the broadest possible manner, and accept articles dealing with the manifold interrelations of literatures, with the theory of literature, movements, genres, periods, and authors – from the earliest times to the present. *Comparative Literature* particularly welcomes longer studies on comprehensive topics and on problems of literary criticism.«

17 Guyard bemerkt in Bezug auf Stendhals Abhandlung über Racine und Shakespeare abschätzig: »C'est de la critique ou d'éloquence« (Guyard, S. 7), und Carré macht sich über die rhetorischen Übungen der Literaturkritiker lustig (ebd. S. 6).

18 *Die Literaturen der Welt in ihrer mündlichen und schriftlichen Überlieferung. Beiträge zu einer Gesamtdarstellung*, Zürich 1964, S. V.

19 Ebd. S. XIX

20 Siehe seinen Aufsatz *Y a-t-il une littérature suisse?*, in: *Essais de littérature comparée*, Bd I, Fribourg Editions Universitaires, 1964, S. 315–338.

21 So ist es verständlich, daß Professor R. K. Das Gupta, der Leiter der Abteilung für indische Sprachen an der Universität von Neu Delhi, sich *ex officio* Komparatist nennt.

22 Mit den möglichen Auswirkungen dieses Problems auf die vergleichende Literaturwissenschaft befaßt sich mein Aufsatz *Dialect as a Barrier to Translation*, in: *Monatshefte* 54 (1962), S. 233–243.

23 Siehe auch Van Tieghems Darstellung *La Synthèse en histoire littéraire. Littérature comparée et littérature générale*, in: *Revue de Synthèse historique* 31 (1921), S. 1–27.

24 Zum Verhältnis von Komparatistik und Problemgeschichte siehe Henri Roddiers Aufsatz *La Littérature comparée et l'histoire des idées*, in: *RLC* 27 (1953), S. 43–49.

25 Wir verweisen auf den bibliographischen Teil unserer Darstellung, wo die wichtigsten Beiträge zum historischen und systematischen Studium des Begriffs »Weltliteratur« angegeben sind.

26 Die nachfolgenden Zitate sind dem Anhang des Buches von Fritz Strich *Goethe und die Weltliteratur*, Bern [2]1957, S. 369–372, entnommen. Sie stammen alle aus den Jahren 1827 bis 1831.

27 Der Titel eines Abschnitts von Van Tieghems Buch (S. 23–28) lautet »Le cosmopolitisme romantique et les premiers essais de littérature comparée«. Das dritte Kapitel von Guyards Buch heißt »Agents du cosmopolitisme littéraire«, während Pichois-Rousseau diesem Phänomen keine besondere Aufmerksamkeit schenken.

28 Bemerkenswert sind J. Gillets Ausführungen zum Thema »Cosmopolitisme et littérature comparée« in: *Les Flandres dans les mouvements romantique et symboliste*, Paris 1958, S. 45–51.

29 Die entsprechenden Referate füllen einen Band der zweibändigen *Proceedings*. Besonders aufschlußreich ist der Vortrag von Kurt Wais *Le cosmopolitisme littéraire à travers les âges* (S. 17–28).

30 Pädagogisch wird dieser Komplex in dem von Haskell Block herausgegebenen Symposium *The Teaching of World Literature*, Chapel Hill, The University of North Carolina Press, 1960 behandelt.

31 *YCGL* 12 (1963), S. 5–14.

32 Chapel Hill, The University of North Carolina Press, 1954.

33 *YCGL* 12 (1963), S. 14. Brandt Corstius und Wellek (im ersten Band seiner *History of Modern Literary Criticism*) werfen Goethe vor, dem literarischen Weltbürgertum Vorschub geleistet zu haben.

34 Als beste Informationsquelle für dieses Projekt dient der den Teilnehmern am Belgrader Kongreß zugänglich gemachte zweisprachige *Rapport relatif au projet d'une histoire de la littérature européenne*, Budapest 1967. Mehrere Teilnehmer am Bloomingtoner Kongreß der ACLA äußerten sich – teils positiv, teils negativ – zu diesem Projekt.

35 Van Tieghem berührt dieses Thema nur flüchtig im Kapitel »Idées et sentiments«, an das sich das siebte Kapitel von Guyards *manuel* anschließt.

36 *Die Literaturen der Welt*, S. VII.

37 Robert Escarpit: *La Définition du terme »littérature«*, Bordeaux, Centre de Sociologie des faits littéraires, 1961.

38 Siehe die Ausführungen Anna Balakians über *Influence and Literary Fortune. The Equivocal Junction of Two Methods*, in: *YCGL* 11 (1962), S. 24–31, besonders S. 28.

39 Siehe R. L. Colies stark polemische Rezension von W. B. Fleischmanns Studie *Lucretius and English Literature 1680–1740* in *CL* 18 (1966), S. 177–179.

40 Empfehlenswert ist die Lektüre von Stith Thompsons Aufsatz *Literature for the Unlettered*, in: *S/F*, S. 171–188.

*Zweites Kapitel (S. 22)*

1 Besonders charakteristisch für Saint-Evremonds Haltung sind seine Abhandlungen *Sur les Anciens* und *Sur le Merveilleux*.

2 Johann Gottfried Herder: *Werke* in zwei Bänden, hrsg. von K. G. Gerold, München 1953, I, S. 839. In Herders »Einwurf gegen die Schätzung auswärtiger Nationen und das den Deutschen zugebilligte Lob« (ebd. II, S. 489ff.) heißt es: »Die Tendenz der Menschennatur fasset ein Universum in sich, dessen Aufschrift ist: ›Keiner für sich allein, jeder für alle; so seid ihr alle euch einander wert und glücklich‹. Eine unendliche Verschiedenheit, zu einer Einheit strebend, die in allen liegt, die alle fordert. Sie heißt (ich wills immer wiederholen) Verstand, Billigkeit, Güte, Gefühl der Menschheit.«

3 *Oeuvres complètes*, Paris 1820, Bd. 11, S. 145.

4 Ich zitiere aus der von Charpentier im Jahre 1887 veranstalteten Ausgabe.

5 *Cours de M. Philarète Chasles à l'Athénée*, in: *Revue de Paris*, 70 (1835), S. 243 und 258.

6 Einen ausführlichen Überblick über »The Comparative Study of Literature with Especial Reference to Anglo-French Relations and to French and English Critics« gibt Eric Partridge in seinem Buch *A Critical Medley*, Paris 1926, S. 159–226.

7 Näheres bei Baldensperger in *RLC* 1 (1921), S. 8f., wo auch auf den methodologischen Unterschied des Vergleichs in den Natur- und Geisteswissenschaften hingewiesen wird. Dort auch der Hinweis auf ein Zitat aus dem *Mercure de*

*France* vom Februar 1780: »Une étude comparée des écrivains dont s'honorent les nations qui ont une littérature est sans doute ce qu'il y a de plus propre à féconder et à multiplier les talents.«

8 Ich zitiere aus der dritten Auflage, Paris 1829, Bd 1, S. II.

9 In Bd 11 (1936) der Zeitschrift *Books Abroad* warfen mehrere amerikanische Gelehrte die Frage der Priorität auf. Samuel Putnam (S. 182) optierte für Villemain, woran Harold S. Jantz (S. 401f.) Anstoß nahm.

10 Der Aufsatz über Ampère findet sich in den *Nouveaux Lundis*, Paris 1884, S. 183–265. Daß Edgar Quinet schon 1838 einen komparatistischen Lehrstuhl in Lyon innegehabt hat, wie verschiedentlich behauptet wurde, ist unwahrscheinlich. Doch wurde L. Benloews uns nicht zugängliche *Introduction à l'histoire comparée des littératures* aus dem Jahre 1849 als Antrittsvorlesung an der Universität von Dijon gehalten. 

11 *Les Etudes de littérature comparée à l'étranger et en France*, in: *Revue internationale de l'Enseignement*, 25 (1893), S. 253–269. Dort wird Literatur, wohl im Anschluß an Posnett, als »l'expression d'un état social déterminé, tribu, clan ou nation, dont elle représente les traditions, le génie et les espérances« bezeichnet (S. 254f.).

12 *L'Histoire comparée des littératures*, in: *Etudes de Littérature europeénne*, Paris 1898, S. 1–23. Siehe H. P. Thiemes Ausführungen über Texte in *Modern Language Notes* 15 (1901), S. 396–403.

13 Betz, S. 13.

14 Paris, S. 461. Das Werk wurde 1906 ins Englische übertragen.

15 Die angeführten Fakten sind der kurzen Würdigung von Fritz Ernst in *YCGL* 1 (1953), S. 36–37 entnommen. Siehe auch Daniel Bodmers Aufsatz *Louis Paul Betz – Zürichs erster Komparatist*, in: *Forschungsprobleme* II, S. 155–172.

16 Einen Überblick über die Schweizer Komparatistik vermittelt François Jost in *Proceedings II*, Bd 1, S. 62–70.

17 Siehe die *Annales internationales d'Histoire. Congrès de Paris* 1900. 6e section: Histoire comparée des littératures, Paris 1901, S. 4, wo es heißt: »La 6e section, avant de se séparer, invite le secrétaire à étudier les moyens d'organiser une Société internationale d'histoire comparée des littératures, qui avait pour objet principal de faciliter les recherches que les étrangers ont souvent à poursuivre en France, ou les Français à l'étranger, pour l'éclaircissement des problèmes philologiques ou littéraires de cet ordre.«

18 Aus dem Resumee des Vortrags von Gaston Paris, ebd. S. 39–41.

19 *La Littérature européenne*, in: *Variétés littéraires*, Paris 1905, S. 4.

20 »La littérature européenne n'est qu'une province de la littérature comparée, et même, dans les limites où l'on se propose ici de la définir, une province assez étroite.« (Ebd. S. 4).

21 Zu Baldenspergers Leben und Lehre siehe die Ausführungen von W. P. Friederich in *YCGL* 1 (1952), S. 40–41, und Marcel Bataillon in *RLC* 32 (1958), S. 161ff. Die Geschichte und die Stellung der Komparatistik an der Sorbonne behandelt Jean-Marie Carré in *YCGL* 1 (1952), S. 46–48.

22 Über Carré siehe die Ausführungen von Charles Dédéyan in *YCGL* 5 (1956), S. 38–40 und Marcel Bataillon in *RLC* 32 (1958), S. 5ff.

22a Zur genetischen Methode siehe Henri Roddiers Referat *De l'emploi de la méthode génétique en littérature comparée*, in: *Proceedings II*, Bd I, S. 113–124.

23 Paris 1962. Die ersten beiden Register (von Boivin veröffentlicht) umfassen die Jahre 1921–1930 und 1931–1950.

24 *Germanistik* 4 (1963), S. 625–626.

25 Über Van Tieghem schrieben René Bray in *YCGL* 1 (1952), S. 39–40 und Baldensperger in *RLC* 22 (1948), S. 572ff.

26 Zu Hazard siehe Baldenspergers Hinweise in *YCGL* 2 (1953), S. 44–45 und den seinem Gedächtnis gewidmeten Bd 20 (1946) von *RLC*.

27 Die Entwicklung der Komparatistik in der französischen Provinz behandelt Robert Escarpit in *YCGL* 5 (1956), S. 8–12.

28 Genaue Angaben finden sich im bibliographischen Anhang unserer Übersicht.

29 Paris, Presses Universitaires de France, [3]1961.

30 Paris, Société d'Edition Les Belles Lettres, 1934.

31 *Sociologie de la littérature*, Paris, Presses Universitaires de France, 1958 in der Slg. »Que sais-je?«. Schückings *Soziologie der literarischen Geschmacksbildung* erschien zuerst im Jahre 1931. Die jetzt im Druck befindliche dritte, neu bearbeitete Auflage wurde 1961 als Dalp-Taschenbuch herausgebracht.

32 Eine erste Fassung findet sich in Bd 3 von Etiembles *Hygiène des lettres*, Paris 1958, S. 154–173. In englischer Übersetzung legte es die Michigan State University Press 1966 vor.

33 1682 wurde Morhofs *Unterricht von der teutschen Sprache und Poesie, deren Uhrsprung, Fortgang und Lehrsätzen. Wobei auch von der reymenden Poeterey der Ausländer ... gehandelt wird* in Kiel gedruckt. Zwischen 1688 und 1692 erschien in Lübeck sein berühmter *Polyhistor*.

34 A. W. Schlegel las 1808 über »Dramatische Kunst und Litteratur« und sein Bruder Friedrich vier Jahre später über die »Geschichte der alten und neuen Litteratur.« Wir ersparen es uns, hier auf Johann Elias Schlegel, Johann Jacob Bodmer, Breitinger und Lessings *Hamburgische Dramaturgie* einzugehen.

35 Aus der Einleitung (S. VI) des 1801 bei Römer in Göttingen verlegten Bandes.

36 *Charakteristiken*, 1. Reihe, Berlin 1902, S. 466, 468.

37 Berlin 1893.

38 *Opuscula*, Leipzig 1876, Bd 3, S. 2.

39 *Kleine Schriften*, S. 190f.

40 Ebd. S. 120. Der Nekrolog erschien ursprünglich in der *Deutschen Zeitung* vom 18. und 21. Februar 1874.

41 Ebd. S. 704. Aus dem *Anzeiger für deutsches Althertum und deutsche Litteratur*, 2 (1876), S. 322ff.

42 Leipzig [2] 1884 S. V.

43 Ebd. S. VI.

44 *Spätere Bearbeitungen plautinischer Lustspiele. Ein Beitrag zur vergleichenden Litteraturgeschichte*, Leipzig 1886, S. VI. Einen Katalog der erwähnten Art legte H. Ullrich im Jahre 1898 unter dem Titel *Robinson und Robinsonaden* vor.

45 Von der *Zeitschrift* erschienen zwischen 1887 und 1906 siebzehn Bände. Vom dritten Band ab zeichnete Ludwig Geiger als Mitherausgeber verantwortlich, während Band 15 und 16 von Wilhelm Wetz und J. Collin betreut wurden. Die *Studien* erschienen in sieben Bänden zwischen 1901 und 1907.

46 Worms 1890. Eine von Georg Geil stammende Rezension erschien im vierten Bande (S. 494ff.) der *Zeitschrift für vergleichende Litteraturgeschichte*.

47 Wetz, S. 8.

48 Ebd.

49 *Das litterarische Echo* 2 (1899), Sp. 1–5.

50 *Deutsche Rundschau* 104 (1900), S. 269–291.

51 *Weltlitteratur und Litteraturvergleichung*, in: *Archiv für das Studium der neueren Sprachen* 107 (1901), S. 33–47.

52 Meyers Buch *Die Weltliteratur im zwanzigsten Jahrhundert, vom deutschen Standpunkt aus betrachtet* erschien 1915 in Stuttgart. Siehe dazu die Besprechung Arturo Farinellis, enthalten in dessen *Aufsätze, Reden und Charakteristiken zur Weltliteratur*, Bonn–Leipzig 1925, S. 405–421.

53 *Litteraturvergleichung*, in: *Das litterarische Echo* 3 (1900/1901), Sp. 657–665. Abgedruckt in *Studien zur vergleichenden Litteraturgeschichte der neueren Zeit*, Frankfurt 1902, S. 1–15 und die Anm. auf S. 350.

54 *Litteratur und Universität*, in: *Das litterarische Echo* 3 (1900/1901), Sp. 807–810.

55 *Archiv für das Studium der neueren Sprachen* 107 (1901), S. 40 - 42, 44f.

56 München-Leipzig 1904.

57 *Nationale oder vergleichende Literaturgeschichte?*, in: *DVLG* 6 (1928), S. 39f.

58 *Zur Aufgabe der vergleichenden Litteraturgeschichte*, in: *Centralblatt für das deutsche Bibliothekswesen* 18 (1901), S. 10f.

59 Karl Vossler: *Nationalliteratur und Weltliteratur*, in: *Die Zeitwende* 4 (1928), S. 193–204; Viktor Klemperer: *Weltliteratur und europäische Literatur*, in: *Logos* 18 (1930), S. 362–418; E. W. Merian-Genast: *Voltaires »Essai sur la poésie épique« und die Entwicklung der Idee der Weltliteratur*, Leipzig 1926. Über die Bedeutung der komparatistischen Tätigkeit Erich Auerbachs und Ernst Robert Curtius' wird noch zu sprechen sein.

60 *DVLG* 6 (1928), S. 41f.

61 *GRM* 15 (1927), S. 305–317.

62 Ebd. S. 308.

63 Akademie der Wissenschaft und der Literatur in Mainz. Abhandlungen der Klasse der Literatur, Jahrgang 1950, N. 2, Wiesbaden 1950. Siehe besonders den vierten und fünften Abschnitt (S. 60–64).

64 *Comparative Literature in Germany*, in: *Comparative Literature Newsletter* I/4 (1945), S. 1f.

65 *Forschungsprobleme der vergleichenden Literaturgeschichte*, Tübingen, Bd I (1950), Bd II (1958).

66 *Vom Geiste vergleichender Literaturwissenschaft*, in: *Universitas* 2 (1947), S. 1301–1319.

67 Ebd. S. 1315. In eklatantem Widerspruch zu dieser Auffassung propagiert Hirth aber zugleich einen engstirnigen Faktualismus im Sinne Carrés (siehe S. 1305).

68 S. 1304. Daneben erwägt Hirth allerdings auch die Möglichkeit der Einbeziehung des Studiums der wechselseitigen Erhellung der Künste in die Komparatistik (S. 1307).

69 *GRM* N. F. 2 (1951/52), S. 116–131.

70 Ebd. S. 130. Was Höllerer im Sinn hat, zeigt sein Beitrag zum zweiten AILC/ICLA-Kongreß: *Deutsche Lyrik in der Mitte des zwanzigsten Jahrhunderts und einige Verbindungslinien zur französischen und englischen Lyrik*, in: *Proceedings II*, Bd II, S. 707–724.

71 *RLC* 27 (1953), S. 27–42. Siehe dazu Höllerers Ausführungen in der *Rivista di letterature italiane e comparate* 3 (1952), S. 285–299.

72 *RLC* 27 (1953), S. 28.

73 *Weltliteratur und Nationalliteratur im Mittelalter*, in: *Euphorion* 45 (1950), S. 131–139.

74 *Möglichkeiten und Grenzen der literarischen Begriffsbildung*, in: *Schweizer Monatshefte*

41 (1961), S. 806–810, und *Nationalliteraturen und europäische Literatur. Methoden und Ziele der vergleichenden Literaturwissenschaft*, ebd. 42 (1962), S. 195–211.

75 *Schweizer Monatshefte* 42 (1962), S. 201.

76 *Geschichte der Textüberlieferung der antiken und mittelalterlichen Literatur*, Bd. 1, Zürich 1961.

77 *RLC* 27 (1953), S. 42.

78 In gekürzter Form erschien das Referat auch in *La Littérature comparée et l'Europe orientale*, hrsg. von I. Söter, Budapest 1963.

79 So wird Posnett (S. 6) als amerikanischer Gelehrter bezeichnet und die Zeitschrift *Comparative Literature* als »Organ« W. P. Friederichs angesprochen.

80 *Weimarer Beiträge* 1965/2, S. 252–262. Das Zitat findet sich auf S. 255.

81 Veröffentlicht unter dem Titel *Aktuelle Probleme der vergleichenden Literaturforschung*, hrsg. von G. Ziegengeist, Berlin 1968.

82 Das Frühstadium der akademischen Phase der vergleichenden Literaturwissenschaft in Amerika hat Edna Hays in zwei Beiträgen zum *Comparative Literature Newsletter (Comparative Literature in American Universities*, II/1 (1943), S. 2–4 und *Comparative Literature in State Universities*, III (1944), S. 13–16) dargestellt. Allgemeine Übersichten über den gegenwärtigen Stand der Forschung gaben W. P. Friederich, F. Baldensperger, H. Levin und H. Peyre.

83 Ithaca, Cornell University Press, 1943, S. 73–75. Über Lane Cooper berichtet James Hutton in *YCGL* 5 (1956), S. 42–44.

84 *The Dial*, 1. August 1894, S. 57: *A Society of Comparative Literature*. Siehe auch Gayleys Bericht *English in the University of California* in der Nummer vom 16. Juli des gleichen Jahres.

85 *The Comparative Study of Literature*, in: *PMLA* 11 (1896), S. 151–170. Zur Geschichte der Harvarder Komparatistik siehe Urban T. Holmes' Aufsatz *Comparative Literature. Past and Future*, *American Colleges and Universities* in den von G. R. Coffman herausgegebenen *Studies in Language and Literature*, Chapel Hill, University of North Carolina Press, 1945, S. 62–73.

86 Über Babbitts Tätigkeit berichtet Austin Warren in *YCGL* 2 (1953), S. 45–48.

87 Eine Liste der bis 1960 erschienenen vierundzwanzig Bände findet sich in *YCGL* 9 (1960), S. 83f. Über Santayana als Komparatist schrieb N. P. Stallknecht in *YCGL* 15 (1966), S. 5–18.

88 Einen Abriß der Geschichte dieser Abteilung vermittelt Marjorie H. Nicholson im *Comparative Literature Newsletter*, I/4 (März 1943), S. 2f.

89 Woodberrys Ausführungen wurden im *YCGL* 11 (1962), S. 5–7, wiederabgedruckt.

90 Ebd. S. 7.

91 *American Association of University Professors* (AAUP) *Bulletin*, 31 (1945), S. 208–219. Das Zitat findet sich auf S. 208.

92 H. M. Jones und R. Thomas schrieben 1922 im *Longhorn Magazine* über *The Comparative Study of Literature*.

93 *The Comparative Study of Literature*, in: *University* [of Cincinnati] *Studies*, 2. Serie, VI/4 (1910), S. 3–26. Das Zitat auf S. 7f. Der 1910 gedruckte, aber erst am 15. Februar 1911 gehaltene Vortrag ist in *YCGL* 15 (1966), S. 50–62, im Wortlaut abgedruckt.

94 *Littérature comparée et Littérature générale aux Etats-Unis* im 6. Band der *Études Françaises*, Paris Société d'Edition Les Belles Lettres, S. 43–60.

95 Dies wird von Jones und Thomas im *Longhorn Magazine* (s. Anm. 92) berichtet.

Der Verfasser ist selbst wiederholt als Professor of Competitive (sic) Literature angesprochen worden.

96 Guérard äußerte sich zu diesem Thema im Vorwort zu seinem Buch *Preface to World Literature*, New York 1940 und im Aufsatz *Comparative Literature*, in: *YCGL* 7 (1958), S. 1–6.

97 *Essays in Memory of Barrett Wendell*, hrsg. von W. R. Castle Jr., und P. Kaufman, Cambridge, Mass., Harvard University Press, 1926, S. 21–40.

98 *Books Abroad* 10 (1936), S. 132–141, 401–403. Die Beiträge stammen von S. Putnam *(Comparative Literature: Can it Come Alive?)*, Chandler, Henry Smith *(Comparative Literature: Useful Tool in Skillful Hands)* und Harold S. Jantz.

99 Ein Lebensabriß Christys findet sich in *YCGL* 3 (1954), S. 62–65. Vergleiche damit die Laufbahn Philo Bucks, der in Indien aufwuchs und von 1935 bis zu seinem Tode die komparatistische Abteilung der Staatsuniversität von Wisconsin leitete. Siehe Hazel Albersons Würdigung in *YCGL* 5 (1956), S. 35–38.

100 Siehe *A Proposal for Organizing American Resources for the Study of Comparative Literature and Intellectual Relations* in Bd. 3, S. 43–47.

101 G. B. Parks: *Toward a Guide to Comparative Literature*, Bd 1, H. 3, S. 5.

102 Robert O'Neal: *Teachers' Guide to World Literature*, Champaign, Ill., National Council of Teachers of English, 1966.

103 Eine Würdigung Friederichs aus der Feder Oskar Seidlins findet sich in *YCGL* 9 (1960), S. 77–79.

104 Pädagogische Fragen zur Komparatistik werden berührt in Phyllis Bartletts Aufsatz *The Curriculum in Comparative Literature*, in: *Comparative Literature Newsletter* 4 (1946), S. 49–55, in Henry H. H. Remaks Beitrag zum »Symposium on the Teaching of Comparative Literature«, in: *Proceedings II*, Bd I, S. 222–229 und im Symposium »Graduate Study in Comparative Literature«, in: *CLS*, Special Advance Issue, S. 135–142.

105 1967 kam eine achte Gruppe (»Slavic-Western Literary Relations«) hinzu. Zur Vorgeschichte der Komparatistik innerhalb der Modern Language Association siehe W. P. Friederichs Beitrag *The First Ten Years of Our Comparative Literature Section in the MLA*, in: *YCGL* 6 (1957), S. 56–60.

106 Das Jahrbuch wurde von 1952 bis 1960 (Bd 1–9) von Professor Friederich an der Universität von North Carolina herausgegeben. Seit 1961 zeichnet ein Gremium von vergleichenden Literaturwissenschaftlern an der Indiana University dafür verantwortlich. Die jetzigen Herausgeber fühlen sich – wie ihre Darlegungen in Bd 10, S. VII, beweisen – nicht mehr an Friederichs Programm gebunden.

107 Die Tagungsberichte des ersten Treffens wurden in der schon erwähnten Special Advance Issue von *CLS* veröffentlicht, die des zweiten Treffens teils in *ACLAN* (I/2 [1965], S. 32–44) und teils in *CL* (17 [1965], S. 325–345), die des dritten Treffens in *YCGL* 17 (1968).

107a Carbondale, Southern Illinois University Press. Enthält Beiträge von H. H. H. Remak, E. D. Seeber, J. T. Shaw, H. Frenz *(The Art of Translation)*, L. Edel *(Literature and Psychology)*, N. P. Stallknecht *(Ideas and Literature)*, M. Gaither *(Literature and the Arts)*, S. Thompson, N. T. Pratt Jr., A. Rey und U. Weisstein.

108 *Comparative Literature in the United Kingdom*, in: *YCGL* 3 (1954), S. 1–12.

109 Hallams Studie erschien zwischen 1837 und 1839 in vier Bänden. Ich zitiere aus

der bei A. C. Armstrong in New York 1880 erschienenen zweibändigen vierten Auflage. Dort heißt es im »Preface to the First Edition« auf S. VII: »France has, I believe, no work of any sort, even an indifferent one, on the universal history of her own literature; nor can we claim for ourselves a single attempt of the most superficial kind.« Die im Text angeführte Stelle findet sich auf S. III.

110 Im dritten Band seiner *History of Criticism*, New York 1904 bemerkt George Saintsbury hierzu (S. 294): »For Hallam was our first master in English of the true comparative-historical study of literature – the study without which … all criticism is now unsatisfactory, and the special variety of criticism which has been cultivated for the last century most dangerously delusive«.

111 *Stand und Aufgaben der vergleichenden Literaturgeschichte in England*, in: *Forschungsberichte …*, hrsg. von Kurt Wais, Tübingen, Bd I (1950), S. 21.

112 *Works*, hrsg. von G. W. E. Russell, London, Bd 13 (1904), S. 11.

113 New York. Wie Max Koch im folgenden Jahr, setzte sich Posnett für die Schaffung komparatistischer Lehrstühle ein (S. VII) und glaubte später, ihm sei es zu verdanken, daß dies in Frankreich und den Vereinigten Staaten geschehen sei *(The Science of Comparative Literature*, in: *The Contemporary Review*, 79 [1901], S. 856).

114 Posnett beruft sich vor allem auf Maines *Ancient Law* und das in diesem Buch aufgestellte Prinzip eines »progress of society from status to contract« (ebd. S. 871).

115 Paris 1894, S. 15.

116 Die Formulierung stammt aus einem Aufsatz von G. Rees im *Modern Language Journal* 37 (1953), S. 4.

117 Siehe Saintsburys *A History of Criticism*, New York 1900–1904, Bd 3, S. 480. Dorothy Richardson schrieb über *Saintsbury – Early Advocate of Comparative Literature* im *Comparative Literature Newsletter*, 4 (1946), S. 32–35.

118 *History of Criticism*, Bd 3, S. 462.

119 Saintsbury selbst vollendete nur drei Bände dieser Reihe: *The Flourishing of Romance and the Rise of Allegory*, *The Earlier Renaissance* und *The Later Nineteenth Century*. Brandes' *Hovedstromninger i det 19de aarhundredes litteratur* war zwischen 1872 und 1890 in sechs Bänden in Kopenhagen erschienen. Es wurde sehr bald ins Deutsche, Englische und teilweise auch ins Französische übertragen.

120 Es heißt bei Posnett, *The Science of Comparative Literature*, S. 861: »I cannot help regretting that up to the present time no attempt has been made to produce an entire series of historical works treating all the great literatures of the world from the three standpoints of these leading principles.«

121 Lees Buch wurde von der Clarendon Press in Oxford 1910 verlegt, Loliées Buch im Original von Delagrave in Paris (1903). Es erschien 1906 in der Übersetzung von M. D. Powers unter dem Titel *A Short History of Comparative Literature* bei Holder & Stoughton in London. Die komparatistische Tradition der in England beheimateten Literaturgeschichte erstreckt sich von C. H. Herfords *Studies in the Literary Relations of England and Germany in the Sixteenth Century* (1886) über F. W. Stokoes *German Influence in the English Romantic Period 1788–1818* (1926) bis zu C. L. Waterhouses *The Literary Relations of England and Germany in the Seventeenth Century* (1941) und Eudo C. Masons *Deutsche und englische Romantik*, Göttingen 1959. Ihren Schwerpunkt bildet das Studium der englisch-deutschen Wechselbeziehungen.

122 *The Foible of Comparative Literature* erschien im Januar 1901 in *Blackwood's Edinburgh Magazine*, S. 38–48. Eric Partridge identifizierte den Verfasser in seinem Essay *The Comparative Study of Literature with Especial Reference to Anglo-French Relations and to French and English Critics*, in: *A Critical Medley: Essays, Studies, and Notes in English, French, and Comparative Literature*, Paris 1926, S. 159–226.

123 *Some Notes on the Comparative Study of Literature* erschien in der Zeitschrift *Modern Language Review* 1 (1905), S. 1–8. H. V. Rouths Aufsatz *The Future of Comparative Literature*, ebd. 7 (1913), S. 1–14, sei hier nur der Vollständigkeit halber erwähnt.

124 *Comparative Literature*, in: *Times Educational Supplement* vom 26. März 1965 und *YCGL* 15 (1966), S. 63–65. Daß sich in England eine neue Entwicklung anbahnt, beweist auch der Leitartikel *Not So Odious* im *Times Literary Supplement* vom 12. März 1964 (abgedruckt in *YCGL* 14 [1965], S. 72–73).

125 H. Gifford: *English in the University. The Use of Comparative Literature*, in: *Essays in Criticism* 12 (1962), S. 67–74.

126 Über das Studium der vergleichenden Literaturwissenschaft in Australien berichtet W. P. Friederich in *RLC* 30 (1956), S. 237–239. Neuerdings scheint sich an der Universität von Tasmanien durch die Initiative Professor Hans Tischs ein Zentrum für komparatistische Studien herauszubilden. Dort soll Van Tieghems *Répertoire chronologique* auf den neuesten Stand gebracht werden.

127 Sayce (S. 63) definiert »general literature« als »the study of literature without regard to linguistic frontiers« und »comparative literature« als »the study of national literatures in relation to each other.«

128 *Il Ponte* 2 (1946), S. 120–134. Das Zitat auf S. 127.

129 Erwähnt seien Werke wie Arturo Grafs *L'Anglomania e l'influsso inglese in Italia nel secolo XVIII*, Turin 1911 und Piero Reboras *Civiltà italiana e civiltà inglese*, Florenz 1936.

130 Hier seien nur Prazens Studie über den europäischen Dekadentismus (*La carne, la morte e il diavolo*), seine *Ricerche anglo-italiane*, Rom 1944 und sein Buch *The Flaming Heart* erwähnt. Prazens Schüler (so etwa sein Nachfolger auf dem römischen Lehrstuhl für Anglistik, Agostino d'Ambrosio) haben sich vielfach der Amerikanistik zugewandt.

131 Mailand 1948. Es heißt dort: »Saremmo lieti se questo volume giovasse allo studio, assai trascurato nelle nostre università, delle letterature comparate, e aiutasse, oltre che gli studiosi in genere, i professori dei licei, ai quali i programmi impongono di informare gli allievi sulle maggiori figure delle letterature straniere.«

132 Mailand 1951.

133 *Benedetto Croce et la littérature comparée en Italie*, in: *RLC* 27 (1953), S. 3.

134 Grafs Antrittsvorlesung erschien 1877 unter dem Titel *Storia letteraria e comparazione. Prolusione al corso di storia comparata delle letterature neolatine*. Zu Graf siehe Arturo Farinellis Essay in der Sammlung *Aufsätze, Reden und Charakteristiken zur Weltliteratur*, Bonn–Leipzig 1925, S. 293–321.

135 Bei Porta (S. 35) lesen wir: »Il De Sanctis stesso, pur così attento ai postulati filosofici e metodologici, non si preoccupò della teoria, per la nuova forma di critica letteraria, forse perchè implicita nel suo sistema estetico-sociologico, e considerata perciò naturale sviluppo dell'indagine sull'opera d'arte; e molto meno trattò la questione il Graf ... e quindi la successiva schiera dei cultori di studi comparati: cosicchè in Italia essa fu sempre intesa in termini assai

vaghi e considerata ... genere spurio o identificata con la tradizionale critica letteraria«.

136 Siehe René Welleks Hinweis auf S. 98 seiner *History of Modern Criticism*, Bd 4, New Haven, Yale University Press, 1966. Wellek umreißt das Lebenswerk von De Sanctis auf dreißig Seiten.

137 Zitiert bei Simone, S. 6, Anm. 5 und 6. Zum Begriff des *incomunicabile* vergleiche man Höllerers Ausführungen in *RLC* 27 (1953).

138 Croce über De Sanctis, zitiert bei Porta, S. 44.

139 In Bd I, S. 134, der *Saggi Critici*, hrsg. von Luigi Russo, Bari 1952 steht zu lesen: »Io odio la critica a paralleli«.

140 Zitiert bei Simone aus *Saggi critici*, Bd I, S. 83 und 262.

141 *Croce as a Comparatist*, in: *YCGL* 10 (1961), S. 63. Zum Widerspruch von Theorie und Praxis bei Croce siehe auch Portas Hinweis darauf, daß jener »troppo spesso prigioniero del proprio sistema« gewesen sei: »Quanto esso non può contenere la vivente molteplicità del reale e dell'ideale, egli ... lo supera nella prattica« (S. 40).

142 Zitiert bei Simone aus *La critica letteraria.*

143 Ebd.

144 *Briefwechsel Benedetto Croce-Karl Vossler*, Frankfurt 1955, S. 30.

145 *La Critica*, 1 (1903), S. 77–80.

146 Ebd. S. 78.

147 Rezension von Charles Riccis *Sophonisbe dans la tragédie classique italienne et francaise*, Turin 1904 in *La Critica* 2 (1904), S. 483–486.

148 Zitiert bei Bernardo Gicovate, *Conceptos fundamentales de literatura comparada*, San Juan, Puerto Rico 1962, S. 37.

149 »Croce ... argued that it is only philosophy, and not poetry, that can operate as an influence from one national culture to another. Poetry is essentially form, and form alone cannot influence culture. But the material of poetry, detached from its form, may operate as an influence; it is then no longer art but emotion or ideas.« Gian N. Orsini in *Benedetto Croce. Philosopher of Art and Literary Critic*, Carbondale, University of Southern Illinois Press, 1961, S. 195.

150 Zitiert bei Orsini in *YCGL* 10 (1961), S. 64, aus *Ariosto, Shakespeare e Corneille.*

151 Zitiert bei Orsini (*Benedetto Croce*, S. 189) aus den *Nuovi saggi di estetica.*

152 Zitiert bei Simone aus *Petrarca, Manzoni, Leopardi*, Turin 1925.

153 *Gli influssi letterari e l'insuperbire delle nazioni* in: *Mélanges Baldensperger*, Paris 1930, Bd I, S. 273.

154 Einen Lebens- und Schaffensabriß Orsinis gibt Haskell M. Block in *YCGL* 8 (1959), S. 40–42, während Pellegrinis Leistung von Auda Prucher in *YCGL* 7 (1958), S. 40–41 gewürdigt wird.

155 *Il Ponte* 2 (1946), S. 131.

156 Siehe vor allem das ausführliche Zitat aus *Il Bocconiano* (April 1950) auf S. 84 von Portas Darstellung. Diese ist übrigens, was die Fakten anbetrifft, recht unzuverlässig und als systematische Darstellung der Disziplin unzureichend.

157 *Quelques Remarques sur la littérature comparée*, in: *Lettere Italiane* 8 (1956), S. 3–8.

158 Aus *La Critica* 5 (1907), S. 466.

159 F. J. Billeskov Jansen schrieb einen kurzen Nachruf auf Krüger in *YCGL* 16 (1967), S. 174–175. Er wird ergänzt durch eine hektographierte, an Mitglieder der AILC/ICLA verteilte Würdigung aus der Feder Henning Fangers.

160 In dieser Reihe sind bisher zehn Bände erschienen, darunter je zwei Studien

von Cornelis de Deugd, J. Kammerbeek Jr. *(Tenants et Aboutissants de la Notion ›Couleur Locale‹* und *De poezie van J. C. Bloem in Europees perspectief)* und Mia I. Gerhardt.

161 Zur Geschichte und zum gegenwärtigen Stand der niederländischen Komparatistik siehe die Darlegungen von A. M. M. D. van Eupen (*The Growth of Comparative Literature in the Netherlands*, in: *YCGL* 4 (1955), S. 21–26) und A. van der Lee (*Zur Komparatistik im niederländischen Sprachraum*, in: Forschungsprobleme II, S. 173–177).

162 Siehe den Aufsatz von Walter Thys *A Glance at Comparative Literature in Belgium*, in: *YCGL* 9 (1960), S. 31–43. Theoretischer verfährt F. de Backer in der Abhandlung *Littérature comparée: Questions de méthode*, in: *Bulletin de l'Académie Royale de Belgique*, Classe des Lettres, 5e série, 45 (1959), S. 209ff.

163 Uns liegt die zweite Auflage (Lissabon 1914) vor. Der entsprechende Abschnitt umfaßt die Seiten 64–67. Ein Lebensabriß Figueiredos findet sich in *YCGL* 2 (1953), S. 49–51.

164 Das zweite Kapitel des in Lissabon (Edicão da Empresa Nacional de Publicidade) erschienenen Werkes heißt »Da critica comparativa« (S. 10–15). 1967 veröffentlichte der Brasilianer Massaud Moisés in Sao Paulo sein Buch *A Criacão Literária. Introducão a Problemática da Literatura.*

165 Guillen schrieb in Sao Paulo zwei wichtige Aufsätze zur Theorie der vergleichenden Literaturwissenschaft auf Spanisch: *Literatura como sistema*, in: *Filologia Romanza* 4 (1957), S. 1–29 und *Perspectivas de la literatura comparata*, in *Boletin informativo del Seminario de Derecho Politico* 8 (1962), S. 57–70. Gicovates Buch mit dem Untertitel *Iniciación de la Poesia modernista* haben wir schon erwähnt. Einen in der Barcelonaer Zeitschrift *La Vanguardia* erschienenen Artikel von Eugenio d'Ors vom 11. November 1949 *(Las Sorpresas de la literatura comparata)* konnten wir leider nicht ausfindig machen.

166 *CLS* 1 (1964), S. 41–45. Der Verfasser lehrt an der Universität von San Marcos in Lima (Peru).

167 Tschichewskijs *Outline of Comparative Slavic Literatures*, Boston, American Academy of Arts and Sciences, erschien 1952. Roman Jakobsons *The Kernel of Comparative Slavic Literature* wurde in den *Harvard Slavic Studies* 1 (1953), S. 1–72, veröffentlicht.

168 Gleb Struves Zusammenfassung der Ideen V. Kirpotins in *YCGL* 4 (1955), S. 7.

169 *La Littérature comparée en Europe Orientale*, Budapest 1963. Siehe besonders die Referate von J. Dolansky, T. Klaniczay und B. Köpeczi auf S. 101–132 und die anschließende Diskussion (S. 133–150). Zur kritischen Auswertung der beim Kongreß geleisteten Arbeit siehe die Rezension von Ralph E. Matlaw *(Comparative Literature in Eastern Europe)* in *YCGL* 13 (1964), S. 53–55, und David McCutchion *(Comparative Literature in Eastern Europe)* im *Jadavpur Journal of Comparative Literature*, Nr. 5 (1965), S. 88–100.

170 Budapest 1964.

171 Siehe die Würdigung des Lebenswerks des russischen Gelehrten durch Victor Erlich in *YCGL* 8 (1959), S. 33–36. Die Petersburger Antrittsvorlesung Wesselowskys wurde in der englischen Übersetzung Harry Webers in *YCGL* 16 (1967), S. 33–43, veröffentlicht.

172 *Probleme der vergleichenden Literaturgeschichte*, S. 13.

173 *Comparative Literature in the Soviet Union, Today and Yesterday*, in: *YCGL* 4 (1955), S. 1–20; *Comparative Literature in the Soviet Union. Two Postscripts*, in:

*YCGL* 6 (1957), S. 7–10; *More About Comparative Literature Studies in the Soviet Union*, in: *YCGL* 8 (1959), S. 13–18.

174 Die neueste Entwicklung behandeln Robert Triomphe, *L'U.R.S.S. et la Littérature comparée* in: *RLC* 34 (1960), S. 304–310, und Ralph Matlaw in *YCGL* 13 (1964), S. 49–53.

175 Zur Situation in Jugoslawien siehe besonders den Aufsatz von Mirko Deanovic, *La Littérature comparée et les pays slaves*, in: *Proceedings II*, Bd I, S. 70–79. Weniger aufschlußreich sind die Darlegungen Z. L. Zaleskis *(La Littérature comparée en Pologne)* und B. Munteanos *(La Littérature comparée chez les Roumains)* in *YCGL* 2 (1953), S. 14–19 und S. 19–27. Über die vergleichende Literaturwissenschaft in Polen äußerte sich Mieczeslaw Brahmer in einem uns unzugänglichen Aufsatz im *Bulletin de l'Académie Polonaise*, Paris 1953.

176 Zur Geschichte der vergleichenden Literaturwissenschaft in Ungarn äußert sich G. M. Vajda in seinem *Essai d'une histoire de la littérature comparée en Hongrie*, in: *Littérature hongroise, littérature européenne*, S. 525–588.

177 Eine historisch-kritische Darstellung von Meltzls Unternehmen gibt Vajda in *YCGL* 14 (1965), S. 37–45.

178 *Comparative Literature in Japan*, in: *Jadavpur Journal of Comparative Literature*, N. 3 (1963), S. 1–10. Das Zitat findet sich auf S. 2.

179 In diesem Zusammenhang verweisen wir auf einen Aufsatz von Joseph K. Yamagiwa *(Comparative, General, and World Literature in Japan)* in: *YCGL* 2 (1953), S. 28–39. Zur statistischen Methode vergleiche Saburo Ota, *The Statistical Method of Investigation in Comparative Literature*, in: *Proceedings II*, Bd I, S. 88–97.

180 Ota in *Jadavpur Journal* ..., S. 3.

181 Buddhadeva Bose, *Comparative Literature in India*, in: *YCGL* 8 (1959), S. 1–10.

182 Siehe besonders Mohamed G. Hilal, *Les Etudes de littérature comparée dans la République Arabe Unie*, in: *YCGL* 8 (1959), S. 10–13, und Gilbert Tutungis Rezension von Hilals Einführung in die vergleichende Literaturwissenschaft, ebd. 13 (1964), S. 64–67.

## *Drittes Kapitel (S. 88)*

1 *The Problem of Influence in Literary History: Notes Towards a Definition*, in: *American Journal of Aesthetics and Art Criticism* 14 (1955), S. 67.

2 Anna Balakian, *Influence and Literary Fortune: The Equivocal Junction of Two Methods*, in: *YCGL* 11 (1962), S. 24–31; Haskell Block, *The Concept of Influence in Comparative Literature*, in: *YCGL* 7 (1958), S. 30–37; Claudio Guillen, *The Aesthetics of Influence Studies in Comparative Literature*, in: *Proceedings II*, Bd I, S. 175–193; J. T. Shaw, *Literary Indebtedness and Comparative Literature*, in: *S/F*, S. 58–71.

3 *The Concept of Influence in Comparative Literature*, in: *CLS*, Special Advance Issue, S. 143–152.

4 *W/W*, S. 271. Vergleiche damit Shaws Diktum: »The original author is not necessarily the innovator or the most inventive but rather the one who succeeds in making all his own«, *S/F*, S. 60.

5 Eines der zwei beim vierten AILC/ICLA-Kongreß behandelten Hauptthemen lautete ›Definition and Illustration of Literary Terms Related to the Notions

of Imitation, Originality and Influence‹. Es wird ein für allemal auf den zweiten Band der Tagungsberichte (*Proceedings IV*, Bd II) verwiesen.

6 Es handelt sich dabei um das Gedicht *A Lyric*, in dem Eliot den Stil Ben Jonsons nachahmt. Siehe Germers Buch *T. S. Eliots Anfänge als Lyriker (1905–1915)*, erschienen bei Winter in Heidelberg, 1966, S. 26.

7 Zur Begriffsbestimmung der verschiedenen Unterarten der literarischen Parodie siehe meinen Aufsatz *Parody, Travesty, and Burlesque. Imitations with a Vengeance*, in: *Proceedings IV*, Bd II, S. 802–811.

8 Vergleiche damit Shaws Behauptung (*S/F*, S. 66): »Literary influence appears to be most frequent and most fruitful at the times of emergence of national literatures and of radical change of direction of a particular literary tradition in a given literature«.

9 Siehe zu diesem Punkt die Rezension von Guyards Buch von David H. Malone in *YCGL* 2 (1953), S. 60–62.

10 Stuttgart 1962.

11 *Sociologie de la littérature*, Paris, Presses Universitaires de France, [2]1960. Zu beachten ist ferner Escarpits Aufsatz *›Creative Treason‹ as a Key to Literature*, in: *YCGL* 10 (1961), S. 16–21.

12 *Literatura como sistema. Sobre fuentes, influencias, y valores literarios*, in: *Filologia Romanza* 4 (1957), S. 11, Anm. 2.

13 Für Guillen stellt der Einfluß, wie ihn die »alte« Komparatistik versteht, eine Art Quelle im Rückblick dar: »El comparatismo tradicional ... da por entendido que solamente una cuestión de perspectiva diferencia el estudio de fuentes del de influencias. Una fuente sería una influencia vista al revés, es decir, en la dirección que lleva del factor receptor al factor emisor« (ebd. S. 8f.). Seine Bemühungen zielen darauf ab, diese Auffassung zu widerlegen.

14 Zitiert ebd. S. 10.

15 Zürich 1955, S. 9f.

16 Der Aufsatz erschien in drei Teilen in der *Sewanee Review*, wurde dann in viele Anthologien aufgenommen und findet sich in leichter Überarbeitung in Franks Essayband *The Widening Gyre*, New Brunswick, N. J. Rutgers University Press, 1965.

17 Zitiert von Guillen in *Perspectivas de la Literatura Comparada*, S. 65.

18 In ihrem Aufsatz *Influence and Literary Fortune: The Equivocal Junction of Two Methods* spielt Anna Balakian auf das Thema »Freud und der Surrealismus« an und stellt fest: »As for the so-called influence of Freud, it is more ›reception‹ and ›mutation‹ than true influence. ... The intentions of the Surrealists were entirely different from those of Freud. The aberrations of the mind, deemed pathological by Freud, were sought out by the Surrealists as manifestations of intellectual caliber and flexibility, which could enrich the domain of art« (*YCGL* 11 [1962], S. 28).

## *Viertes Kapitel (S. 103)*

1 »Mit der Darstellung von *Einflüssen* scheint es nun freilich nicht mehr getan. Wenn wir statt dessen den Ausdruck *Wirkung* gebrauchen, so gießen wir nicht einfach neuen Wein in alte Schläuche, sondern meinen etwas prinzipiell anderes. Wirkungen gehen von Kräften aus – von *lebendigen* Kräften, denen

die Fähigkeit eigen ist, eine Verwandlung hervorzurufen«, *Schweizer Monatshefte* 42 (1962), S. 306.

2 Frenzel, S. 47.

3 Siehe meinen Aufsatz *Heinrich Mann, Montaigne and Henri Quatre*, in: *RLC* 35 (1961), S. 71–83.

4 *Kafka's Sources for ›The Metamorphosis‹*, in: *CL* 11 (1959), S. 289–307.

5 *Tagebücher*, New York 1948, S. 311.

6 »Li uomini poi ch 'ntorno erano sparti / s'accolsero a quel luogo ... e per colei che 'l luogo prima elesse, / Mantua l'appelar sanz'altra sorte. ... Però t'assenno che se tu mai odi / originar la mia terra altrimenti, / la verità nulla menzogna frodi«, *Inferno* XX, 88–99.

7 René Etiemble hat sich über ein Jahrzehnt lang mit der Darstellung des Rimbaud-Mythos befaßt, gibt aber zu verstehen: »Je ne prétendrai jamais que mes thèses sur le *Mythe de Rimbaud* représentent l'idéal de notre discipline. Essais de sociologie, voire de sociologie religieuse, elles ne touchent que rarement à la *littérature comparée*« (Etiemble, S. 81).

8 *Anfänge Heinrich Manns. Zu den Grundlagen seines Gesamtwerks*, Stuttgart 1965, S. 147.

9 So übersetzt Hölderlin den Vers 569 der Vorlage ἀρώσιμοι γάρ χατέρων εἰσίν γύαι. mit den Worten »Von anderen gefallen auch die Weiber«, während Brecht – wohl unter Heranziehung einer wörtlicheren Übertragung – schreibt: »'s gibt mehr als einen Acker, wo man pflügen kann« (Vers 531).

10 Vgl. dazu meinen Aufsatz *Heinrich Mann und Gustave Flaubert. Ein Kapitel in der Geschichte der literarischen Wechselbeziehungen zwischen Frankreich und Deutschland*, in: *Euphorion* 57 (1963), S. 132–155.

11 *GRM* N. F. 14 (1964), S. 292–302.

12 Als Beispiel der Unübersetzbarkeit des *Ulysses* sei die Buchstabenfolge A E I O U erwähnt, die Georg Goyert wörtlich wiedergibt, ohne zu ahnen, daß Joyce mit der Bedeutung »A. E. (Pseudonym eines englischen Dichters), I owe you« spielt.

13 Aus einer von der Sixties Press in Madison, Minnesota, 1961 veröffentlichten Auswahl Traklscher Gedichte in englischer Fassung.

14 Levin L. Schücking bezieht sich auf dieses Motto in seiner *Soziologie der literarischen Geschmacksbildung*, Bern, [3]1961, S. 95.

15 Wir verweisen auf ein in der *Zeit* erschienenes Interview mit Frisch (26. 12. 1967, S. 10), in dem eine diesbezügliche Bemerkung Dieter E. Zimmers unwidersprochen bleibt.

16 *The Blue Angel*, übersetzt von Wirt Williams, New York 1959. Siehe meine Rezension in *YCGL* 9 (1960), S. 122–125.

17 »Il n'est pas indifférent, pour tout dire, que la littérature soit – entre autres choses, mais d'une manière incontestable – la branche ›production‹ de l'industrie du livre comme la lecture en est la branche ›consommation‹« (Escarpit, S. 7).

18 New York Columbia University Press, 1947. Der entsprechende Hinweis findet sich auf S. 37–39.

19 Siehe meinen Aufsatz *Brecht in America. A Preliminary Survey*, in: *Modern Language Notes* 78 (1963), S. 373–396.

20 *German Criticism of Zola 1875–1893*, New York, Columbia University Press, 1931 und *French Realism. The Critical Reaction 1830–1870*, New York 1937.

21 Frankfurt 1956, S. 76.

22 *Franz Kafka Today*, hrsg. von Angel Flores und Homer Swander, Madison, Wis. University of Wisconsin Press, 1962, S. 113.

23 Vgl. Anm. 6 zum ersten Kapitel.

24 Die angeführten Stellen finden sich auf S. 469 und 301 des Bandes.

25 *Zum Problem der ›images‹ und ›mirages‹ und ihrer Untersuchung im Rahmen der vergleichenden Literaturwissenschaft*, in: *Arcadia 1* (1966), S. 107–120.

*Fünftes Kapitel (S. 118)*

1 *Periods and Movements in Literary History*, in: *English Institute Annual for 1940*, New York, Columbia University Press, 1941, S. 77.

2 In seinem Buch *Zur Theorie und Geschichte der Historiographie* (deutsche Ausg. 1915) setzt Croce den Wert der Periodisierung gleich Null. Wie H. P. H. Teesing in seiner Studie *Das Problem der Perioden in der Literaturgeschichte*, Groningen 1948 bemerkt, ist aber auch die Einmaligkeit eine historische Kategorie (S. 23).

3 *Prinzipien der wissenschaftlichen Periodenbildung. Mit besonderer Rücksicht auf die Literaturgeschichte*, in: *Euphorion* 8 (1901), S. 1.

4 Siehe dazu Herbert Cysarz' Essay *Das Periodenprinzip in der Literaturwissenschaft* in dem von Emil Ermatinger herausgegebenen Sammelband *Philosophie der Literaturwissenschaft*, Berlin 1930, S. 93.

5 Man vergleiche die biblische Allegorie mit der Figur des Alten von Kreta, wie sie Dante im XIV. Gesang des *Inferno* beschreibt.

6 Benno von Wiese: *Zur Kritik des geistesgeschichtlichen Epochebegriffs*, in: *DVLG* 11 (1933), S. 130–144. In der deutschen Literaturgeschichtsschreibung werden die Begriffe *Periode* und *Epoche* vielfach synonym verwendet, so noch kürzlich von Jost Hermand in seinem Beitrag *Über Nutzen und Nachteil literarischer Epochenbegriffe*, in: *Monatshefte* 58 (1966), S. 289–309.

7 *W/W* S. 89.

8 Siehe Miners Referat *Japanese and Western Images of Courtly Love*, in: *YCGL* 15 (1966), S. 174–179.

9 *Europäische Literatur und lateinisches Mittelalter*, Bern [2]1954, S. 256–259.

10 Den Begriff der Moderne sucht Fritz Martini in seinem Beitrag zum *Reallexikon der deutschen Literaturgeschichte*, [2]II (1965), S. 391–415, zu bestimmen.

11 Teesing, S. 111. Vergleiche den im übrigen nicht sehr beachtenswerten Vortrag Fernand Baldenspergers *The Decreasing Length of Some Literary Periods*, in: *Bulletin of the International Committee of Historical Science*, Bd IX, T. 3, Paris – Washington 1937, S. 307–313.

12 Als Materialsammlung aufschlußreich ist Paul Pörtners *Literatur-Revolution 1910–1925*, Neuwied 1960, 2 Bde.

13 *Die Generation als Jugendreihe und ihr Kampf um die Denkform*, Leipzig 1930, S. 19.

14 *Renaissance and Renascences*, in: *Kenyon Review* 6 (1944), S. 201–236.

15 New York 1953.

16 New York 1955 (Bd II: *Italian, French, Spanish, German and Russian Literature since* 1300); Paris 1949; Stuttgart [10]1960.

17 Teesing in seinem Beitrag zum Problem der literarhistorischen Periodisierung im *Reallexikon der deutschen Literaturgeschichte*, III [2]1966, S. 74–80.

18 Curtius empfiehlt den Gebrauch des Begriffs *Manierismus* im Sinne eines Idealtypus: »Zu diesem Zweck müssen wir das Wort freilich aller kunstgeschichtlichen Gehalte entleeren und seine Bedeutung so erweitern, daß es

nur noch den Generalnenner für alle literarischen Tendenzen bezeichnet, die der Klassik entgegengesetzt sind, mögen sie vorklassisch oder nachklassisch oder mit irgendeiner Klassik gleichzeitig sein« (*Europäische Literatur*, S. 277). Hockes Monographie *Die Welt als Labyrinth. Manier und Manie in der europäischen Kunst* erschien 1957. Ihr folgte *Manierismus in der Literatur.*

19 *Die literarische Formenwelt des Biedermeiers* Gießen 1958.

20 *The Victorian Age of German Literature*, University Park, Pa., Pennsylvania State University Press, 1966, S. 5.

21 Mit diesem Thema befaßten sich die Teilnehmer an einem Symposium, das im Rahmen der Tagung der American Comparative Literature Association Ende April 1968 in Bloomington, Indiana stattfand. Die Texte der bei dieser Gelegenheit verlesenen Referate sind im 17. Band (1968) von *YCGL* abgedruckt.

22 Paul Van Tieghem (Hrsg.): *Répertoire chronologique des littératures modernes*, Paris 1935; Adolf Spemann: *Vergleichende Zeittafel der Weltliteratur*, Stuttgart 1951; *Dizionario letterario Bompiani*, Bd IX, Mailand 1950. Van Tieghems *Répertoire*, das den Zeitraum von 1455 bis 1900 umfaßt, soll, wie schon erwähnt, unter dem Patronat der AILC/ICLA von einem Team australischer Gelehrter auf den neuesten Stand gebracht werden.

23 *American Literature in Germany 1861–1872*, Chapel Hill, University of North Carolina Press, 1964.

24 H. Hewett-Thayer: *American Literature as Viewed in Germany*, 1818–1861, Chapel Hill, University of North Carolina Press, 1958 und Clement Vollmer: *The American Novel in Germany, 1871–1913*, in : *German-American Annals*, 1917.

25 *Das Problem der Generation in der Kunstgeschichte Europas*, Köln [4]1949. Das Buch erschien 1928 in erster Auflage.

26 Teesing im *Reallexikon*, S. 77

27 Petersen in *Die Wissenschaft von der Dichtung* (Berlin [2]1944), S. 577.

28 *Four Stages of Renaissance Style. Transformations in Art and Literature 1400–1700*, New York 1955, S. 18. Vgl. auch ebd. S. 200.

28a Teesing behandelt dieses Problem in seiner Abhandlung *Die Magie der Zahlen. Das Generationsprinzip in der vergleichenden Literaturgeschichte*, in: *Miscellanea Litteraria*, hrsg. von H. Sparnaay und W. A. P. Smit, Groningen 1959, S. 147–173.

29 *Les Générations littéraires*, Paris 1948.

30 Aus dem Vorwort zu Brunetières *Manuel de l'histoire de la littérature française* (1898).

31 New Haven, Yale University Press, 1963 (Deutsche Ausg. unter dem Titel *Grundbegriffe der Literaturkritik*, Stuttgart 1965). Der Band enthält Essays über das Barock, die Romantik und den Realismus.

32 Anna Balakian: *The Symbolist Movement. A Critical Appraisal*, New York 1967. Als Dokumentensammlung ist das von George J. Becker herausgegeben Buch *Documents of Modern Literary Realism*, Princeton University Press, 1963 empfehlenswert. Eine bibliographische Übersicht über *The Present State of Studies on Literary Surrealism* gab Jacques Hardré in *YCGL* 9 (1960), S. 43–66. Eine Reihe von Monographien zur europäischen Literaturgeschichte wird vom Verfasser beim Verlag Pegasus, Inc., in New York herausgegeben.

33 Siehe meinen Aufsatz *Expressionism. Style or Weltanschauung?*, in: *Criticism* 9 (1967), S. 42–45.

34 Ulrich Weisstein: *Vorticism. Expressionism English Style*, in: *YCGL* 13 (1964), S. 28–40.

1 *Die Dichtung. Wesen, Form, Dasein*, Stuttgart 1959, S. 346.

2 Zitiert bei Irene Behrens: *Die Lehre von der Einteilung der Dichtkunst, vornehmlich vom 16. bis 19. Jahrhundert*, Halle 1940, S. 19. Wir sind dieser Studie für das laufende Kapitel direkt und indirekt weitgehend verpflichtet.

3 *Institutio Oratoria*, Buch X, 2 (12).

4 *De arte poetica*, Vers 23 und 92. Wir zitieren diese Lehrschrift nach der Ausgabe (und in der Übersetzung) H. Färbers: Horaz, *Sämtliche Werke*, München 1957.

5 Brief vom 29. Dezember 1797.

5a In der »Leçon d'Ouverture« seiner in Buchform veröffentlichten Vorlesung *L'Evolution des genres dans l'histoire de la littérature*, Paris 1890 kündigt Brunetière an, er wolle der Reihe nach fünf Themen behandeln: »l'existence des genres«, »la différenciation des genres«, »la fixation des genres«, »les modificateurs des genres« und »la transformation des genres«. Als erstes Beispiel wählt er die französische Tragödie, »genre fameux, aujourd'hui mort et bien mort; né d'ailleurs dans des temps historiques; dont nous n'ignorons rien d'essentiel; et en raison de ce motif, exemple admirable, pour ne pas dire unique, de la façon dont *un Genre naît, grandit, atteint sa perfection, décline, et enfin meurt!*« (S. 13, vom Verfasser unterstrichen).

6 Die von Pierre Kohler, Gustave Cohen, Janos Hankiss etc. verlesenen Referate finden sich im zweiten Band der Zeitschrift *Helicon. Revue internationale des problèmes généraux de la littérature.*

7 *Genre* I (1968), S. 87–123.

8 Irvin Ehrenpreis' Buch *The »Types Approach« to Literature*, New York 1945 ist der wichtigste angelsächsische Beitrag zur Gattungstheorie und -geschichte. Die spanische und portugiesische Sekundärliteratur erwähnt Massaud Moisés in seiner Studie *A Criacão Literária*, Sao Paulo 1967, die sich vor allem mit den Formen der erzählerischen Prosa auseinandersetzt.

9 Entsprechende Aussagen finden sich in den *Nuovi saggi di estetica* (1912) und in der *Estetica*. Auch Joel Spingarn, der Mitherausgeber des *Journal of Comparative Literature*, lehnte die Gattungspoetik ab.

10 *Revue de synthèse historique*, 31 (1921), S. 16.

11 Viele dieser ausgesprochen nationalliterarischen Gattungen werden in der von Alex Preminger herausgegebenen *Encyclopedia of Poetry and Poetics*, Princeton University Press 1965 formal und inhaltlich beschrieben.

12 Der seit dem Erscheinen von Northrop Fryes *Anatomy of Criticism*, Princeton University Press 1957 (Deutsche Ausg. unter dem Titel *Analyse der Literaturkritik*, Stuttgart 1964) in der amerikanischen Literaturkritik beliebte Begriff des Modus *(mode)* hat terminologisch schon viel Unheil angestiftet, da er sich sowohl auf Gattungen als auch auf Darstellungsweisen beziehen kann und im luftleeren Raum zwischen *genre* und *technique* schwebt.

13 So behauptet Alvin Kernan zu Beginn seines Buchs *The Cankered Muse. Satire of the English Renaissance*, New Haven, Yale University Press, 1959: »The pages which follow first advance a critical proposition, that satire is a distinct genre with a number of marked characteristics, and then make use of that proposition to describe the complex and seemingly disparate mass of prose, poetry, and drama which is English satire of the late Renaissance« (S. VII).

14 1447 b. Zitiert in der Übertragung Paul Gohlkes, Paderborn 1959.

15 Roy Pascal: *Die Autobiographie. Gehalt und Gestalt*, Stuttgart 1965; Herman Meyer: *Das Zitat in der Erzählkunst*, Stuttgart 1961; Franz H. Mautner: *Maxim(e)s, Sentences, Fragmente, Aphorismen*, in: *Proceedings IV*, Bd II, S. 812–819.

16 Siehe die Eintragungen in Buch I, T. 7, Kap. 3 der *Bibliography of Comparative Literature*. Zur Frage des Librettos siehe des Verfassers *The Libretto as Literature*, in: *Books Abroad* 35 (1961), S. 15–22, zur Emblematik die bibliographische Übersicht von Karl-Ludwig Selig *(Emblem Literature. Directions in Recent Scholarship)* in *YCGL* 12 (1963), S. 36–41.

17 Für die folgenden Abschnitte dieses Kapitels verdanken wir o. B. Hardisons Abhandlung ›*Poetics*, Chapter I: ›The Way of Nature‹, in: *YCGL* 16 (1967), S. 5–15, wichtige Anregungen.

18 *Lexikon der alten Welt*, Zürich 1965, Sp. 1798.

19 Nach der peripatetischen Kunsttheorie gab es nicht drei, sondern fünf literarische Hauptgattungen, nämlich Epos, Drama, Lyrik, Elegie und Iambus. Noch die bei Horaz zu findende Einteilung *(De arte poetica*, Vers 73–85) geht auf dieses Schema zurück.

20 Bd 3. S. 480 der von Ernst Beutler betreuten Artemis-Ausgabe von Goethes Werken und Briefen.

21 Ebd. S. 481.

22 *Grundbegriffe der Poetik*, Zürich 1946, S. 10.

23 Ebd. S. 7.

24 *Kunstwerk*, Bern [2]1954, S. 334.

25 Die Formulierung stammt von Wolfgang Mohr, *Reallexikon der deutschen Literaturgeschichte*, I, [2]1962, S. 321.

26 André Jolles: *Einfache Formen*, Tübingen [3]1963; über den Komparatisten Jolles schrieb W. Thys in *YCGL* 13 (1964), S. 41–48.

27 *Werke*, hrsg. von G. Fricke, München [3]1962, Bd 5, S. 694.

28 Ebd. S. 710.

29 *Stephen Hero*, Norfolk, Conn. 1963, S. 212.

30 Übersetzung von Karl Vretska, Stuttgart 1958, S. 163.

31 Melvin Friedman: *Stream of Consciousness. A Study in Literary Method*, New Haven, Yale University Press, 1955; Robert Humphrey: *Stream of Consciousness in the Modern Novel*, Berkeley, University of California Press, 1955; Shiv K. Kumar: *Bergson and the Stream of Consciousness Novel*, New York, New York University Press, 1963.

32 Dorrit Cohn: *Narrated Monologue: Definition of a Fictional Style*, in: *CL* 18 (1966), S. 97–112.

33 »Elegia cantat amores« steht bei Matthäus von Vendôme (zitiert bei Behrens, S. 56).

34 Zitiert ebd.

35 *Au Sujet du ›Cimetière Marin‹*, in: *Variété III*, [47]1949, S. 55–68.

## *Siebtes Kapitel (S. 163)*

1 So in *W/W*, S. 250 und in *B/F*.

2 »If ever a word was set up to be knocked down, it is that forbidding expression, which no dictionary has yet been broad-minded enough to admit.« Aus einem Beitrag zur Wellek-Festschrift, New Haven, Yale University Press, 1968, mit dem Titel *Thematics and Criticism*.

3 Aus den *Noten und Abhandlungen zum West-Östlichen Divan*.

4 Ernst Robert Curtius, *Hermann Hesse*, in: *Kritische Essays zur europäischen Literatur*, Bern [2]1954, S. 165.

5 Max Frisch prägte im Zusammenhang mit seinem Roman *Mein Name sei Gantenbein* den Begriff des Erlebnismusters.

6 *Die Wissenschaft von der Dichtung*, S. 136.

7 Aus Paul Merkers Artikel *Stoff, Stoffgeschichte* im *Reallexikon der deutschen Literaturgeschichte*, Bd 3, 1928/29, S. 306.

8 Zitate aus dem in Anm. 2 erwähnten Aufsatz.

9 *Stoff-, Motiv- und Symbolforschung*, Stuttgart 1963, Realienbücher für Germanisten, Abteilung Poetik, S. 21. Wir verweisen auf Manfred Bellers Rezension dieses Buches in *Arcadia* 2 (1967), S. 320–323.

10 Ebd. S. 4.

11 *La Littérature comparée*, S. 87.

12 *Stoffe der Weltliteratur. Ein Lexikon dichtungsgeschichtlicher Längsschnitte.*

13 Berlin 1966; Grundlagen der Germanistik, Bd 3.

14 »Paul Hazard va jusqu'à laisser la thématologie en dehors de la littérature comparée, parce qu'elle ne s'occupe pas des influences littéraires«. Zitiert bei Van Tieghem, S. 88.

15 *Un Problème de littérature comparée. Les Etudes de thèmes*, Paris 1965, S. 6f. Im Untertitel wird der Band als »essai de methodologie« bezeichnet.

16 Stuttgart [3]1965.

17 »Wenn Wolfgang Kayser vor noch nicht langer Zeit kritisierte, daß in stoffgeschichtlichen Untersuchungen die Schöpfung des Dichters nicht mehr als eigenes, in sich geschlossenes Kunstwerk vor Augen trete, sondern nur ihre Bestandteile diskutiert würden, so trifft dieser Tadel oft gerade die geistesgeschichtlich orientierten Untersuchungen, deren Längs- und Querschnitte jene Methode der bewußten ›Motivzerfaserung‹ zeitigte, in der Julius Wiegand bekanntlich eine ganze *Geschichte der deutschen Dichtung* (1922) schrieb«. *Stoffe der Weltliteratur*, S. XIII.

18 *La Critica* 2 (1904), S. 486. Übersetzung s. S. 77

19 Ebd. S. 484.

20 Erich Auerbachs Versuch, die verschiedenen Arten der literarischen Darstellung der Wirklichkeit in seinem Buch *Mimesis* kritisch zu durchleuchten, läßt sich kaum als stoffgeschichtlich im engeren Sinne bezeichnen, da *Wirklichkeit* kein Stoff ist, sondern nur der Name für einen Komplex von Anschauungen.

21 Der Größenordnung nach sind Motive kleinere Einheiten als Stoffe. Trousson verwirrt diesen Tatbestand, wenn er den Hundertjährigen Krieg ein Motiv nennt, den Jeanne d'Arc-Stoff aber ein Thema (S. 15, Anm).

22 Kayser: *Kunstwerk*, S. 62.

23 *Reallexikon*, S. 307.

24 Uns lag die englische Fassung von Lucille Ray, Bosten 1916, vor. Das Original erschien in zweiter Auflage 1912 in Paris (Mercure de France).

25 Aus den *Maximen und Reflexionen*. Weimarer Ausgabe, 1. Abtg., Bd $42^2$, S. 250.

26 Zitiert von Croce in *La Critica* 2 (1904), S. 484.

27 Wie schon angedeutet, übernahm Elisabeth Frenzel diese Unterscheidung (*Stoff- und Motivgeschichte*, S. 27), ohne Trousson zu erwähnen.

28 Im Kapitel »Gattungsaffinität und Struktur von Stoffen und Motiven«, in: *Stoff- und Motivgeschichte*, S. 94ff.

29 Ernst Robert Curtius, in: *Hermann Hesse*.

30 *Erlebnis-Motiv-Stoff*, in: *Vom Geiste neuer Literaturforschung:* Festschrift Oskar Walzel, hrsg. von J. Wahle und V. Klemperer, Potsdam 1924, S. 80–90.
31 Besonders im Artikel »Motiv«, *Reallexikon*, ²II (1961), S. 427–432.
32 *The Thirty-Six Dramatic Situations*, S. 120.
33 *Die Wissenschaft von der Dichtung*, S. 169. Ähnlich sagt Walter Veit: »The motif has to be defined as the verbal abstract of a repeated typical and important situation in life; the scheme of this situation represents the motivity or moving forces of a drama, novel, or even poem«, *Jadavpur Journal of Comparative Literature*, Nr. 5 (1965), S. 46.
34 *Die Wissenschaft von der Dichtung*, S. 132.
35 Berlin-Leipzig 1931.
36 *Deutsche Literaturwissenschaft* (Berlin 1940), S. 139.
37 Die ersten Anregungen zur Wiederbelebung der Toposforschung verdanken wir Ernst Robert Curtius. Ihren heutigen Stand umreißt Walter Veit in seinem Forschungsbericht in *DVLG* 37 (1963), S. 120–163.
38 Veits Aufsatz »Topics in Comparative Literature« erschien im *Jadavpur Journal of Comparative Literature* Nr. 5 (1965), S. 39–55. Hans Galinskys monographische Arbeit veröffentlichte die Zeitschrift *Arcadia* in drei Teilen. Sie ist inzwischen 1968 in Buchform in Heidelberg erschienen.
39 Wir verweisen auf Craig La Drières Aufsatz »The Comparative Method in the Study of Prosody«, *Proceedings II*, Bd I, 160–175, sowie auf die Beiträge V. M. Schirmunskys, L. Galdis und H. Jechovás zu *La Littérature comparée en Europe orientale*, hrsg. von I. Söter, Budapest 1963.

## *Achtes Kapitel (S. 184)*

1 Remak stützt sich wohl bei seiner Definition auf die Tatsache, daß seit 1952 an der Indiana University, wo er lehrt, Wechselbeziehungen zwischen Literatur, Kunst und Musik im Rahmen des Vorlesungsbetriebs historisch-kritisch untersucht werden. Die pädagogischen Aspekte dieses Studiums wurden von Horst Frenz und dem Verfasser in dem Aufsatz *Teaching the Comparative Arst. A Challenge*, in: *College English* 18 (1956), S. 67–71, im Umriß dargestellt.
2 Athens, The University of Georgia Press, 1948.
3 *Comparative Literature*, in: *The Georgia Review* 13 (1959), S. 174f.
4 So in Amerika vom *American Journal of Aesthetics and Art Criticism*, in Frankreich von der *Revue d'Esthétique*, in England vom *British Journal of Aesthetics* und in Deutschland von 1906 bis 1943 von Max Dessoirs *Zeitschrift für Ästhetik und allgemeine Kunstwissenschaft.*
5 *Opera as Drama*, New York 1956; *The Essence of Opera*, New York 1964; *Emblemata*, Stuttgart 1967; *Novels into Film*, Baltimore 1957.
6 Die Bibliographien für den Zeitraum von 1952–1958 wurden im Sammelband *Literature and the Other Arts. A Selected Bibliography*, hrsg. von David Erdman, New York 1959 vereinigt. Die jährlich erscheinenden hektographierten Nachträge sind im Buchhandel nicht erhältlich, sollen aber demnächst in Buchform zusammengefaßt werden.
7 Im Wortlaut abgedruckt im 17. Band (1968) von *YCGL.*
8 New York, The Modern Language Association of America, 1967.
9 Coeuroys Buch erschien 1923, Maurys Studie 1934.

10 Siehe besonders den dritten Teil des ersten Buches (›Literature and Arts and Sciences‹) und das dritte Kapitel des siebenten Teils des ersten Buches (›Semi-Literary Genres‹).

11 *De Eenheid van het Comparatisme*, S. 56.

12 ›The Nonliterary Background and Textual Interpretation‹, *Introduction to the Comparative Study of Literature*, S. 165–172.

13 *Literature and the Other Arts. Some Remarks*, in: *YCGL* 12 (1963), S. 27–34.

14 *Literaturwissenschaft und Kunstwissenschaft*, Stuttgart 1965.

15 *Shakespeares dramatische Baukunst*, in: *Jahrbuch der Shakespeare-Gesellschaft* 52 (1916), S. 3–35.

16 Berlin 1917.

17 Berlin 1930, S. 188–239.

18 New York 1955; New York 1960.

19 *Über wechselseitige Erhellung der Künste*, in: *Heinrich Wölfflin. Festschrift zum* 70. *Geburtstag*, Dresden 1935, S. 160–167.

20 *Symbiose der Künste*, Stuttgart 1936 und *Vom Gleichlauf der Künste*, in: *Bulletin of the International Commission of the Historical Sciences* 9 (1937), S. 295–304. Auf S. 5 der *Symbiose der Künste* heißt es: »Seit zwanzig Jahren begegnen täglich in Büchern und Zeitungen ähnliche Thesen, aus etwas Richtigem und sehr viel Unbeweisbarem gebraut auf der Voraussetzung einer geistesgeschichtlichen Konsequenz, der Dichtung, Bildkunst, Musik gleichermaßen unterworfen sind«.

21 New York, Oxford University Press, 1952; Chicago, University of Chicago Press, 1958.

22 Princeton University Press,[3] 1947 und New York 1951.

23 Siehe Franks Essayband *The Widening Gyre*, New Brunswick, N. J. Rutgers University Press, 1965.

24 Oldenburg 1957, und als Taschenbuch beim Rowohlt-Verlag.

25 Zwei Bände, erschienen beim Rowohlt-Verlag (Hamburg, 1959) im Rahmen der Deutschen Enzyklopädie.

26 *Europäische Literatur und lateinisches Mittelalter*, S. 277.

27 Als Embryonalform der Symbiose ließe sich die Synästhesie bezeichnen, die in der romantischen und symbolistischen Ästetik eine so große Rolle spielt und der wir bei Dichtern wie E. T. A. Hoffmann, Baudelaire *(Correspondances)* und Joris-Karl Huysmans *(A Rebours)* begegnen.

28 Siehe besonders Douglas Feavers Aufsatz *Words and Music in Ancient Greek Drama*, in: *The Essence of Opera*, S. 10–17.

29 Zu empfehlen ist neben Stanislawskis Regiebuch zu *Othello* die Lektüre eines Aufsatzes von John Hollander, *Musica Mundana and Twelfth Night*, in: *Sound and Poetry: English Institute Essays 1956*, New York, Columbia University Press, S. 1957, S. 55–82.

30 Siehe hierzu die Monographie von Herbert Günther: *Künstlerische Doppelbegabungen*, München 1960.

31 *W/W*, S. 128.

32 Der Aufsatz *Hermann Hesse's* Der Steppenwolf. *A Sonata in Prose*, in: *Modern Language Quarterly* 19 (1958), S. 115–133, erschien in leicht veränderter Form als Kapitel in Ziolkowskis Studie *The Novels of Hermann Hesse*, Princeton University Press 1965.

33 Die Zitate sind meinem Aufsatz über den Vortizismus (*YCGL* 13 [1964], S. 28–40) entnommen. Sie stammen aus Pounds Essay *Howto Read* bzw. aus seinem Buch *Gaudier-Brzeska.*

34 Ganz anders verhält es sich mit den von Schering vorgenommenen Analysen Beethovenscher Instrumentalkompositionen als literarischer »Programm-Musik« in Anlehnung an Goethe, Schiller und Shakespeare.

*Neuntes Kapitel (S. 198)*

1 Chapel Hill, University of North Carolina Press, 1950.

2 10 (1896), S. 247–274, und 11 (1897), S. 22–61, 81–108, 241–274.

3 Straßburg. 1900.

4 1 (1901), S. 271–272, 381–384, 505–511; 2 (1902), S. 121–128, 251–263, 387–392, 509–516.

5 Berlin. 1903.

6 Straßburg 1904.

7 *Comparative Literature* 3 (1951), S. 90ff.

8 Außer Wellek äußerten sich auch Basil Munteano in *RLC* 26 (1952), S. 273–286, und Sigmund Skard im *Journal of English and Germanic Philology* 52 (1953), S. 229–242, über das Werk.

9 Ebd. S. 279.

10 *Pour une Bibliographie internationale de Littérature Comparée*, in: *RLC* 30 (1956), S. 136–144. Auf S. 143 heißt es »C'est de faire 2, 3 ou 4 fiches pour un même article, ainsi que la *Revue de Littérature comparée* s'efforce de la faire, ainsi que le font plus systématiquement nos collègues d'Utrecht«. Allerdings schlägt Bataillon auf S. 142 nur vor, die Perspektive zu wechseln: »Ne faudrait-il pas, pour rejoindre la réalité vivante de la littérature, substituer le point de vue de la *littérature réceptrice* à celui du grand écrivain émetteur, influent?«

11 »The current bibliography is restricted to items genuinely comparative in nature, pertaining to the field of imaginative literature (Belles Lettres), and published in 1960, although exceptions have been made for items dating from the preceding year. Since we wanted equal attention paid to emitters and receivers, it was decided to double or, as the case may be, triple list all relevant items«, *YCGL* 10 (1961), S. 99.

12 »Il restera toujours nécessaire que tous les cinq ans, ou tous les dix ans, soit remise à jour une bibliographie portative, le ›petit bagage‹ de Louis Betz, que Baldensperger et Friederich ont voulu enrichir pour les travailleurs de 1950«, *RLC* 30 (1956), S. 144.

13 Paris Bd 1 (die Jahrgänge 1949 und 1950 umfassend) erschien 1957. Bisher sind insgesamt fünf Bände erschienen (1949/50 bis 1957/58).

14 »A qui servirait une bibliographie qui ne fut point analytique. Je la préférais critique, mais loin des illusions«, S. 32. Schon Bataillon (S. 139) hatte die internationale Zusammenarbeit auf bibliographischem Gebiet gefordert: »L'important serait de couvrir l'ensemble du monde où l'on fait de l'histoire littéraire par un réseau d'organisations et d'institutions qui se sentiraient solidairement responsables de l'information mutuelle«.

15 Meseroles Beitrag zur Diskussion über bibliographische Probleme in der vergleichenden Literaturwissenschaft wird zusammen mit den Referaten D. W. Aldens, Z. Folejewskis und P.M. Mitchells im 17. Band von *YCGL* veröffentlicht.

# Bibliographie

## 1. *Allgemeines zur vergleichenden Literaturwissenschaft* (einschließlich *littérature générale*)


Abe, Jiro: *Hikaku bungaku* (Vergleichende Literatur), Tokio, 1932–33. 2 Bde.

Backer, F. de: *Littérature comparée. Questions de méthode*, in: *Bulletin de l'Académie Royale de Belgique*, classe des lettres, 5e série, 45 (1959), S. 209ff.

Baldensperger, Fernand: *Littérature comparée. Le mot et la chose*, in: *RLC* 1 (1921), S. 5–29.

Baur, Frank: *De vergelijkende methode in de literatuurwetenschap*, in: *Album Vercoullie* I, Brüssel 1927, S. 33–45.

– *De Philologie van het letterkundig Comparatisme*, in: *Handelingen van het XXII*e *Vlaamse Filologencongres*, 1957.

Bémol, Maurice: *Goethe et Valéry. Leurs vues comparées sur la comparaison littéraire*, in: *RLC* 27 (1953), S. 173ff.

Betz, Louis-Paul: *Kritische Betrachtungen über Wesen, Aufgabe und Bedeutung der vergleichenden Literaturgeschichte*, in: *Zeitschrift für französische Sprache und Literatur* 18 (1896), S. 141–156.

– *Literaturvergleichung*, in: *Studien zur vergleichenden Literaturgeschichte der neueren Zeit*, Frankfurt 1902, S. 1–15.

Brandt Corstius, Jan: *Introduction to the Comparative Study of Literature*, New York 1967. Studies in Language and Literature 17.

Brown, Calvin S.: *Comparative Literature*, in: *The Georgia Review* 13 (1959), S. 167–189.

Brunetière, Ferdinand: *La Littérature européenne*, in: *Variétés littéraires*, Paris 1904, S. 1–51. (Vortrag gehalten am 15. 9. 1900 und zuerst in der *Revue des deux mondes* veröffentlicht).

Campbell, Oscar J.: *What is Comparative Literature?*, in: *Essays in Memory of Barrett Wendell*, hrsg. von W. R. Castle Jr., und P. Kaufman, Cambridge, Mass., Harvard University Press, 1926, S. 23–40.

Chandler, Frank W.: *The Comparative Study of Literature*, in: *University* (of Cincinnati) *Studies*, second series, VI/4 (1910), S. 1–26. (Abgedruckt in *YCGL* 15 [1966], S. 50–62).

Chasles, Philarète: *Littérature étrangère comparée*, in: *Revue de Paris* 13 (1835), S. 238–262.

Cioranesco, Alexandru: *Principios de literatura comparada*, La Laguna (Teneriffa), Universidad de La Laguna, 1964.

Conrad, N. I.: *Probleme der heutigen vergleichenden Literaturwissenschaft* (auf Russisch), in: *Izvestija Akademii Nauk*, Klasse für Sprache und Literatur, 18 (1959), S. 315–333. Siehe den Aufsatz von R. Triomphe in *RLC* 34 (1960), S. 304–310.

Croce, Benedetto: *La letteratura comparata*, in: *La Critica* 1 (1903), S. 77–80.

– Rezension von Charles Riccis *Sophonisbe dans la tragédie classique italienne et française*, in: *La Critica* 2 (1904), S. 483–486.

Curtius, Ernst Robert: *Antike Rhetorik und vergleichende Literaturwissenschaft*, in: *CL* 1 (1949), S. 24–43.

Deugd, Cornelis de: *De Eenheid van het Comparatisme*, Utrecht, Instituut voor vergelijkend literatuuronderzoek, 1962.

Dyserinck, H.: *Crisis in de vergelijkend literatuurwetenschap?*, in: *Spiegel der Letteren* 4 (1960), S. 175–193.

Elster, Ernst: *Weltliteratur und Literaturvergleichung*, in: *Archiv für das Studium der neueren Sprachen* 107 (1901), S. 33–47.
Elwert, W. Th.: *L'Emploi de langues étrangères comme procédé stylistique*, in: *RLC* 34 (1960), S. 421ff.
Etiemble, René: *Comparaison n'est pas raison. La Crise de la littérature comparée*, Paris 1963. Ursprünglich in verkürzter Form in *Savoir et Goût*, dem dritten Band von *Hygiène des Lettres*, Paris 1958, S. 154–173.
Figueiredo, Fidelino de: *Litteratura comparada e critica de fontes*, in: *A Critica litteraria como sciencia*, Lissabon 1914, S. 63–67.
– *Da critica comparativa*, in *Pyrene: Ponto de vista para uma introduccão á história comparada das literaturas Portuguesa e Espanhola*, Lissabon 1935, S. 10–15.
Fransen, J.: *Iets over vergelijkende literatuurstudie, ›perioden‹ en invloeden*, Groningen 1936.
Friederich, W. P.: *The Case of Comparative Literature*, in: *AAUP* [American Association of University Professors] *Bulletin* 31 (1945), S. 208–219.
Gayley, C. M.: *A Society of Comparative Literature*, in: *The Dial*, 1. 8. 1894.
Gicovate, Bernardo: *Conceptos fundamentales de literatura comparada. Iniciación de la poesía modernista*, San Juan, Puerto Rico 1962, S. 7–12.
Guillén, Claudio: *Literatura como sistema*, in: *Filologia Romanza* 4 (1957), S. 1–29.
– *Perspectivas de la literatura comparada*, in: *Boletín informativo del Seminario de Derecho Politico*, Princeton University, 8 (1962), S. 57–70.
*On the Concept and Metaphor of Perspective*, in: *Comparatists at Work. Studies in Comparative Literature*, hrsg. von Stephen Nichols Jr. und R. B Vowles, Waltham, Mass., 1968, S. 28-90
Guyard, Marius-François: *La Littérature comparée*, Paris, Presses Universitaires de France, 1951, [3]1961, (»Que sais-je?« Nr. 499).
Hankiss, Janos: *Théorie de la littérature et littérature comparée*, in: *Proceedings II*, Bd I, S. 98–112.
Hergešić, Ivo: *Poredbena ili komparativna književnost*, Zagreb 1932.
Hilal, Muhammad Ghunaymi: *Comparative Literature in Contemporary Arabic Literature* (auf Arabisch), Kairo 1962. Rezension von G. Tutungi in *YCGL* 13 (1964), S. 64–67.
Hirth, Friedrich: *Vom Geiste vergleichender Literaturwissenschaft*, in: *Universitas* 2 (1947), S. 1301–1320.
Höllerer, Walter: *Methoden und Probleme der vergleichenden Literaturwissenschaft*, in: *GRM*, N. F. 2 (1952), S. 116–131.
Holmes, Urban T.: *Comparative Literature. Past and Future*, in: *Studies in Language and Literature*, hrsg. von G. R. Coffman, Chapel Hill, University of North Carolina Press 1945, S. 62–75.
Jan, Eduard von: *Französische Literaturgeschichte und vergleichende Literaturbetrachtung*, in: *GRM* 15 (1927), S. 305–317.
Jechová, H.: *L'Importance des analyses stylistiques dans les études de littérature comparée*, in: *La Littérature comparée en Europe orientale*, hrsg. von I. Söter, Budapest 1963, S. 223–228.
Kobayashi, Tadashi: *Hikaku bungaku nyumon* (Einführung in die vergleichende Literatur), Tokio 1950.
Koch, Max: *Zur Einführung*, in: *Zeitschrift für vergleichende Litteraturgeschichte* 1 (1886), S. 1–12.
Krauss, Werner: *Probleme der vergleichenden Literaturgeschichte*. Sitzungsberichte der Deutschen Akademie der Wissenschaften zu Berlin ..., Berlin 1965.

Kühnemann, Eugen: *Zur Aufgabe der vergleichenden Literaturgeschichte*, in: *Centralblatt für Bibliothekswesen* 18 (1901), S. 1–11.
La Drière, Craig: *The Comparative Method in the Study of Prosody*, in: *Proceedings II*, Bd I, S. 160–175.
Levin, Harry: *Comparing the Literature*, in: *YCGL* 17 (1968).
Linnér, Sven: *Om den litteraturhistoriska komparationen*, in: *Samlaren* 80 (1960), S. 75–88. In erweiterter Form in Linners Buch *Litteraturhistoriska argument*, Stockholm 1964, S. 1–27.
Malone, David H.: *The ›Comparative‹ in Comparative Literature*, in: *YCGL* 2 (1954), S. 13–20.
Marsh, A. R.: *The Comparative Study of Literature*, in: *PMLA* 11 (1896), S. 151–170.
Munteano, Basil: *Situation de la littérature comparée. Sa portée humaine et sa legitimité*, in: *Proceedings II*, Bd I, S. 124–142.
– *Conclusion provisoire*, in: *RLC* 27 (1953), S. 50–58.
Nahke, Evamaria: *IV. Kongreß der Internationalen Vereinigung für vergleichende Literatur*, in: *Weimarer Beiträge* 1965/2, S. 252–262.
Nakajima, Kenzo und Yoshio Nakano: *Hikaku bungaku josetsu* (Vorwort zur vergleichenden Literatur), Tokio 1951.
Neupokoeva, I. G.: *Methodological Questions of Studying Literatures in their Connection and Cooperation* (auf Russisch), in: *Littérature comparée en Europe orientale*, S. 25–39.
Neri, Ferdinando: *La tavola dei valori del comparatista*, in: *Letteratura e leggenda*, Turin 1951, S. 289–299. Ursprünglich im *Giornale storico della letteratura italiana* (1937).
Nyirö, L.: *Problèmes de littérature comparée et théorie de littérature*, in: *Littérature hongroise, Littérature européenne*, hrsg. von I. Söter und O. Süpek, Budapest 1964, S. 505–524.
Ocvirk, Anton: *Uvod u teoriju primerjalne literarne zgodovine* (Einleitung in die Theorie der vergl. Lit.-Wiss.; serbo-kroatisch), Laibach 1936. Mit französischer Zusammenfassung.
Ota, Saburo: *Hikaku bungaku* (Vergleichende Literatur), Tokio 1958.
– *The Statistical Method of Investigation in Comparative Literature*, in: *Proceedings II*, Bd I, S. 88–97.
Partridge, Eric: *The Comparative Study of Literature*, in: *A Critical Medley*, Paris 1926, S. 159–226.
Petersen, Julius: *Nationale oder vergleichende Literaturgeschichte?*, in: *DVLG* 6 (1928), S. 36–61.
Pichois, Claude und André-M. Rousseau: *La Littérature comparée*, Paris 1967.
Poggioli, Renato: *The Theory of the Avantgarde* (aus dem Italienischen), Cambridge, Mass., Harvard University Press, 1968
Porta, Antonio: *La letteratura comparata nella storia e nella critica*, Milano 1951.
Posnett, Hutcheson Macaulay: *Comparative Literature*, New York 1886.
– *The Science of Comparative Literature*, in: *Contemporary Review* 79 (1901), S. 855–872.
Remak, Henry H. H.: *Comparative Literature. Its Definition and Function*, in: *S/F*, S. 3–37.
– *Comparative Literature at the Crossroads. Diagnosis, Therapy and Prognosis*, in: *YCGL* 9 (1960), S. 1–28.
Rod, Edouard: *De la Littérature comparée*. Discours d'inauguration du cours d'histoire générale des littératures modernes à l'Université de Genève. Genf 1886.

Roddier, Henri: *De l'Emploi de la méthode génétique en littérature comparée*, in: *Proceedings II*, Bd I, S. 113–124.
– *Littérature comparée et Histoire des idées*, in: *RLC* 27 (1953), S. 43–49.
Rüdiger, Horst: *Nationalliteraturen und europäische Literatur. Methoden und Ziele der vergleichenden Literaturwissenschaft*, in: *Schweizer Monatshefte* 42 (1962), S. 195–211.
Samarin, R. M.: *Vom gegenwärtigen Stand des vergleichenden Literaturstudiums in der ausländischen Wissenschaft* (aus dem Russischen), in: *Kunst und Literatur in der Sowjetunion* 9 (1961), S. 11–34.
Schirmunsky, V. M.: *Les Problèmes de la stylistique comparée*, in: *Littérature comparée en Europe orientale*, S. 77–82.
Schwarz, Egon: *Fragen und Gedanken zur vergleichenden Literaturwissenschaft vom Standpunkt eines Germanisten*, in: *German Quarterly* 38 (1965), S. 318–324.
Siciliano, Italo: *Quelques Remarques sur la littérature comparée*, in: *Lettere Italiane* 8 (1956), S. 3–8. Abgedruckt in den Sitzungsberichten des 1. ICLA-Kongresses.
Smith, G. G. (Anonymus): *The Foible of Comparative Literature*, in: *Blackwood's Edinburgh Magazine* 169 (1901), S. 38–48.
– *Some Notes on the Comparative Study of Literature*, in: *Modern Language Review* 1 (1905), S. 1–8.
Sötér, István: *Les Recherches comparatives complexes*, in: *Aspects et parallélismes de la littérature hongroise*, Budapest 1966, S. 101–114.
Stallknecht, N. P. und H. Frenz (Hrsg.): *Comparative Literature. Method and Perspective*, Carbondale, Ill. University of Southern Illinois Press, 1961.
Strich, Fritz: *Weltliteratur und vergleichende Literaturgeschichte*, in: *Philosophie der Literaturwissenschaft*, hrsg. von Emil Ermatinger, Berlin 1930, S. 422–441.
Sziklay, L.: *Einige methodologische Fragen zur vergleichenden Literaturgeschichte*, in: *Studia Slavica* (Budapest) 9 (1963), S. 311–335.
Texte, Joseph: *L'Histoire comparée des littératures*, in: *Etudes de littérature européenne*, Paris 1898, S. 1–23.
Thompson, Stith: *Literature for the Unlettered*, in: *S/F*, S. 171–188.
– *Comparative Problems in Oral Literature*, in: *YCGL* 7 (1958), S. 6–16.
Thorlby, Anthony: *Comparative Literature*, in: *The Times Literary Supplement*, 25. 7. 1968, S. 793-794.
Thys, Walter: *De vergelijkende literatuurwetenschap*, in: *Spiegel der Letteren* 1 (1957), S. 251–266.
Ulrich, Leo: *Literaturvergleichung und Monographie*, in: *Romanische Forschungen* 65 (1952).
Van Tieghem, Paul: *La Littérature comparée*, Paris 1931, [3]1946.
– *La Synthèse en histoire littéraire. Littérature comparée et littérature générale*, in: *Revue de synthèse historique* 31 (1921), S. 1–27.
Vries, D. de: *De vergelijkende literatuurstudie*, in: *Neophilologus* 20 (1935), S. 170–175, 300–310.
Wais, Kurt: *Vergleichende Literaturbetrachtung*, in: *Forschungsprobleme* I, S. 7–12.
– *Zeitgeist und Volksgeist in der vergleichenden Literaturgeschichte*, in: *GRM* 22 (1934), S. 291–307.
Wehrli, Max: *Weltliteratur und vergleichende Literaturwissenschaft*, in: *Allgemeine Literaturwissenschaft*, Bern 1951, S. 153–156.
Weisstein, Ulrich: *Dialect as a Barrier to Translation. The Case of German Literature*, in: *Monatshefte*, 54 (1962), S. 233–243.
Wellek, René: *The Concept of Comparative Literature*, in: *YCGL* 2 (1955), S. 1–5.
– *The Crisis of Comparative Literature*, in: *Proceedings II*, Bd I, S. 149–159.
– *Comparative Literature Today*, in: *CL* 17 (1965), S. 325–337.

– *The Name and Nature of Comparative Literature*, in: *Comparatists at Work*, S. 3-27.

Wellek, René, und Austin Warren: *Theory of Literature*, New York 1949; Kapitel 4: »General, Comparative, and National Literature«.

Wesselowsky, Alexander: »On the Methods and Aims of Literary History as a Science« (aus dem Russischen), in: *YCGL* 16 (1967), S. 33–42 (Petersburger Antrittsvorlesung aus dem Jahre 1870).

Wetz, Wilhelm: *Über Begriff und Wesen der vergleichenden Litteraturgeschichte*, in: *Shakespeare vom Standpunkt der vergleichenden Litteraturgeschichte*, Worms 1890, S. 3–43.

Will, J. S.: *Comparative Literature. Its Meaning and Scope*, in: *University of Toronto Quarterly* 8 (1959), S. 165–179.

Woodberry, George: Einleitung *(Editorial)* zum ersten Heft des *Journal of Comparative Literature* (1903). Abgedruckt in *YCGL* 11 (1962), S. 5–7.

Yano, Hojin: *Hikaku bungaku* (Vergleichende Literatur). Tokio 1956.

## 2. *Literaturvergleichung innerhalb der slawischen Literaturen*

Tschichewskij, Dimitri: *Outline of Comparative Slavic Literatures*, Boston, American Academy of Sciences, 1952.

Dolansky, Julius: *Das vergleichend-historische Studium der Literaturen Osteuropas*, in: *La Littérature comparée en Europe orientale*, S. 101–114.

Folejewski, Zbigniew: *Slavistics and World Literature*, in: *Modern Language Journal* 43 (1959), S. 194ff.

Gáldi, Laszlo: *Littérature comparée et métrique comparée en Europe orientale*, in: *La Littérature comparée en Europe orientale*, S. 207–213.

Jakobson, Roman: *The Kernel of Comparative Slavic Literature*, in: *Harvard Slavic Studies* 1 (1953), S. 1–72.

– *Comparative Slavic Studies*, in: *Review of Politics* 16 (1954), S. 67–90.

Klaniczay, Tibor: *La Possibilité d'une littérature comparée de l'Europe orientale*, in: *La Littérature comparée en Europe orientale*, S. 115–128.

Markovitch, M.: *Introduction à l'histoire comparée des littératures slaves*, in: *Literary History and Literary Criticism*, hrsg. von Leon Edel, New York, New York University Press, 1965, S. 165–176.

Sijavušgil, S.: *Osnovi na edna sravnitelna literatura na balkanskite strani*, in: *Literaturna Mišl* (Sofia), Nr. 5 (1966), S. 53–64 (Über die Möglichkeiten einer vergleichenden Literaturbetrachtung der Balkanländer).

*Slavistics and Comparative Literature*, in: *YCGL* 9 (1960), S. 104–110. Ein MLA-Symposium hrsg. von Z. Folejewski.

Smal-Stocki, R.: *J. S. C. de Radius, an Unknown Forerunner of Comparative Slavic Literature*, Washington, D. C., Shevchenko Scientific Society Study Center, Nr. 6 (1960).

Winter, Eduard: *Eine Propagandistin der vergleichenden slawischen Literatur: Therese Jacob (Talvj)*, in: *La Littérature comparée en Europe orientale*, S. 313–319.

Wollman, Frank: *K methodologii srovnávací slovesnosti slovanske*, Brünn, Philosophische Fakultät der Universität, 1936.

– *Zur Frage der vergleichenden slawischen Literaturwissenschaft*, in: *Zeitschrift für Slawistik* 6 (1961), S. 211–216.

### 3. *Vergleichende Literaturwissenschaft und die Literatur des Mittelalters*

Curtius, Ernst Robert: *Lateinische Literatur und europäisches Mittelalter*, Bern [2]1954.
Frappier, Jean: *Littératures médiévales et littérature comparée. Problèmes de recherche et de méthode*, in: *Proceedings II*, Bd I, S. 25–35.
Graf, Arturo: *Storia letteraria e comparazione. Prolusione al corso di storia comparata delle letterature neolatine*, Turin 1877.
Schneider, Hermann: *Weltliteratur und Nationalliteratur im Mittelalter*, in: *Euphorion* (1950), S. 131–139.
Ullman, B. L.: *Medieval Latin and Comparative Literature*, in: *Proceedings II*, Bd I, S. 16–25.

### 4. *Weltliteratur und Kosmopolitismus*

Auerbach, Erich: *Philologie der Weltliteratur*, in: *Weltliteratur. Festgabe für Fritz Strich zum* 70. *Geburtstag*, hrsg. von W. Muschg und E. Staiger, Bern 1952, S. 39–50.
Beil, Else: *Zur Entwicklung des Begriffs der Weltliteratur*, Leipzig 1915. Bd 2 der Reihe *Probefahrten.*
Bender, Helmut und Ulrich Melzer: *Zur Geschichte des Begriffs »Weltliteratur«*, in: *Saeculum* 9 (1958), S. 113–122.
Benedetto, L. F.: *La letteratura mondiale*, in: *Il Ponte* 2 (1946), S. 120–134.
Brandes, Georg: *Weltlitteratur*, in: *Das litterarische Echo* 2 (1899), Sp. 1–5.
Brandt Corstius, Jan: *Wereldliteratuur*, in: *De muze in het morgenlicht*, Zeist 1957, S. 149–170. Ursprünglich unter dem Titel *De ontwikkeling van het begrip wereldliteratuur*, in: *De vlaamse Gids* 41 (1957), S. 582–600.
– *Writing Histories of World Literature*, in: *YCGL* 12 (1963), S. 5–14.
– *The Impact of Cosmopolitanism and Nationalism on Comparative Literature from the Beginning to* 1880, in: *Proceedings IV*, Bd I, S. 380–389.
Carlsson, Anni: *Die Entfaltung der Weltliteratur als Prozess*, in: *Weltliteratur. Festgabe für Fritz Strich ...*, S. 51–66.
Etiemble, René: *Faut-il reviser la notion de* Weltliteratur? in: *Proceedings IV*, Bd I, S. 5–16.
Gillet, J.: *Cosmopolitisme et littérature comparée*, in: *Les Flandres dans les mouvements romantique et symboliste*, Paris 1958, S. 45–51. (Beim 2. Kongreß des französischen Komparatistenverbandes gehaltenes Referat).
Gillies, Alexander: *Herder and the Preparation of Goethe's Idea of World Literature*, in: *Publications of the English Goethe Society*, N. S. 9 (1933), S. 46–67.
Guérard, Albert: *What is World Literature?*, in: *Preface to World Literature*, New York 1940, S. 3–16.
Hankiss, Janos: *Littérature universelle?*, in: *Helicon* 1 (1938), S. 156–171.
Hazard, Paul: *Cosmopolite*, in: *Mélanges ... offerts à Fernand Baldensperger*, Paris 1930, Bd I, S. 354–364.
Klemperer, Viktor: *Weltliteratur und europäische Literatur*, in: *Logos* 18 (1930), S. 362–418.
Merian-Genast, Ernst W.: *Voltaires »Essai sur la poésie épique« und die Entwicklung der Idee der Weltliteratur*, Leipzig 1926. (Romanische Forschungen, Nr. 40).
Meyer, R. M.: *Die Weltliteratur der Gegenwart*, in: *Deutsche Rundschau* 104 (1900), S. 269–291.

*Proceedings IV*, Bd I. Enthält zahllose Beiträge zur Frage des Kosmopolitismus einzelner Dichter.

Remak, Henry H.: *The Impact of Cosmopolitanism and Nationalism on Comparative Literature from the 1880s to the Post-World War II Period*, in: *Proceedings IV*, Bd I, S. 390–397.

Remenyi, Joseph: *The Meaning of World Literature*, in: *American Journal of Aesthetics and Art Criticism* 9 (1951), S. 244–251.

Strich, Fritz: *Weltliteratur und vergleichende Literaturgeschichte*, in: *Philosophie der Literaturwissenschaft*, hrsg. von Emil Ermatinger, Berlin 1930, S. 422–441.

– *Goethe und die Weltliteratur*, Bern 1946.

Texte, Joseph: *Jean-Jacques Rousseau et les origines du cosmopolitisme littéraire*. Etudes sur les relations littéraires de la France et de l'Angleterre au XVIIIe siècle, Paris 1895.

Vossler, Karl: *Nationalliteratur und Weltliteratur*, in: *Zeitwende* 4 (1928).

Wais, Kurt: *Le cosmopolitisme littéraire à travers les âges*, in: *Proceedings IV*, Bd I, S. 17–29.

### 5. *Zeitschriften und Jahrbücher*

*ACLAN* (American Comparative Literature Association Newsletter), hrsg. von A. Renoir: Bd 1, Nr. 1 und 2 (1965) und W. B. Fleischmann: Bd 2 (1968).

*Acta Comparationis Litterarum Universarum* (Klausenburg), hrsg. von Hugo Meltzl de Lomnitz. 12 Bde (1877–1888). Siehe den Aufsatz von G. M. Vajda in *YCGL* 14 (1965), S. 37–45, sowie die Übersicht von C. Ijac in *RLC* 14 (1934), S. 733 ff.

*Arcadia*, Zeitschrift für vergleichende Literaturwissenschaft, hrsg. von Horst Rüdiger. 1 (1966) ff.

*Cahiers Algériens de Littérature comparée*, hrsg. von J. E. Bencheikh. 1 (1966) ff. Erscheint jährlich.

*Comparative Literature* (University of Oregon), hrsg. von C. H. Beall. 1 (1949) ff.

*Comparative Literature Newsletter*, hrsg. von A. O. Christy. 4 Bde (1942–1946). Hrsg. vom National Council of Teachers of English.

*Comparative Literature Studies* (Cardiff), hrsg. von M. Chicoteau und K. Urwin. 24 Nummern (1941–1946). Ersetzte zeitweilig *RLC*.

*Comparative Literature Studies* (University of Illinois), hrsg. von A. O. Aldridge. Bis zum dritten Band an der University of Maryland von Aldridge und M. Friedman herausgegeben. Special Advance Issue und Bd 1 (1964) ff.

*Helicon*, Revue Internationale des problèmes générales de la littérature, hrsg. von J. Hankiss. 5 Bde (1938–1942). Siehe das Referat von Kalman Bór (in russ. Sprache) in *La Littérature comparée en Europe orientale*, S. 294–297.

*Hikaku Bungaku*, hrsg. von K. Nakajima. Jahrbuch des japanischen Komparatistenverbandes, 1 (1958) ff.

*Hikaku Bungaku Kenkyu*, hrsg. von S. Ota am Institut für vergleichende Literaturwissenschaft der Universität Tokio.

*Jadavpur Journal of Comparative Literature* (Kalkutta), hrsg. von N. Guha. Die ersten drei Bände hrsg. von B. Bose. Jahrbuch. 1 (1961) ff.

*Journal of Comparative Literature*, hrsg. von George Woodberry. Bd 1 (1903). Erschien in New York an der Columbia University.

*Revue de littérature comparée*, hrsg. von Marcel Bataillon und Basil Munteano. Gegründet von F. Baldensperger, später hrsg. von P. Hazard und J.-M. Carré. Bd 1 (1921) ff. Bd 20 umfaßt die Jahre 1940–1946 (3 Nr.).

*Rivista di letterature italiane e comparate*, hrsg. von Carlo Pellegrini. Bd 1 (1948) ff. Ursprünglich nur *Rivista di letterature italiane.*

*Studien zur vergleichenden Litteraturgeschichte*, hrsg. von Max Koch. 7 Bde (1901-1907).

*Yearbook of Comparative and General Literature* (Indiana University), hrsg. von H. Frenz, H. H. Remak und U. Weisstein. Bis zum neunten Band von W. P. Friederich an der Universität von North Carolina hrsg. Bd 1 (1952) ff.

*Zeitschrift für vergleichende Litteraturgeschichte*, hrsg. von Max Koch. 17 Bde (1887–1906). Vom dritten Band an zeichnete Ludwig Geiger als Mitherausgeber. Bd 15 und 16 wurden von W. Wetz und J. Collin betreut.

### 6. *Tagungsberichte (Proceedings)*

A. AILC/ICLA

1. Venedig, 1955: *Venezia nelle letterature moderne*, hrsg. von Carlo Pellegrini, Venedig–Rom, Istituto per la collaborazione culturale, 1961.
2. Chapel Hill, 1958: *Comparative Literature. Proceedings of the Second Congress of the ICLA*, hrsg. von W. P. Friederich, Chapel Hill, University of North Carolina Press, 1959. 2 Bde.
3. Utrecht, 1961: *Actes du IIIe Congrès de l'AILC*, hrsg. von W. A. P. Smit, Den Haag 1962. Nur die Hauptreferate im Wortlaut, die anderen Referate als Zusammenfassungen. Siehe den Bericht von H. Rüdiger in den *Schweizer Monatshefte* 41 (1961), S. 806–810.
4. Fribourg, 1964: *Actes du IVe Congrès de l'AILC*, hrsg. von François Jost, Den Haag 1967. 2 Bde. Siehe den Bericht von W. Koppen in den *Schweizer Monatshefte* 44 (1964), S. 971–974.

B. *Congrès National de Littérature Comparée* (Frankreich)

1. Bordeaux, 1956: *Littérature générale et histoire des idées*, Paris 1956.
2. Lille, 1957: *Les Flandres dans les mouvements romantique et symboliste*, ebd. 1958.
3. Dijon, 1959: *La France, la Bourgogne et la Suisse au XVIIIe siècle*, ebd. 1960.
4. Toulouse, 1960: *Espagne et littérature française*, ebd. 1961.
5. Lyon, 1962: *Imprimerie, commerce et littérature*, Paris 1965.
6. Rennes, 1963: *Littérature savante et littérature populaire. Bardes, conteurs, écrivains*, Paris 1965.
7. Poitiers, 1965: *Le Moyen Age*, ebd. 1967.

C. *ACLA-Tagungen*

1. New York, 1962: *CLS*, Special Advance Issue (1963).
2. Cambridge, Mass., 1965: *CL* 17 (1965), S. 325–345, und ACLAN 1 (1965), S. 32–44.
3. Bloomington, Indiana, 1968: *YCGL* 17 (1968).

D. *Commission Internationale d'Histoire Moderne* (seit 1948: *Fédération Internationale des Langues et Littératures Modernes*, FILLM).

1. Budapest, 1931: *Les Méthodes en histoire littéraire* im *Bulletin of the International Committee of Historical Sciences*, Nr. 14 (Februar 1932).

2. Amsterdam, 1935: *Les Périodes de l'histoire littéraire de l'Europe depuis la Renaissance*, ebd., Nr. 36 (September 1937), S. 225–398.
3. Lyon, 1939: *Les Genres littéraires*, in: *Helicon* 2 (1939), S. 115–224.
4. Paris, 1948: *La Littérature dans ses rapports avec les mouvements sociaux et politiques*, Paris 1950.
5. Florenz, 1951: *Les Langues et littératures modernes dans leurs relations avec les beaux-arts*, hrsg. von C. Pellegrini, Florenz 1955.
6. Oxford, 1954: *Literature and Science*, Oxford 1955.
7. Heidelberg, 1957: *Stil- und Formprobleme der Literatur*, hrsg. von Paul Böckmann, Heidelberg 1958.
8. Lüttich, 1960: *Langues et littératures*, Paris 1961. Bd 161 der Publications de la Faculté de Philosophie der Universität Lüttich.
9. New York, 1963: *Literary History and Literary Criticism*, hrsg. von Leon Edel, New York, New York University Press, 1965.

E. *Indiana Conference on Oriental-Western Literary Relations* (Indiana University, Bloomington, Indiana)

1. Juni/Juli 1954: hrsg. von H. Frenz und G. L. Anderson, Chapel Hill, University of North Carolina Press, 1955.
2. Juni 1958: *Asia and the Humanities*, hrsg. von H. Frenz, Bloomington, Indiana, Comparative Literature Committee, 1959.
3. Juni 1962: *Third Conference on Oriental-Western Literary and Cultural Relations*, hrsg. von H. Frenz, in: *YCGL* 11 (1962), S. 121–236.
4. Juni 1966: *Fourth Conference on Oriental-Western Literary and Cultural Relations*, hrsg. von H. Frenz und K. Gros Louis, in: *YCGL* 15 (1966), S. 159–224.

F. Sonstige Tagungen

*Aktuelle Probleme der vergleichenden Literaturforschung*, hrsg. von G. Ziegengeist, Berlin 1968. Bei einer vom 6. bis 8. Dezember 1966 in Berlin-Ost abgehaltenen Tagung verlesene Referate.

*Annales internationales d'histoire. Congrès de Paris*, 1900. VI$^{e}$ section: Histoire comparée des littératures, Paris 1901.

*Forschungsprobleme der vergleichenden Literaturgeschichte*, hrsg. von K. Wais und F. Ernst, Tübingen. Bd 1 (1951), Bd 2 (1958).

*La Littérature comparée en Europe orientale*, hrsg. von I. Sötér, Budapest 1963. Bei der Budapester Tagung vom 26. bis 29. Oktober 1962 verlesene Referate. Siehe die Darstellungen von D. McCutchion im *Jadavpur Journal of Comparative Literature*, Nr. 5 (1965), S. 88–100, und von R. Matlaw in *YCGL* 13 (1964), S. 53–55.

*Littérature hongroise, littérature européenne. Etudes de littérature comparée* publiée par l'Académie des Sciences de Hongrie à l'occasion du IVe congrès de l'AILC, hrsg. von I. Sötér, Budapest 1964.

*Problemy mezhdunarodnykh literaturnykh sujazej*, Leningrad, Universitätsverlag, 1962. Tagungsbericht einer 1960 im Moskauer Gorki-Institut für Weltliteratur abgehaltenen Konferenz. Siehe R. Matlaws Bericht in *YCGL* 13 (1964), S. 49–53, und O. Egorovs Referat in der *Zeitschrift für Slawistik* 7 (1962), S. 151–163.

*Vzaimosvjazi i vzaimodejstvie natsional'nykh literatur*, Moskau, Akademie der Wissenschaften, 1961. Tagungsbericht einer 1957 im Gorki-Institut für Weltliteratur abgehaltenen Tagung. Siehe Matlaws Bericht in *YCGL* 13 (1964), S. 49–53.

G. Festschriften

Festschrift Mieczeslaw Brahmer, Warschau 1967.
*Connaissance de l'Etranger. Mélanges offerts à la mémoire de Jean-Marie Carré*, Paris 1964.
*Mélanges d'histoire littéraire générale et comparée offerts à Fernand Baldensperger*, Paris 1930. 2 Bde.
*Studi in onore di Carlo Pellegrini*, Turin 1963.
Wellek-Festschrift (im Druck), New Haven, Yale University Press.
*Weltliteratur. Festgabe für Fritz Strich zum 70. Geburtstag*, hrsg. von W. Muschg und E. Staiger, Bern 1962.

## 7. *Buchreihen*

*Bibliothèque de la Revue de Littérature Comparée*, hrsg. von F. Baldensperger und P. Hazard. 113 Bde (1920–1937).
*Columbia University Studies in English and Comparative Literature*. 168 Bde 1899ff.
*Etudes de Littérature étrangère et comparée*, Paris. 52 Bde 1938ff.
*Harvard Studies in Comparative Literature*. 28 Bde 1910ff.
*University of North Carolina Studies in Comparative Literature*. 41 Bde 1950ff.
*Studia Litteraria Rheno-Traiectina* (Utrecht). 6 Bde (1950–1959).
*Utrechtse Publikaties voor Algemene Literatuurwetenschap*. 8 Bde 1962ff.
*Zürcher Beiträge zur vergleichenden Literaturgeschichte*. 5 Bde 1952ff.

## 8. *Geschichte und Stand der vergleichenden Literaturwissenschaft in einzelnen Ländern*

a) Arabische Republik:
Hilal, M. G.: *Les Etudes de littérature comparée dans la République Arabe Unie*, in: *YCGL* 8 (1959), S. 10–13.
Tutungi, G.: *Comparative Literature in the Arab World*, in: *YCGL* 13 (1964), S. 64–67. Rezension von Hilals Buch.

b) Australien:

Friederich, W. P.: *The 1955 Meeting of the Australasian Universities' Modern Languages Association*, in *RLC* 30 (1956), S. 237–239.

c) Belgien:

Thys, Walter: *A Glance at Comparative Literature in Belgium*, in: *YCGL* 9 (1960), S. 31–43.

d) Deutschland:

Alewyn, Richard: *Comparative Literature in Germany*, in: *Comparative Literature Newsletter* I/4 (1943), S. 1–2.
Höllerer, Walter: *La Littérature comparée en Allemagne depuis la fin de guerre*, in: *RLC* 27 (1953), S. 27–42. Auf Italienisch in der *Rivista di letterature moderne e comparate* 3 (1952), S. 285–299.
Oppel, Horst: *A Glance at Comparative Literature in Germany*, in: *YCGL* 7 (1958), S. 16–23.

e) England:

Mc Cutchion. David: *Comparative Literature in England*, in: *Jadavpur Journal* ... 6 (1966), S. 145–149.

*Not So Odious*. Leitartikel in *Times Literary Supplement* vom 12. 3. 1964. Abgedruckt in *YCGL* 14 (1965), S. 72–73.

Roe, Frederick C.: *Comparative Literature in the United Kingdom*, in: *YCGL* 3 (1956), S. 1–13.

Sayce, R. A.: *Comparative Literature* im *Times Educational Supplement* vom 26. 3. 1965. Abgedruckt in *YCGL* 15 (1966), S. 63–65.

Wilkinson, Elizabeth: *Neuere Strömungen der angelsächsischen Ästhetik in ihrer Beziehung zur vergleichenden Literaturwissenschaft*, in: *Forschungsprobleme* I, S. 141–158.

Willoughby, L. A.: *Stand und Aufgaben der vergleichenden Literaturgeschichte in England*, Ebd. S. 21–28.

f) Frankreich:

Carré, Jean-Marie: *L'Institut de Littérature Comparée de l'Université de Paris*, in: *YCGL* 1 (1952), S. 46–49.

Escarpit, Robert: *La Littérature comparée dans les universités françaises de province*, in: *YCGL* 5 (1956), S. 8–12.

Texte, Joseph: *Les Etudes de littérature comparée à l'étranger et en France*, in: *Revue internationale de l'Enseignement* 25 (1893), S. 253–269.

Voisine, Jacques: *Les Etudes de littérature comparée*, in: *Revue de l'Enseignement Supérieur*, 3 (1957), S. 61–67.

– *L'Enseignement de la littérature comparée dans une université française*, in: *Proceedings II*, Bd 1, S. 216–222 (Lille).

Zusätzliches Material findet sich in den Monographien von Guyard, Pichois-Rousseau und Van Tieghem sowie laufend in *RLC*.

g) Holland:

Eupen, M. D. van: *The Growth of Comparative Literature in the Netherlands*, in: *YCGL* 4 (1955), S. 21–26.

Lee, A. van der: *Zur Komparatistik im niederländischen Sprachraum*, in: *Forschungsprobleme* II, S. 173–177.

Zusätzliche Angaben in Cornelis de Deugds Studie *De Eenheid van het Comparatisme*.

h) Indien:

Bose, Buddhadeva: *Comparative Literature in India*, in: *YCGL* 8 (1959), S. 1–10.

i) Italien:

Simone, Franco: *Benedetto Croce et la littérature comparée en Italie*, in: *RLC* 27 (1953), S. 1–16.

j) Japan:

Ota, Saburo: *The First Decade of the Japan Society of Comparative Literature*, in: *YCGL* 6 (1957), S. 1–6.

– *Comparative Literature in Japan*, in: *Jadavpur Journal of Comparative Literature*, 3 (1963), S. 1–10.
Yamagiwa, Joseph K.: *Comparative, General and World Literature in Japan*, in: *YCGL* 2 (1953), S. 28–39.

k) Jugoslawien:

Deanovič, Mirko: *La Littérature comparée et les pays slaves*, in: *Proceedings II*, Bd 1, S. 70–79.

l) Polen:

Brahmer, M.: *Etudes polonaises de littérature comparée*, in: *Bulletin de l'Académie Polonaise* (Paris), April 1952.
Zaleski, Z. L.: *La Littérature comparée en Pologne*, in: *YCGL* 2 (1953), S. 14–19.

m) Rumänien:

Munteano, Basil: *La Littérature comparée en Roumanie*, in: *RLC* 11 (1931), S. 515ff.
– *La Littérature comparée chez les Roumains*, in: *YCGL* 2 (1953), S. 19–27.

n) Rußland:

Struve, Gleb: *Comparative Literature in the Sowjet Union, Today and Yesterday*, in: *YCGL* 4 (1955), S. 1–21.
– *Comparative Literature in the Sowjet Union. Two Postscripts*, in: *YCGL* 6 (1957), S. 7–10.
– *More About Comparative Literature Studies in the Sowjet Union*, in: *YCGL* 8 (1959), 13–18.
Siehe auch die Besprechungen von R. E. Matlaw in *YCGL* 13 (1964), S. 49–55, R. Triomphe in *RLC* 34 (1960), S. 304–310, und D. McCutchion im *Jadavpur Journal* ... 5 (1965), S. 88–100, sowie den Aufsatz von E. Bojtar in *Helikon* (Budapest) 10 (1964), S. 62–72

o) Schweiz:

Jost, François: *La Littérature comparée en Suisse*, in: *Proceedings II*, Bd 1, S. 62–70.

p) Südamerika:

Nuñez, Estuardo: *Literatura comparada en Hispanoamerica*, in: *CLS* 1 (1964), S. 41–45.

q) Tschechoslowakei:

Wollman, F.: *Les Comparatistes de Prague et leur école*, in: *Slovešná Veda* 1 (1951), S. 51–54. (»Pražská škola komparatistu«).

r) Ungarn:

Vajda, György Mihali: *Hauptzüge der Geschichte der vergleichenden Literaturforschung in Ungarn*, in: *Littérature comparée en Europe orientale*, S. 306–313.
– *Essai d'une histoire de la littérature comparée en Hongrie*, in: *Littérature hongroise, littérature européenne*, S. 525–588. Mit einem bibliographischen Anhang von Kalman Bór.

s) Vereinigte Staaten von Amerika:

Baldensperger, Fernand: *La Littérature comparée aux Etats-Unis*, in: *RLC* 21 (1947), S. 446–449.
Friederich, W. P.: *L'Organisation des ›Comparatistes‹ aux Etas-Unis*, in: *RLC* 22 (1948), S. 115ff.
– *Zur vergleichenden Literaturgeschichte in den Vereinigten Staaten*, in: *Forschungsprobleme* II, S. 179–192.
Lange, Victor: *Stand und Aufgaben der vergleichenden Literaturgeschichte in den USA*, in: *Forschungsprobleme* I, S. 21–28.
Levin, Harry: *La Littérature comparée. Point de vue d'outre-Atlantique*, in: *RLC* 27 (1953), S. 17–26.
Peyre, Henri: *A Glance at Comparative Literature in America*, in: *YCGL* 1 (1952), S. 1–8.
– *Seventy-Five Years of Comparative Literature. A Backward and a Forward Glance*, in: *YCGL* 8 (1959), S. 18–26.
Schall, Frank L.: *Littérature comparée et littérature générale aux Etats-Unis*, in: *Etudes Françaises*, 6 (1925), S. 43–60.

Pädagogisches:

Frenz, Horst und Ulrich Weisstein: *Teaching the Comparative Arts. A Challenge*, in: *College English* 18 (1956), S. 67–71.
O'Neal, Robert: *Teachers' Guide to World Literature for the High School*, Champaign, Ill., National Council of Teachers of English, 1966.
Remak, Henry H. H.: *The Organization of an Introductory Survey*, in: *Proceedings II*, Bd 1, S. 222–229. Teil eines Symposiums, zu dem auch A. Balakian, R. Clements, H. Oppel, H. Roddier und J. Voisine beitrugen.
*A Syllabus of Comparative Literature*, compiled by the Faculty of Comparative Literature, The Graduate School, Rutgers University. New York 1964.
*Symposium on Graduate Study in Comparative Literature*, in: *CLS*, Special Advance Issue (1963), S. 135–142. 1. ACLA-Tagung.
*Symposium on Graduate Study in Comparative Literature*, in: *YCGL* 17 (1968). 3. ACLA-Tagung.

*The Teaching of World Literature*, hrsg. von Haskell M. Block, Chapel Hill, University of North Carolina Press, 1960. Anläßlich einer Tagung an der University of Wisconsin gehaltene Referate.
Frenz, Horst: *Comparative Literature for Undergraduates?*, in: *YCGL* 4 (1955), S. 52–55.

Lebens- und Schaffens-Abrisse bedeutender Komparatisten aus aller Welt finden sich in den ersten neun Bänden von *YCGL* sowie vereinzelt auch in anderen Publikationen (*RLC*, *Forschungsprobleme II*, *Littérature comparée en Europe orientale* etc.) Sie sind in *B/F* und *YCGL* bibliographisch erfaßt.

### 9. *Nachahmung, Einfluß, Rezeption*

Balakian, Anna: *Influence and Literary Fortune. The Equivocal Junction of Two Methods*, in: *YCGL* 11 (1962), S. 24–31.
Block, Haskell M.: *The Concept of Influence in Comparative Literature*, in: *YCGL* 7 (1958), S. 30–37.

*The Concept of Influence. A Symposium*, in: *CLS*, Special Advance Issue (1963), S. 143–152. Vom 2. ACLA-Kongreß.

Dyserinck, H.: *Zum Problem der* images *und* mirages *und ihrer Untersuchung im Rahmen der vergleichenden Literaturwissenschaft*, in: *Arcadia* 1 (1966), S. 107–120.

Escarpit, Robert: *Les Méthodes de la sociologie littéraire*, in: *Proceedings II*, Bd 1, S. 142–148.

– *Sociologie de la littérature*, Paris, Presses Universitaires de France, 1960 (»Que sais-je?« Nr. 777).

– *Creative Treason as a Key to Literature*, in: *YCGL* 10 (1961), S. 16–21.

Farinelli, Arturo: *Gli influssi letterari e l'insuperbire delle nazioni*, in: *Mélanges d'histoire littéraire générale et comparée offerts à Fernand Baldensperger*, Paris 1930, Bd 1, S. 271–290.

Fransen, J.: *Iets over vergelijkende literatuurstudie, »perioden« en »invloeden«*, Groningen 1936.

Guillén, Claudio: *Literatura como sistema. Sobre fuentes, influencias y valores literarios*, in: *Filologia Romanza* 4 (1957), S. 1–29.

– *The Aesthetics of Influence Studies in Comparative Literature*, in: *Proceedings II*, Bd 1, S. 175–192.

Hassan, Ihab H.: *The Problem of Influence in Literary History. Notes Toward a Definition*, in: *American Journal of Aesthetics and Art Criticism* 14 (1955), S. 66–76.

Lubbers, Klaus: *Aufgaben und Möglichkeiten der Rezeptionsforschung*, in: *GRM* N.F. 14 (1964), S. 292–302.

*Proceedings IV*, Bd 2, S. 697–1362: *Termes et notions littéraires. Imitation, Influence, Originalité.*

Schücking, Levin L.: *Soziologie der literarischen Geschmacksbildung*, Bern–München [3]1961. Dalp-Taschenbuch Nr. 354.

Shaw, Joseph T.: *Literary Indebtedness and Comparative Literature Studies*, in: *S/F*, S. 58-71.

### 10. *Probleme des Übersetzens*

Arrowsmith, William und Roger Shattuck (Hrsg.): *The Craft and Context of Translation*, New York 1964. Symposium mit 16 Beiträgen.

Brower, Reuben A.: *On Translation*, New York, Oxford University Press, 1959. 16 Beiträge und eine von B. Q. Morgan besorgte kritische Bibliographie (S. 271–293).

Frenz, Horst: *The Art of Translation*, in: *S/F*, S. 72–95.

Italiander, Rolf (Hrsg.): *Übersetzen. Vorträge und Beiträge vom internationalen Kongreß literarischer Übersetzer in Hamburg* 1965, Frankfurt–Bonn 1965.

Mounin, Georges: *Die Übersetzung. Geschichte, Theorie, Anwendung*, München 1967.

Störig, H. J. (Hrsg.): *Das Problem des Übersetzens*, Darmstadt 1963.

### 11. *Epoche, Periode, Generation und Bewegung*

Baldensperger, Fernand: *The Decreasing Length of Some Literary Periods*, in: *Bulletin of the International Committee of Historical Sciences*, 36 (September 1937), S. 307–313.

Cysarz, Herbert: *Das Periodenprinzip in der Literaturwissenschaft*, in: *Philosophie der Literaturwissenschaft*, hrsg. von E. Ermatinger, Berlin 1930, S. 92–129.

Foerster, Max: *The Psychological Basis of Literary Periods*, in: *Studies for William A. Read*, Baton Rouge, Louisiana State University Press, 1940, S. 254–268.

Meyer, R. M.: *Prinzipien der wissenschaftlichen Periodenbildung. Mit besonderer Rücksicht auf die Literaturgeschichte*, in: *Euphorion* 8 (1901), S. 1–42.

Panofsky, Erwin: *Renaissance and Renascences*, in: *Kenyon Review* 6 (1944), S. 201–236.

*Les Périodes de l'histoire littéraire de l'Europe depuis la Renaissance*, in: *Bulletin of the International Committee of Historical Sciences* 36 (September 1937), S. 225–398. 3. Kongreß der Commission Internationale d'Histoire Moderne.

Petersen, Julius: *Die literarischen Generationen*, in: *Philosophie der Literaturwissenschaft*, hrsg. von E. Ermatinger, S. 130–187.

Peyre, Henri: *Les Générations littéraires*, Paris 1948.

Pinder, Wilhelm: *Das Problem der Generation in der Kunstgeschichte Europas*, Köln [4]1949.

Teesing, H. P. H.: *Das Problem der Perioden in der Literaturgeschichte*, Groningen 1948. Mit ausführlicher Bibliographie (S. 140–145).

– *Die Bedeutung der vergleichenden Literaturgeschichte für die literarhistorische Periodisierung*, in: *Forschungsprobleme* I, S. 13–20.

– *Die Magie der Zahlen. Das Generationsprinzip in der vergleichenden Literaturgeschichte*, in: *Miscellanea Litteraria*, hrsg. von H. Sparnaay und W. A. P. Smit, Groningen 1959, S. 147–173.

Wechssler, Eduard: *Die Generation als Jugendreihe und ihr Kampf um die Denkform*, Leipzig 1930.

Wellek, René: *Periods and Movements in Literary History*, in: *English Institute Annual for 1940*, New York, Columbia University Press, 1941, S. 73–93.

Wiese, Benno von: *Zur Kritik des geistesgeschichtlichen Epochenbegriffs*, in: *DVLG* 11 (1933), S. 130–144.

## 12. *Gattungsfragen*

Behrens, Irene: *Die Lehre von der Einteilung der Dichtkunst, vornehmlich vom* 16. *bis* 19. *Jahrhundert*. Halle/Saale 1940. Ausführliche Bibliographie auf S. 240–252.

Brandt Corstius, Jan: *Oude en nieuwe genres*, in: *De muze in het morgenlicht*, Zeist 1957, S. 99–123.

Brunetière, Ferdinand: *L'Evolution des genres dans l'histoire de la littérature*, Paris 1890.

Burke, Kenneth: *Poetic Categories*, in: *Attitudes Toward History*, New York 1937. Bd 1, S. 41–119.

Diaz-Plaja, Guillermo: *Teoría y historia de los géneros literarios*, Barcelona [2]1941.

Donohue, James J.: *The Theory of Literary Kinds. Ancient Classifications of Literature*, Dubuque, Iowa 1943.

Ehrenpreis, Irwin: *The »Types«. Approach to Literature*, New York 1945. Mit ausführlicher Bibliographie.

Etiemble, René: *Histoire des genres et littérature comparée*, in: *Littérature comparée en Europe orientale*, S. 203–207.

Fubini, Mario: *Genesi e storia dei generi letterari*, in: *Critica e poesia*, Bari 1956, S. 143–274.

*Genre*, hrsg. von D. E. Billiar, E. F. Heuston und R. L. Vales (Chicago), I (1968) ff. Das zweite Heft enthält drei bei einem MLA-Symposium im Dezember 1967 verlesene Referate von Germaine Brée, Sheldon Sacks und Eliseo Vivas sowie eine Kritik derselben.

*Les Genres littéraires*, in: *Helicon* 2 (1939), S. 115–224. 3. Tagung der *Commission Internationale d'Histoire Moderne*.

Ghiano, Juan Carlos: *Los géneros literarios*, Buenos Aires 1951.

Hardison, O. B. Jr.: *Poetics, Chapter I: ›The Way of Nature‹*, in: *YCGL* 16 (1967), S. 5–15.
Jolles, André: *Einfache Formen*, Tübingen [3]1963.
Kayser, Wolfgang: *O problema dos géneros literarios*, Coimbra 1944.
Moisés, Massaud: *A Criacão Literária. Introdução à Problemática da Literatura*, Sao Paulo 1967.
Müller, Günther: *Bemerkungen zur Gattungspoetik*, in: *Philosophischer Anzeiger* 3 (1929), S. 129–147.
Pearson, N. H.: *Literary Forms and Types*, in: *English Institute Annual for 1940*, New York, Columbia University Press, 1941, S. 61–72.
Petersen, Julius: *Zur Lehre von den Dichtungsgattungen*, in: *Festschrift für August Sauer*, Stuttgart 1925, S. 72–116.
Staiger, Emil: *Grundbegriffe der Poetik*, Zürich 1946.
Valentin, Veit: *Poetische Gattungen*, in: *Zeitschrift für vergleichende Litteraturgeschichte* 5 (1892), S. 35–51.
Viëtor, Karl: *Probleme der literarischen Gattungsgeschichte*, in: *DVLG* 9 (1931), S. 425–447.
Vincent, Abbé C.: *Théorie des genres littéraires*, Paris [20]1948.
Wellek, René und Austin Warren: *Theory of Literature*, New York 1949, Kapitel 17.
*Zagadnienia Rodzajów Literackich.* Mit russischem und französischem Titel *(Les Problèmes des genres littéraires)* seit 1958 von der Societas Lodziensis der Universität Lodz (Polen) veröffentlicht.

## 13. *Stoff- und Motivgeschichte*

Croce, Benedetto: Rezension von Charles Riccis *Sophonisbe dans la tragédie classique italienne et française*, in: *La Critica* 2 (1904), S. 483–486.
Beiss, Adolf: *Nexus und Motive. Beitrag zur Theorie des Dramas*, in: *DVLG* 36 (1962), S. 248–276.
Czerny, Z.: *Contribution à une théorie comparée du motif dans les arts*, in: *Stil- und Formprobleme in der Literatur*, hrsg. von P. Böckmann, Heidelberg 1959, S. 38–50.
Frenzel, Elisabeth: *Stoffe der Weltliteratur. Ein Lexikon dichtungsgeschichtlicher Längsschnitte*, Stuttgart 1962.
– *Stoff-, Motiv- und Symbolforschung*, Stuttgart 1965.
– *Stoff- und Motivgeschichte*, Berlin 1966. Ausführliche Bibliographie auf S. 159–172.
Körner, Josef: *Erlebnis, Motiv, Stoff*, in: *Vom Geiste neuer Literaturforschung*, Festschrift für Oskar Walzel, hrsg. von J. Wahle und V. Klemperer, Berlin 1924, S. 80–90.
– *Motiv* im *Reallexikon der deutschen Literaturgeschichte*, hrsg. von P. Merker und W. Stammler, Bd 2 (1926/28), S. 412–415.
Krogmann, Willy: *Motivübertragung und ihre Bedeutung für die literarhistorische Forschung*, in: *Neophilologus* 17 (1932), S. 17–32.
– *Motiv* im *Reallexikon der deutschen Literaturgeschichte*, hrsg. von W. Mohr und W. Kohlschmidt, Bd 2 ([2]1965), S. 427–432.
Levin, Harry: *Thematics and Criticism*, in: *Wellek-Festschrift*, New Haven, Yale University Press, 1968.
Merker, Paul: *Stoff, Stoffgeschichte* in: *Reallexikon der deutschen Literaturgeschichte*, hrsg. von P. Merker und W. Stammler, Bd 3 (1928/29), S. 305–310.

Petersen, Julius: *Die Wissenschaft von der Dichtung. System und Methodenlehre der Literaturwissenschaft*, Berlin ²1944, S. 169–180.
Polti, Georges: *Les trente-six Situations dramatiques*, Paris ²1912.
Sauer, Eberhard: *Die Verwertung stoffgeschichtlicher Methoden in der Literaturforschung*, in: *Euphorion* 29 (1928), S. 222–229.
Trousson, Raymond: *Plaidoyer pour la* Stoffgeschichte, in: *RLC* 38 (1964), S. 101–114.
– *Un Problème de littérature comparée. Les études de thèmes*, Essai de méthodologie, Paris 1965.
Veit, Walter: *Toposforschung. Ein Forschungsbericht*, in: *DVLG* 37 (1963), S. 120–163.
– *»Topics« in Comparative Literature*, in: *Jadavpur Journal of Comparative Literature* 5 (1966), S. 39–55.
*Venezia nelle letterature moderne*, hrsg. von C. Pellegrini, Venedig–Rom, Istituto per la collaborazione culturale, 1961. Tagungsberichte vom 1. AILC-Kongress.

### 14. *Wechselseitige Erhellung der Künste*

Bluestone, George: *Novels into Film*, Baltimore 1957.
Brown, Calvin S.: *Music and Literature. A Comparison of the Arts*, Athens, University of Georgia Press, 1948.
Coeuroy, André: *Musique et littérature. Etudes de musique et de littérature comparée*, Paris 1923.
Frenz, Horst und Ulrich Weisstein: *Teaching the Comparative Arts. A Challenge*, in: *College English* 18 (1956), S. 67–71.
Gaither, Mary: *Literature and the Arts*, in: *S/F*, S. 153–170.
Greene, Theodore M.: *The Arts and the Art of Criticism*, Princeton, Princeton University Press, ²1947.
Günther, Herbert: *Künstlerische Doppelbegabungen*, München ²1960.
Hagstrum, Jean H.: *The Sister Arts. The Tradition of Literary Pictorialism in English Poetry from Dryden to Gray*, Chicago, University of Chicago Press, 1958.
Hatzfeld, Helmut: *Literature Through Art. A New Approach to French Literature*, New York, Oxford University Press, 1952.
Hauser, Arnold: *Sozialgeschichte der Kunst*, München 1953.
Henkel, Arthur und Albrecht Schöne (Hrsg.): *Emblemata*, Stuttgart 1967.
Hermand, Jost: *Literaturwissenschaft und Kunstwissenschaft*, Stuttgart 1965.
Hocke, Gustav René: *Die Welt als Labyrinth*, Hamburg 1957, 2 Bde.
Kayser, Wolfgang: *Das Groteske in Literatur und Kunst*, Oldenburg 1957.
Kerman, Joseph: *Opera as Drama*, New York 1956.
*Les Langues et littératures modernes dans leurs relations avec les beaux-arts*, hrsg. von C. Pellegrini, Florenz 1955. 5. FILLM-Kongreß.
Maury, Paul: *Arts et littérature comparés. Etat présent de la question*, Paris 1934.
Medicus, Fritz: *Das Problem einer vergleichenden Geschichte der Künste*, in: *Philosophie der Literaturwissenschaft*, hrsg. von E. Ermatinger, S. 188–239.
Müller-Blattau, Joseph: *Das Verhältnis von Wort und Ton in der Geschichte der Musik. Grundzüge und Probleme*, Stuttgart 1952.
Munro, Thomas: *The Arts and their Interrelations*, New York 1951.
Neumann, Alfred R. (Hrsg.): *Literature and the Other Arts. A Select Bibliography 1952–1958*, New York 1959. Soll neuaufgelegt werden. Jährliche Nachträge (hektographiert) von Mitgliedern der Fachgruppe »Literature and the other Arts« der MLA herausgegeben.

*Relations of Literary Study. Essays on Interdisciplinary Contributions*, hrsg. von J. Thorpe, New York, Modern Language Association of America, 1967. Auf S. 127–150 ein Aufsatz von B. H. Bronson über *Literature and Music*.
Sypher, Wylie: *Four Stages of Renaissance Style. Transformations in Art and Literature 1400–1700*, New York 1955.
– *Rococo to Cubism im Art and Literature*, New York 1960.
Teesing, H. P. H.: *Literature and the other Arts. Some Remarks*, in: *YCGL* 12 (1963), S. 27–35.
Vossler, Karl: *Über gegenseitige Erhellung der Künste*, in: *Heinrich Wölfflin-Festschrift*, Dresden 1935, S. 160–167.
Wais, Kurt: *Vom Gleichlauf der Künste*, in: *Bulletin of the International Committee of the Historical Sciences* 36 (September 1937), S. 295–304.
– *Symbiose der Künste*, Stuttgart 1937.
Walzel, Oskar: *Wechselseitige Erhellung der Künste*, Berlin 1917.
– *Gehalt und Gestalt im Kunstwerk des Dichters*, Berlin o. J. Das 11. Kapitel behandelt Grundsatzfragen der wechselseitigen Erhellung, während das 12. und 14. Kapitel die Dichtkunst im Verhältnis zur bildenden Kunst und zur Musik betrachten.
Weisstein, Ulrich: *The Libretto as Literature*, in: *Books Abroad* 35 (1961), S. 14–22.
– *The Essence of Opera*, New York 1964.
Wellek, René: *The Parallelism between Literature and the Arts*, in: *English Institute Annual for 1941*, New York, Columbia University Press. 1942, S. 29–63.
Wellek, René und Austin Warren: *Theory of Literature*, New York 1949. Kapitel 11: *Literature and the other Arts* (S. 124–135).

## 15. *Bibliographie*

Baldensperger, Fernand und Werner P. Friederich: *Bibliography of Comparative Literature*, Chapel Hill, University of North Carolina Press, 1950. Fortgesetzt in Bd 1–9 des *Yearbook of Comparative and General Literature*. Rezensionen von B. Munteano in *RLC* 26 (1952), S. 273–286, S. Skard in *Journal of English and Germanic Philology* 52 (1953), S. 229–242, und R. Wellek in *CL* 3 (1951), S. 90–92.
Bataillon, Marcel: *Pour une Bibliographie internationale de littérature comparée*, in: *RLC* 30 (1956), S. 136–144.
Betz, Louis-Paul: *Essai de bibliographie des questions de littérature comparée*, in: *Revue de Philologie française et de littérature* 10 (1896), S. 247–274, und 11 (1897), S. 22–61, 81–108, 241–274.
– *La Littérature comparée. Essai bibliographique*, Straßburg 1900.
– *La Littérature comparée. Essai bibliographique*, hrsg. von F. Baldensperger, Straßburg 1904.
*Bibliographie générale de littérature comparée*, Paris. Zusammenstellg. der Bibliographien aus *RLC*. Umfaßt je zwei Jahre. Bd 1 (1949/50) ff.
*Comparatistische Bibliografie*. Von 1955 bis 1960 vom Institut für vergleichende Literaturwissenschaft an der Universität Utrecht herausgegeben (auf Karteikarten). Umfaßte die Veröffentlichungen in flämischer, holländischer süd-afrikanischer Sprache (Afrikaans).
Etiemble, René: *Pour une bibliographie ...*, in: *Comparaison n'est pas raison*, Paris 1963, S. 30–35.
Fisher, John H.: *Serial Bibliographies in the Modern Languages and Literatures*, in: *PMLA* 66 (1951), S. 138–156.

Jellinek, A. L.: *Bibliographie der vergleichenden Literaturgeschichte*, Berlin 1903. Vorarbeiten in Kochs *Studien zur vergleichenden Litteraturgeschichte*.

Malclès, L. N.: *Histoire universelle et européenne. Littérature comparée*, in: *Les Sources du travail bibliographique*, Bd 2 Genf 1952, S. 418–433.

Meserole, Harrison T. u. a.: Symposium über bibliographische Fragen in: *YCGL* 17 (1968). 3. ACLA-Tagung.

Neumann, Alfred R.: *Literature and the Other Arts. A Select Bibliography 1952-1958*, New York 1959. Fortgesetzt in jährlich erscheinenden hektographierten Nachträgen, hrsg. von Mitgliedern der Gruppe »General Topics IX« der MLA.

*Revue de Littérature Comparée*. Vierteljährliche Bibliographie von Bd 1 (1921) bis Bd 34 (1960).

Rosenberg, Ralph: *Bibliographies*, in: *CL* 2 (1950), S. 189–190. »A check list of regular American bibliographies which contain material pertaining ... to comparative literature«.

*Yearbook of Comparative and General Literature*, hrsg. von H. Frenz, H. H. H. Remak und U. Weisstein, Indiana University, Bloomington, Indiana. Bd 10 (1961) ff. Fortsetzung von *B/F* in neuer Anordnung.

## Personenregister